SECRETOS en LONDRES

SECRETOS en LONDRES

SERIE BEVELSTOKE

Libro 2

JULIA QUINN

TITANIA

Argentina • Chile • Colombia • España
Estados Unidos • México • Perú • Uruguay

Título original: *What Happens in London*
Editor original: Avon Books, An Imprint of HarperCollins*Publishers*, New York
Traducción: Marta Torent López de Lamadrid

2.ª edición Junio 2022

Plaza de los Reyes Magos, 8, piso 1.º C y D – 28007 Madrid
www.titania.org
atencion@titania.org

ISBN: 978-84-17421-59-5
E-ISBN: 978-84-9944-032-3
Depósito legal: B-7.440-2022

Fotocomposición: Ediciones Urano, S.A.U.

Impreso por: Romanyà-Valls – Verdaguer, 1 – 08786 Capellades (Barcelona)

Impreso en España – *Printed in Spain*

Para Gloria, Stan, Katie, Rafa y Matt.
No tengo familia política, solo familia.

Y también para Paul,
aunque haya heredado él todos los genes dominantes.

La autora desearía darles las gracias a Mitch Mitchell, Boris Skyar,
Molly Skyar y Sarah Wigglesworth por su dominio de todo
lo relacionado con Rusia.

PRÓLOGO

A la edad de doce años, Harry Valentine se diferenciaba del resto de niños de su clase social por dos cosas.

La primera era su absoluto dominio del ruso y del francés. Un talento rodeado de poco misterio, ya que su abuela, la gran aristócrata (y testaruda) Olga Petrova Obolenskiy Dell, se había mudado a vivir con la familia Valentine cuatro meses después de que Harry naciera.

Olga renegaba de la lengua inglesa. En su opinión (que expresaba con frecuencia), en este mundo no había nada que no pudiera decirse en ruso o en francés.

Nunca pudo explicar del todo por qué se había casado con un inglés.

—Seguramente porque tendría que explicarlo en *inglés* —había susurrado Anne, la hermana de Harry.

Harry se limitó a encogerse de hombros y sonreír (como haría cualquier hermano que se precie) cuando ella se llevó un sopapo en la oreja por decir esto. Puede que *Grandmère* despreciase el inglés, pero lo entendía perfectamente y tenía el oído más fino que un sabueso. Cuando ella estaba en la habitación donde recibían sus clases, no era buena idea ponerse a cuchichear en ninguna otra lengua. Hacerlo en inglés era una tremenda estupidez. Hacerlo en inglés dando a entender, a su vez, que el francés o el ruso no eran adecuados para el intercambio verbal en cuestión...

Con franqueza, a Harry le sorprendía que Anne no hubiera recibido una zurra.

Pero Anne era reacia al ruso con la misma intensidad que *Grandmère* lo era al inglés. Era demasiado *complicado*, y el francés era casi igual de difícil.

Anne tenía cinco años cuando *Grandmère* llegó, y su inglés ya estaba demasiado asentado como para alcanzar el mismo nivel en cualquier otro idioma.

Harry, por otro lado, estaba encantado de responder en cualquier lengua en que le hablaran. El inglés era para el día a día, el francés era la elegancia y el ruso se convirtió en el idioma del drama y la emoción. Rusia era maravillosa. Era fría. Y, por encima de todo, *grande*.

Pedro el Grande, Catalina la Grande... Harry había crecido con sus historias.

—¡Bah! —se había burlado Olga en más de una ocasión, cuando el profesor particular de Harry había tratado de enseñarle historia inglesa—. ¿Quién es este Etelredo el Indeciso? ¿El *Indeciso*? ¿Qué clase de país permite que sus gobernantes sean indecisos?

—La reina Isabel fue estupenda —señaló Harry.

—¿Acaso la llaman Isabel la Grande? —repuso Olga nada convencida—. ¿O la Gran Reina? No, la llaman La Reina Virgen, como si *eso* fuese algo de lo que enorgullecerse.

Era en este momento cuando las orejas del profesor se ponían muy rojas, lo que a Harry le parecía de lo más curioso.

—*Esa* reina —continuó Olga, con la mayor frialdad posible— no fue una gran reina. Ni siquiera le dio a su país un heredero al trono como Dios manda.

—La mayoría de los historiadores coinciden en que la reina hizo bien en no casarse —dijo el profesor—. Necesitaba dar la imagen de que no recibía influencias, y...

Su voz se apagó. A Harry no le sorprendió. *Grandmère* se había vuelto hacia él con una de sus penetrantes y escrutadoras miradas. Harry no conocía a nadie que pudiera seguir hablando ante una de esas miradas.

—Es usted un estúpido don nadie —soltó, y luego le dio completamente la espalda. Lo despidió al día siguiente, y ella misma le dio clase a Harry hasta que encontraron un profesor nuevo.

A Olga no le correspondía despedir y contratar a los tutores para los niños Valentine, que por entonces sumaban tres (al pequeño Edward lo habían trasladado a la habitación infantil cuando Harry tenía siete años), pero no parecía probable que nadie más tomara cartas en el asunto. La madre de Harry, Katarina Dell Valentine, jamás discutía con su propia madre, y en cuanto al padre, bueno...

Eso estaba estrechamente relacionado con la segunda cosa original que hacía tan especial el cerebro de doce años de Harry Valentine.

El padre de Harry, sir Lionel Valentine, era un borracho.

Pero lo insólito no era *esto*. Todo el mundo sabía que sir Lionel bebía más de lo debido. No era ningún secreto. Sir Lionel tropezaba y trastabillaba (con las palabras y los pies), se reía cuando nadie más lo hacía y, para desgracia de las dos criadas (y las dos alfombras del estudio de sir Lionel), había un motivo por el que el alcohol no le había hecho engordar.

Y es que Harry se había vuelto experto en la tarea de limpiar vomitonas.

Todo empezó cuando tenía diez años. Puede que hubiera dejado la porquería donde estaba, si no hubiera intentado pedirle a su padre un poco de dinero demasiado entrada la noche. Sir Lionel ya se había bebido su brandi de antes de la cena, su vino con la cena, su oporto justo después y ahora había vuelto a su favorito, el mencionado brandi, pasado de contrabando desde Francia. Harry estaba seguro de haber formulado frases completas (en inglés) cuando le pidió financiación, pero su padre se limitó a mirarlo fijamente, parpadeando varias veces como si no acabase de comprender de qué hablaba su hijo, y acto seguido le vomitó en los zapatos.

Por lo que Harry no pudo evitar el desastre.

Después de aquello no pareció haber vuelta atrás. Volvió a ocurrir una semana más tarde, aunque no encima de sus pies, y luego al mes siguiente. Para cuando Harry tenía doce años, cualquier otro muchacho habría perdido la cuenta de las veces que había limpiado el vómito de su padre, pero él siempre había sido meticuloso y, una vez que hubo empezado, fue difícil parar el recuento.

La mayoría de la gente habría perdido la cuenta alrededor del siete. Harry sabía, gracias a sus numerosas lecturas sobre lógica y aritmética, que este era el número más alto que la mayoría de las personas podía percibir visualmente. Si se dibujan siete puntos en una página, la mayoría puede echar un vistazo y saber cuántos puntos hay. Si son ocho, la mayor parte de la humanidad no acierta.

Harry podía percibir hasta veintiuno.

Por lo que no fue de extrañar que tras limpiar quince vómitos, supiera cuántas veces se había encontrado a su padre dando tumbos por el pasillo, desmayado en el suelo o apuntando (mal) en un orinal. Y entonces, una vez que llegó a veinte, el asunto se convirtió en algo puramente numérico, y se vio *forzado* a llevar la cuenta.

Tenía que ser numérico. Si no lo era, entonces sería otra cosa, y puede que se sorprendiera a sí mismo llorando antes de dormirse en lugar de simplemente clavar los ojos en el techo mientras decía: «Cuarenta y seis, pero con un radio bastante más reducido que el martes pasado. Puede que no haya cenado mucho esta noche».

Hacía tiempo que la madre de Harry había decidido ignorar la situación, y se la podía ver casi siempre en sus jardines, ocupándose de las exóticas variedades de rosa que su madre había traído de Rusia muchos años atrás. Anne le había dicho a Harry que pensaba casarse y «salir de este infierno» en cuanto cumpliera los diecisiete, lo cual fue muestra de su determinación, ya que a esas alturas sus padres no habían hecho ningún esfuerzo por conseguirle marido. En cuanto a Edward, el hijo menor, aprendió a adaptarse como había hecho Harry. Su padre no servía para nada a partir de las cuatro de la tarde, aunque pareciera estar lúcido, y esto solía suceder hasta la hora de la cena, cuando perdía totalmente el control.

Los criados también estaban al tanto, aunque no eran demasiados; los Valentine se las arreglaban bastante bien con una casa en Sussex y las cien libras anuales que seguían recibiendo como parte de la dote de Katarina. Pero esto no significaba una gran riqueza y solo podían permitirse sus ocho empleados: mayordomo, cocinero, ama de llaves, caballerizo, dos lacayos, criada y fregona. La mayoría decidió seguir con la familia pese a los desagradables episodios con el alcohol. Puede que sir Lionel fuese un borracho, pero no era un borracho cruel. Tampoco era tacaño, y hasta las criadas aprendieron a limpiar sus vomitonas si ello significaba alguna que otra moneda de propina cuando él recordaba sus actividades lo suficiente como para avergonzarse de ellas.

De modo que Harry no estaba seguro de *por qué* seguía limpiando los desperdicios de su padre, cuando podría haberlo hecho alguien más. Tal vez no quería que los criados supieran la frecuencia con la que esto ocurría, o necesitara recordar los peligros del alcohol. Tenía entendido que su abuelo paterno había sido también un borracho. ¿Estas cosas se transmitían de padres a hijos?

No quería averiguarlo.

Y entonces, de repente, *Grandmère* murió. No fue de forma tranquila durante el sueño; Olga Petrova Obolenskiy Dell jamás se iría de este mundo con tanta discreción. Estaba sentada a la mesa del comedor, a punto de meter su cuchara en la sopa, cuando se llevó la mano al pecho, jadeó varias veces y sufrió un colapso. Más tarde comentaron que debió de tener cierto grado de conciencia antes de caer sobre la mesa, porque su rostro logró esquivar la sopa y golpear el cubierto, enviando por los aires una cucharada del líquido hirviendo hacia sir Lionel, cuyos reflejos estaban demasiado embotados para apartarse.

Harry no presenció esto personalmente, pues a los doce años no tenía permitido cenar con los adultos, pero Anne lo vio todo y se lo contó a Harry con la respiración entrecortada.

—¡Y entonces se sacó la corbata!

—¿En la mesa?

—¡En la mesa! ¡Y se le veía la quemadura! —Anne alzó la mano, sus dedos pulgar e índice pellizcándose unos dos centímetros y medio de cuello—. ¡Así de grande!

—¿Y *Grandmère*?

Anne se puso más seria. Pero solo un poco.

—Creo que está muerta.

Harry tragó saliva y asintió.

—Era muy mayor.

—Tenía por lo menos noventa.

—No creo que tuviera noventa.

—Pues los *aparentaba* —murmuró Anne.

Harry no dijo nada. No estaba seguro del aspecto que debía tener una anciana de noventa años, pero desde luego *Grandmère* tenía más arrugas que ninguna de las personas que conocía.

—Pero ¿te cuento la parte más curiosa? —dijo Anne. Se inclinó hacia delante en actitud confidencial—. *Mamá.*

Harry parpadeó varias veces.

—¿Qué ha hecho?

—Nada. Nada de nada.

—¿Estaba sentada al lado de *Grandmère*?

—No, no me refiero a eso. Estaba enfrente y en diagonal... demasiado lejos para ayudar.

—¿Y...?

—Se ha quedado sentada —le interrumpió Anne—. No se ha movido. Ni siquiera ha hecho ademán de levantarse.

Harry pensó en ello. Lo lamentaba, pero no era ninguna sorpresa.

—Ni siquiera ha cambiado la expresión de su cara. Se ha quedado ahí sentada, *así.* —Anne puso cara inexpresiva, y Harry tuvo que reconocer que era exactamente igual a la de su madre.

—Te diré algo —dijo Anne—. Si hubiera sufrido un colapso delante de mí, como *mínimo* habría puesto cara de sorpresa. —Sacudió la cabeza—. Son ridículos, los dos. Papá no hace más que beber y mamá no hace nada en absoluto. Lo dicho, que me muero de ganas de que llegue mi cumpleaños. Me da igual el luto. Yo me caso con William Forbush, y no habrá nada que ninguno de ellos pueda hacer al respecto.

—No creo que debas preocuparte por eso —dijo Harry. Es posible que su madre no tenga ninguna opinión sobre el asunto y su padre esté demasiado borracho para darse cuenta.

—Mmm... Puede que tengas razón. —Anne frunció los labios con pesar y entonces, en una insólita demostración de cariño fraternal, alargó un brazo y le dio a su hermano un apretón en el hombro—. Tú también te irás pronto. No te preocupes.

Harry asintió. Se suponía que en unas semanas se iría al colegio.

Y aunque se sentía un poco culpable por irse mientras Anne y Edward se quedaban, su culpabilidad quedó eclipsada por la abrumadora sensación de alivio que lo inundó cuando se marchó al colegio.

Irse fue *estupendo*. Con el debido respeto a *Grandmère* y sus monarcas favoritos, puede que fuese hasta «grande».

La vida de estudiante de Harry resultó ser tan gratificante como había imaginado. Estudió en Hesslewhite, una academia bastante estricta para muchachos cuyas familias carecían de influencias (o, en el caso de Harry, de interés) para mandar a sus hijos a Eton o Harrow.

A Harry le encantaba el colegio. Le *encantaba*. Le encantaban las clases, le encantaba el deporte y le encantaba irse a la cama sin tener que ir en busca de su padre por toda la casa, cruzando los dedos para que se hubiese desmayado antes de ensuciarlo todo. En el colegio Harry hacía un recorrido directo desde la sala común hasta su dormitorio, y le encantaba cada paso que daba sin sobresaltos.

Pero todo lo bueno también se acaba y a los diecinueve años se graduó con el resto de la clase, incluido Sebastian Grey, primo hermano e íntimo amigo. Se celebró una ceremonia, ya que la mayoría de los muchachos deseaba celebrar la ocasión, pero Harry *olvidó* hablarle de ello a su familia.

—¿Dónde está tu madre? —le preguntó su tía Anna. Al igual que le sucedía a la madre de Harry, su voz no revelaba ningún acento, pese a que Olga había insistido en hablarles únicamente en ruso desde muy pequeñas. Anna se había casado mejor que Katarina, pues contrajo matrimonio con el segundo hijo de un conde. Esto no había distanciado a las hermanas; al fin y al cabo, sir Lionel era un baronet, lo que significaba que era a Katarina a quien llamaban «su señoría», aunque era Anna la que tenía los contactos y el dinero, y quizá más importante, tenía un marido (hasta su muerte dos años antes) que rara vez se permitía beber más de una copa de vino en la cena.

Por eso cuando Harry masculló algo acerca de que su madre estaba demasiado cansada, Anna supo exactamente a qué se refería; a que si su madre venía, su padre vendría con ella. Y después de la espectacular exhibición de tambaleante grandeza de sir Lionel en la convocatoria de Hesslewhite de 1807, Harry era reacio a invitar a su padre a otro acto del colegio.

Cuando bebía, sir Lionel tendía a perder las «eses» al hablar, y Harry no estaba seguro de poder sobrevivir a otro discurso sobre su «*ezpléndido* colegio», sobre todo porque lo había pronunciado encaramado a una silla.

Durante un momento de silencio.

Harry había intentado hacer bajar a su padre, y lo habría conseguido si su madre, que estaba sentada al otro lado de sir Lionel, hubiese ayudado en el intento. Sin embargo, estaba con la mirada clavada al frente, como hacía siempre en semejantes ocasiones, fingiendo no oír nada, por lo que Harry tuvo que darle a su padre un tirón, que le hizo perder un poco el equilibrio. Sir Lionel bajó con estrépito y gritando, y se dio un golpe en la mejilla con el respaldo de la silla que estaba enfrente de Harry.

Esto podría haber enfurecido a otro hombre, pero no a sir Lionel, que sonrió estúpidamente, llamó a Harry «hijo *ezpléndido*» y luego escupió un diente.

Harry todavía tenía ese diente. Y nunca dejó que su padre volviera a poner un pie en el recinto escolar. Aunque eso significara que fuese el único muchacho que no tenía ni padre ni madre presentes en la ceremonia de graduación.

Su tía insistió en acompañarlo a casa, lo que Harry agradeció. No le gustaba tener invitados, pero tía Anna y Sebastian ya sabían todo lo que había que saber sobre su padre; bueno, casi todo. Harry no había compartido con ellos las ciento veintiséis veces que había fregado sus vómitos. Ni la reciente pérdida del preciado samovar de *Grandmère*, el esmalte de cuya plata se resquebrajó cuando sir Lionel tropezó con una silla, dio un salto en el aire curiosamente grácil (se suponía que para recuperar el equilibrio) y luego aterrizó boca abajo encima del aparador.

Aquella mañana también se habían echado a perder tres platos de huevos y una loncha de beicon.

La parte positiva fue que los perros nunca habían comido tan bien.

Habían elegido Hesslewhite por su proximidad a la casa de los Valentine, por lo que tras estar tan solo hora y media en el carruaje, giraron por el camino de acceso y empezaron a recorrer el último y corto tramo.

—Desde luego, los árboles están muy frondosos este año —comentó tía Anna—. Espero que las rosas de tu madre estén bien.

Harry asintió distraídamente, intentando calcular la hora. ¿Era aún media tarde o el día había dejado paso a la noche? Si era esto último, tendría que invitarles a que se quedaran a cenar. Tendría que invitarles en cualquier caso; tía Anna querría saludar a su hermana. Pero si era media tarde, únicamente esperarían un té, lo que significaba que podían entrar y salir sin llegar a ver a su padre.

Lo de la cena era otra historia. Sir Lionel siempre insistía en cambiarse para la cena. Le gustaba decir que era el distintivo de un caballero. Y por poca gente que hubiese en la cena (el noventa y nueve por ciento de las veces únicamente sir Lionel, lady Valentine y cualesquiera de los hijos de ambos que estuvieran en casa), le gustaba el papel de anfitrión, lo que solía implicar el relato de un montón de historias y *bon mots*; solo que sir Lionel solía olvidar la parte central de las historias y sus agudezas no eran tan *bon*. Lo que a su vez significaba que había bastantes silencios incómodos por parte de la familia, que se pasaba la mayor parte de la cena fingiendo no enterarse de que la salsera se había volcado o de que le habían rellenado la copa de vino a sir Lionel.

Una.

Y otra.

Y luego, naturalmente, otra vez.

Nunca le dijo nadie que parara. ¿Para qué? Sir Lionel sabía que bebía demasiado. Harry había perdido la cuenta del número de veces que su padre se había dirigido a él sollozando: «Lo *ciento*, lo *ciento* mucho, *muchícimo*. No quiero *cer* un *eztorbo*. *Erez* un buen muchacho, Harry».

Pero nunca cambiaba nada. Lo que sea que empujaba a sir Lionel a beber era mucho más fuerte que toda la culpa o el arrepentimiento de los que podía hacer acopio para dejar la bebida. Sir Lionel no negaba el alcance de su enfermedad, sin embargo, no podía hacer nada al respecto.

Igual que Harry. A menos que atase a su padre a la cama, cosa que no estaba dispuesto a hacer. Así que en lugar de eso nunca invitaba a amigos a casa, evitaba estar en casa a la hora de cenar y, ahora que el colegio había terminado, contaba los días que le quedaban para irse a la universidad.

Pero primero tenía que sobrevivir al verano. Bajó del carruaje de un salto cuando se detuvieron en el camino principal y, a continuación, le ofreció la mano a su tía. Sebastian los siguió y los tres juntos se dirigieron al salón, donde Katarina bordaba con la aguja.

—¡Anna! —exclamó, con aspecto de ir a ponerse de pie (pero sin llegar a hacerlo)—. ¡Qué sorpresa tan fabulosa!

Anna se agachó para abrazarla y luego se sentó frente a ella.

—Se me ha ocurrido traer a Harry del colegio.

—¡Vaya, entonces se ha acabado el trimestre! —murmuró Katarina.

Harry sonrió de forma tensa con nerviosismo. Supuso que él tenía la culpa de la ignorancia de su madre, ya que había evitado decirle que el colegio había finalizado, pero ¿no debería una madre mantenerse al tanto de semejantes detalles?

—Sebastian —dijo Katarina, dirigiéndose a su sobrino—, has crecido.

—Cosas que pasan —bromeó este, dedicándole su habitual sonrisa torcida.

—¡Válgame Dios! —exclamó ella sonriendo—. Dentro de poco serás un peligro para las damas.

Harry casi puso los ojos en blanco. Sebastian ya había conquistado prácticamente a todas las muchachas de la aldea próxima a Hesslewhite. Debía desprender cierta clase de fragancia, porque todas las mujeres caían rendidas a sus pies.

Habría sido agobiante, solo que Sebastian no podía bailar con *todas* las muchachas, y Harry no tenía ningún inconveniente en quedarse con las sobras.

—No habrá tiempo para eso —dijo Anna con energía—. Le he comprado un cargo de oficial del ejército. Sale dentro de un mes.

—¿Vas a entrar en el ejército? —repuso Anna, dirigiéndose sorprendida a su sobrino—. ¡Qué maravilla!

Sebastian se encogió de hombros.

—¿No lo sabías, mamá? —dijo Harry. El futuro de Sebastian se había decidido varios meses atrás. A tía Anna le preocupaba su falta de presencia masculina desde que su padre falleciera. Y como era poco probable que Sebastian heredara un título o una fortuna, se daba por hecho que tendría que labrarse su propio futuro.

Nadie, ni siquiera la madre de Sebastian, quien creía que el sol salía y se ponía por su hijo, le había *sugerido* que contemplara el clero como posibilidad.

A Sebastian no acababa de entusiasmarle la idea de pasarse la década siguiente luchando contra Napoleón, pero tal como le había dicho a Harry, ¿qué otra cosa podía hacer? Su tío, el conde de Newbury, lo detestaba y le había dejado claro que no contara con sacar ningún provecho monetario, ni de cualquier otra índole, de esa relación.

—Tal vez muera —había insinuado Harry, con la sensibilidad y el tacto propios de un muchacho de diecinueve años.

Claro que era difícil ofender a Sebastian, especialmente en lo que concernía a su tío. O al único hijo de este, el heredero de Newbury.

—Mi primo es peor incluso —contestó Sebastian—. Intentó negarme el saludo en Londres.

Harry notó que se le arqueaban las cejas por la sorpresa. Una cosa era aborrecer a un miembro de la familia, pero otra muy distinta era intentarlo humillar públicamente.

—¿Qué hiciste?

Los labios de Sebastian se curvaron en una tenue sonrisa.

—Seducir a la muchacha con la que quería casarse.

Harry le lanzó una mirada de absoluta incredulidad.

—Vale, no es verdad —transigió Sebastian—. Pero en el *pub* sí que seduje a la muchacha a la que le había echado el ojo.

—¿Y la muchacha con la que quería casarse?

—¡Ya no quiere casarse con él! —Sebastian se rio.

—¡Por Dios, Sebastian! ¿Qué hiciste?

—¡Oh, nada irreparable! Ni siquiera yo soy lo bastante estúpido como para aprovecharme de la hija de un conde. Sencillamente... se fijó en mí, eso es todo.

Pero tal como había señalado su madre, Sebastian no tendría muchas oportunidades para ninguna clase de intento amoroso; no con la vida militar que le esperaba. Harry había procurado no pensar en su marcha; Sebastian era la única persona en el mundo en quien tenía una confianza ciega.

Era la única persona que jamás le había defraudado.

En realidad, era lógico que se alistara en el ejército. Sebastian no era estúpido, más bien todo lo contrario, pero no estaba hecho para la vida académica. El ejército era una opción mucho mejor para él. Pero, aun así, mientras él estaba ahí sentado, en el salón, incómodo en una silla egipcia demasiado pequeña, no pudo evitar autocompadecerse un poco. Y sentirse egoísta. Preferiría que Sebastian le acompañase a la universidad, aun cuando no fuese lo mejor para su primo.

—¿De qué color será tu uniforme? —preguntó Katarina.

—Azul oscuro, supongo —respondió Sebastian con educación.

—¡Oh, estarás guapísimo de azul! ¿No te parece, Anna?

Anna asintió y Katarina añadió:

—Como lo estarías tú, Harry. Tal vez deberíamos comprarte a ti también un cargo.

Harry parpadeó sorprendido. Nunca habían contemplado el ejército como una opción de futuro. Él era el varón primogénito, tenía que heredar la casa, la dignidad de baronet y el dinero que su padre no se bebiera antes de morir. Se suponía que su vida no tenía que ponerse en peligro.

Y, además de eso, él era uno de los pocos muchachos de Hesslewhite a los que realmente le *gustaba* estudiar. No le había importado que lo apodaran El Profesor. ¿En qué estaría pensando su madre? ¿Acaso no lo *conocía*? ¿Estaba sugiriendo que se alistara en el ejército para mejorar su sentido de la *estética*?

—¡Pero si Harry no podría ser un soldado! —exclamó Sebastian con picardía—. No puede darle a un blanco que esté a un metro de sus narices.

—Eso *no* es verdad —repuso él—. No soy tan bueno como *tú* —dijo con un brusco movimiento de cabeza hacia Sebastian—, pero soy mejor que todos los demás.

—Entonces, ¿eres un buen tirador, Sebastian? —preguntó Katarina.

—El mejor.

—También es de una modestia extraordinaria —murmuró Harry. Pero era verdad. Sebastian era un destacado tirador, y el ejército estaría encantado con él, siempre y cuando lograran impedirle que sedujera a todo Portugal.

A medio Portugal, más bien. A la mitad femenina.

—¿Por qué no te haces tú con un cargo de oficial? —preguntó Katarina.

Harry se volvió hacia su madre, intentando descifrar su rostro, intentando descifrarla a *ella*. Era siempre enojosamente inexpresiva, como si los años hubiesen ido poco a poco eliminando todo aquello que le había conferido personalidad, que le había permitido *sentir*. Su madre no tenía opinión. Dejaba que la vida diera vueltas a su alrededor, y ella se quedaba impasible, sin que ningún aspecto de la misma pareciera despertar su interés.

—Creo que te gustaría el ejército —dijo Katarina en voz baja, y él se paró a pensar *si su madre había hecho alguna vez semejante declaración*, si había dado alguna vez una opinión relativa a su futuro, a su bienestar.

¿Había estado únicamente esperando al momento adecuado?

Su madre sonrió como siempre hacía; con un suspiro imperceptible, como si el esfuerzo fuese casi excesivo.

—¡Estarías estupendo de azul! —Y luego se dirigió a Anna—: ¿No crees?

Harry abrió la boca para decir..., bueno, para decir algo; en cuanto supiera el qué. No tenía pensado entrar en el ejército. Él debía ir a la universidad. Se había ganado una plaza en Pembroke College, en Oxford. Había pensado en estudiar ruso quizá. No había practicado mucho el idioma desde que *Grandmère* falleciera. Su madre lo hablaba, pero raras veces tenían conversaciones enteras en inglés y mucho menos en ruso.

¡Caramba, cómo echaba de menos a su abuela! No siempre tenía razón, y ni siquiera era siempre simpática, pero era divertida. Y a él lo quería.

¿Qué habría ella querido que hiciera? Harry no estaba seguro. Sin duda, le habría parecido bien que fuese a la universidad, si eso implicaba pasar tiempo inmerso en la literatura rusa. Pero su abuela también había tenido un grandísimo concepto del ejército y se había burlado abiertamente de su padre por no haber servido nunca a su país (y por infinidad de cosas más).

—Deberías pensar en ello, Harry —declaró Anna—. Estoy convencida de que Sebastian agradecería tu compañía.

Harry le lanzó una mirada desesperada a Sebastian. Seguro que él entendería su angustia. ¿Qué se creían su madre y su tía? ¿Que tomaría semejante decisión mientras se bebía un *té*? ¿Que podría dar un mordisco a una galleta, reflexionar sobre el asunto durante unos instantes y decidir que sí, que el azul marino era un color de uniforme espléndido?

Pero Sebastian hizo ese gesto típico suyo de encoger un hombro; ese gesto que decía: «¡Qué sé yo! El mundo está loco».

La madre de Harry se llevó la taza de té a los labios, pero si tomó un sorbo, la inclinación de la porcelana lo hizo inapreciable. Y entonces, mientras bajaba la taza hacia el platillo, cerró los ojos.

Fue tan solo un parpadeo; en realidad, tan solo un parpadeo un poco más lento de lo normal, pero Harry sabía lo que quería decir. Su madre había oído pasos. Los pasos de su padre. Siempre era la primera en oírlo. Tal vez fueran los años de práctica, de vivir en la misma casa, aunque no exactamente en el mismo mundo. Su habilidad para fingir que su vida era diferente a la que era se había ido desarrollando junto con su habilidad para adivinar el paradero de su marido en todo momento.

Era mucho más sencillo ignorar lo que uno no veía.

—¡Anna! —exclamó sir Lionel, que apareció y se apoyó en el umbral de la puerta—. Y Sebastian. ¡Qué magnífica sorpresa! ¿Qué tal te va, hijo?

—Muy bien, señor —contestó Sebastian.

Harry observó a su padre entrando en la sala. Era difícil saber ya en qué punto de ebriedad estaba. Su paso no era vacilante, pero en sus brazos había cierto balanceo que a Harry no le gustó.

—Me alegro de verte, Harry —dijo sir Lionel, dándole a su hijo una breve palmadita en el brazo antes de avanzar hacia la consola—. Veo que el colegio ha terminado.

—Sí, señor —dijo Harry.

Sir Lionel vertió algo en un vaso (Harry estaba demasiado lejos para determinar qué era exactamente), y luego se volvió a Sebastian con una sonrisa bobalicona.

—¿Cuántos años tienes ya, Sebastian? —preguntó.

—Diecinueve, señor.

Los mismos que Harry. Tan solo se llevaban un mes. Siempre había tenido la misma edad que Harry.

—¿Le has dado un té, Katy? —le dijo sir Lionel a su esposa—. ¿En qué estabas pensando? Ya es un hombre.

—No pasa nada por tomar té, padre —dijo Harry en tono seco.

Sir Lionel se volvió hacia él parpadeando por la sorpresa, casi como si hubiera olvidado que su hijo estaba allí.

—Harry, hijo. Me alegro de verte.

Harry apretó los labios; luego los frunció.

—Yo también me alegro de verlo, padre.

Sir Lionel tomó un buen trago de su copa.

—Entonces, ¿ha finalizado el trimestre?

Harry asintió mientras decía su acostumbrado «Sí, señor».

Sir Lionel frunció las cejas; luego bebió de nuevo.

—Pero ya has terminado el colegio, ¿verdad? He recibido una nota de Pembroke College sobre tu matriculación. —Volvió a fruncir las cejas, luego parpadeó unas cuantas veces y después se encogió de hombros—. No me había enterado de que habías solicitado el ingreso. —Y luego, como si se le acabara de ocurrir, añadió—: Bien hecho.

—No voy a ir.

Las palabras salieron de la boca de Harry atropellada e inesperadamente. ¿Qué estaba diciendo? ¡Naturalmente que iría a Pembroke College! Era lo que quería. Lo que siempre había querido. Le gustaba estudiar. Le gustaban los libros. Le gustaban los números. Le gustaba sentarse en una biblioteca, incluso cuando brillaba el sol y Sebastian lo sacaba a rastras a jugar al rugby. (Sebastian siempre ganaba esta batalla; en el sur de Inglaterra los días soleados eran contados y, cuando se podía, había que salir fuera. Por no decir que Sebastian era muy persuasivo en todo.)

No había en toda Inglaterra un joven que pudiera encajar mejor en la vida universitaria. Y sin embargo...

—Voy a alistarme en el ejército.

De nuevo las palabras salieron sin que mediara pensamiento consciente alguno. Harry se preguntó qué estaba diciendo. Se preguntó *por qué* lo decía.

—¿Con Sebastian? —preguntó tía Anna.

Harry asintió.

—Alguien tiene que asegurarse de que no lo maten.

Sebastian lo fulminó con la mirada por la ofensa, pero saltaba a la vista que estaba demasiado contento por el giro de los acontecimientos como para replicar. El futuro militar siempre le había producido sentimientos encontrados; Harry sabía que, pese a toda su bravuconería, le tranquilizaría tener a su primo con él.

—No puedes irte a la guerra —dijo sir Lionel—. Eres mi heredero.

Todos los presentes en el salón (los cuatro miembros de su familia) se volvieron al baronet con diversos grados de sorpresa. Con toda probabilidad era lo único sensato que había dicho en muchos años.

—Tienes a Edward —dijo Harry con rotundidad.

Sir Lionel bebió, parpadeó varias veces y se encogió de hombros.

—Pues sí, es verdad.

Era más o menos lo que Harry esperaba que dijera y, sin embargo, sintió en sus entrañas una persistente y honda decepción. Y un profundo resentimiento.

Y dolor.

—¡Un brindis por Harry! —exclamó sir Lionel con jovialidad, levantando su vaso. No parecía darse cuenta de que nadie más se había unido a él—. ¡Buena suerte, hijo mío! —Inclinó su vaso, pero entonces cayó en la cuenta de que hacía rato que no lo rellenaba—. ¡Vaya, maldita sea! —murmuró—. ¡Qué lata!

Harry se hundió en la silla, pero al mismo tiempo empezó a sentir un picor en los pies, como si estuvieran listos para echar a andar. A correr.

—¿Cuándo te vas? —preguntó sir Lionel, tras rellenar felizmente su vaso.

Harry miró hacia Sebastian, quien habló enseguida.

—Debo personarme la semana que viene.

—Entonces yo también —le dijo Harry a su padre—. Necesitaré el dinero para pagar el cargo, naturalmente.

—Naturalmente —repuso sir Lionel, respondiendo de forma instintiva al tono de voz de mando de Harry—. Bien… —Bajó los ojos hacia sus pies, luego desvió la vista hacia su esposa.

Esta miraba fijamente por la ventana.

—¡Ha sido estupendo veros a todos! —dijo sir Lionel. Dejó su vaso y caminó a paso tranquilo hasta la puerta, perdiendo el equilibrio únicamente una vez.

Harry lo vio marcharse y experimentó una curiosa sensación de indiferencia ante la escena. Era evidente que había visualizado la imagen con anterioridad. No el hecho de alistarse en el ejército, sino el de irse de casa. Siempre había creído que se iría a la universidad como todo el mundo, que metería sus cosas en el carruaje familiar y se marcharía. Pero su imaginación se dejó llevar por toda clase de despedidas dramáticas que iban desde la gesticulación absurda hasta las miradas gélidas. Sus favoritas tenían que ver con botellas lanzadas contra la pared, botellas de las caras, las de contrabando traídas de Francia. ¿Seguiría su padre dando apoyo a los franchutes con sus compras ilegales ahora que su hijo se enfrentaría con ellos en el campo de batalla?

Harry clavó los ojos en el umbral vacío de la puerta. ¡Qué más daba, en realidad! Aquí no tenía nada más que hacer.

No tenía nada más que hacer en este lugar, con esta familia. Se acabaron todas esas noches en las que llevaba a su padre a la cama y lo tumbaba de lado con cuidado para que, si volvía a vomitar, al menos no se atragantara al hacerlo.

Se acabó.

Se acabó.

Pero la sensación era de mucho vacío, mucho silencio. Su partida estuvo marcada por… nada.

Y tardaría años en darse cuenta de que lo habían engañado.

1

—Dicen que mató a su primera esposa.

Eso bastó para que lady Olivia Bevelstoke dejara de remover el té.

—¿Quién? —preguntó, porque lo cierto era que no había estado escuchando.

—Sir Harry Valentine. Tu nuevo vecino.

Olivia miró fijamente a Anne Buxton y luego a Mary Cadogan, quien asintió con la cabeza.

—Es broma —dijo, aunque sabía perfectamente que Anne jamás bromearía sobre algo así. Su vida eran los chismorreos.

—No, es tu vecino, en serio —intervino Philomena Waincliff.

Olivia tomó un sorbo de té, más que nada para ganar tiempo y que su cara no adoptara la expresión deseada; una mezcla de descarada exasperación e incredulidad.

—Me refería a que debe de ser una broma que haya matado a alguien —dijo Olivia con más paciencia de la que solía atribuírsele.

—¡Ah! —Philomena tomó una galleta—. Perdón.

—A mí me ha llegado que mató a su prometida —insistió Anne.

—Si hubiese matado a alguien, estaría entre rejas —señaló Olivia.

—No, si no pudieron probarlo.

Olivia miró con discreción hacia su izquierda, donde, tras una gruesa pared de piedra, tres metros y medio de fresco aire primaveral y otra pared gruesa, esta de ladrillo, estaba la casa recién alquilada por sir Harry Valentine, justo al sur de la suya.

Las otras tres muchachas miraron en su misma dirección, lo cual hizo que Olivia se sintiera como una absoluta idiota, ya que ahora estaban todas mirando fijamente hacia un punto vacío de la pared del salón.

—No ha matado a nadie —dijo con firmeza.

—¿Cómo lo sabes? —repuso Anne.

Mary asintió.

—Porque lo sé —contestó Olivia—. No estaría viviendo en Mayfair, en una casa contigua a la mía, si hubiese matado a alguien.

—Sí, si no pudieron probarlo —volvió a decir Anne.

Mary asintió.

Philomena se comió otra galleta.

Olivia logró curvar muy levemente los labios; esperaba que hacia arriba, porque de nada serviría fruncirlos. Eran las cuatro de la tarde. Las muchachas llevaban una hora de visita, charlando sobre esto y lo otro, cotilleando (naturalmente) y comentando su elección de atuendo para los próximos tres actos sociales. Tenían esta clase de encuentros con asiduidad, aproximadamente una vez a la semana, y Olivia disfrutaba con su compañía, si bien la conversación carecía de la transcendencia que caracterizaba las charlas con su amiga más íntima, Miranda Cheever, ahora Bevelstoke.

Sí, resulta que Miranda se había casado con el hermano de Olivia. Lo cual estaba bien. Era maravilloso. Habían sido amigas desde la cuna y ahora serían hermanas hasta la muerte. Pero eso también significaba que Miranda ya no era una dama soltera de la que se esperaba que hiciera cosas propias de la soltería.

Actividades para damas solteras.
Por lady Olivia Bevelstoke, una dama soltera.

Llevar ropa de colores pastel
(puedes darte por satisfecha si tienes la complexión adecuada
para semejantes tonos).
Sonreír y reservarte tus opiniones.

(con cualquier grado de éxito que seas capaz).
Hacer lo que te digan tus padres.
Aceptar las consecuencias cuando lo hagas.
Buscar un marido que no se moleste en decirte
lo que tienes que hacer.

No era inusual que Olivia formulara mentalmente ideas tan extrañas. Lo que explicaría por qué se sorprendía a sí misma con tanta frecuencia no escuchando a los demás.

Y, tal vez, por qué había llegado a decir cosas que debería haberse guardado para sí misma. Aunque, a decir verdad, habían pasado dos años desde que llamara a sir Robert Kent «armiño orondo» y, francamente, eso había sido mucho más condescendiente que el resto de calificativos que tenía en mente.

Pero, en definitiva, Miranda tenía que hacer ahora cosas propias de señoras casadas, que a Olivia le habría gustado enumerar en una lista, solo que nadie (ni tan siquiera Miranda, y Olivia todavía no se lo había perdonado) quería decirle qué hacían las mujeres casadas, aparte de no tener que llevar colores pastel, no tener que ir acompañadas de una carabina y parir bebés a intervalos razonables.

Olivia estaba convencida de que detrás de esto último había algo más, porque su madre salía corriendo de la habitación cada vez que le preguntaba al respecto.

Pero, volviendo a Miranda, había dado a luz a un bebé (Caroline, la sobrinita de Olivia por la que esta hacía toda clase de payasadas) y ahora estaba embarazada del segundo, lo que significaba que por las tardes no podía estar de charla como solían hacer. Y como a Olivia le *gustaba* la cháchara (y la moda y el chismorreo), cada vez pasaba más tiempo con Anne, Mary y Philomena. Y aunque a menudo eran divertidas, y nunca maliciosas, las mayoría de las veces decían bobadas.

Como ahora mismo.

—En cualquier caso, *¿quiénes* lo dicen? —preguntó Olivia.

—¿Quiénes? —repitió Anne.

—Sí. ¿Quiénes dicen que mi nuevo vecino mató a su prometida?

Anne hizo una pausa. Miró hacia Mary.

—¿Tú lo recuerdas?

Mary sacudió la cabeza.

—La verdad es que no. ¿Sarah Forsythe, tal vez?

—No —intervino Philomena, sacudiendo la cabeza con absoluta seguridad—. Sarah no ha sido. Acaba de volver de Bath hace un par de días. ¿Libby Lockwood?

—No, Libby no —dijo Anne—. Si hubiese sido Libby, lo recordaría.

—A eso me refiero —comentó Olivia—. No sabéis quién lo ha dicho. Ninguna de nosotras lo sabe.

—Pues yo no me lo he inventado —dijo Anne, un tanto a la defensiva.

—No he dicho que te lo hayas inventado. Nunca pensaría eso de ti. —Era cierto. Anne repetía casi todo lo que se manifestaba en su presencia, pero jamás se inventaba las cosas. Olivia hizo una pausa, pensativa—. ¿No creéis que es la clase de rumor que convendría verificar?

Su pregunta fue recibida por tres miradas inexpresivas.

Olivia intentó otra táctica distinta.

—Aunque solo sea por vuestra propia seguridad personal. Si esto fuera cierto...

—Entonces, ¿tú crees que lo es? —preguntó Anne, intentando aguijonearla.

—No. —¡Cielo santo!—. No lo creo. Pero si lo *fuera*, entonces digo yo que no sería alguien con quien querríamos que se nos relacionara.

Esto fue recibido con un largo silencio, que finalmente rompió Philomena:

—Mi madre ya me ha dicho que lo evite.

—Razón por la que —continuó Olivia, que se sentía un poco como si estuviese caminando trabajosamente por el fango— deberíamos determinar su veracidad. Porque si *no* es cierto...

—Es muy guapo —la interrumpió Mary. A lo que siguió un vehemente—: Es verdad, lo es.

Olivia parpadeó unas cuantas veces, tratando de entenderla.

—Yo no lo he visto nunca —dijo Philomena.

—Siempre viste de negro —dijo Mary, como si estuviera haciendo una confidencia.

—Yo lo he visto de azul oscuro —la contradijo Anne.

—Siempre lleva colores oscuros —rectificó Mary, lanzándole a Anne una mirada de fastidio—. Y sus ojos... ¡Oh, podría traspasarte con la mirada!

—¿De qué color son? —preguntó Olivia, imaginándose toda clase de interesantes matices: rojo, amarillo, naranja...

—Azules.

—Grises —dijo Anne.

—Gris azulado. Pero son muy penetrantes.

Anne asintió, pues no podía decir nada al respecto.

—¿De qué color tiene el pelo? —preguntó Olivia. Seguramente este detalle les había pasado desapercibido.

—Castaño oscuro —respondieron al unísono las dos muchachas.

—¿Tan oscuro como el mío? —preguntó Philomena, toqueteándose su propio cabello.

—Más oscuro —dijo Mary.

—Pero no moreno —añadió Anne—. No del todo.

—Y es alto —dijo Mary.

—Siempre lo son —murmuró Olivia.

—Pero no demasiado —continuó Mary—. A mí tampoco me gustan los hombres desgarbados.

—Viviendo como vive aquí al lado tienes que haberlo visto —le dijo Anne a Olivia.

—No creo haberlo visto —murmuró Olivia—. Acaba de alquilar la casa a primeros de mes, y desde entonces yo he pasado una semana fuera porque los Macclesfield me invitaron a su fiesta.

—¿Cuándo regresaste a Londres? —preguntó Anne.

—Hace seis días —respondió Olivia, retomando enérgicamente el tema en cuestión—. Ni siquiera sabía que hubiera un soltero viviendo en la casa. —Lo cual, se le ocurrió demasiado tarde, quería decir que, de *haberlo sabido,* habría intentado averiguar más cosas sobre él.

Algo que debía de ser cierto, pero que no iba a reconocer.

—¿Sabéis de qué me he enterado? —preguntó de pronto Philomena—. De que le dio una *paliza* a Julian Prentice.

—¿Qué? —repusieron todas.

—¿Y lo mencionas ahora? —añadió Anne, con gran incredulidad.

Philomena hizo un gesto de desdén con la mano.

—Me lo ha dicho mi hermano. Julian y él son grandes amigos.

—¿Qué ocurrió? —preguntó Mary.

—Esa es la parte que no me quedó muy clara —confesó Philomena—. Robert fue un tanto impreciso.

—Los hombres *nunca* recuerdan los detalles que hay que recordar —dijo Olivia, pensando en su propio hermano gemelo, Winston. Para los cotilleos era un auténtico desastre.

Philomena asintió.

—Robert vino a casa con muy mal aspecto. Estaba bastante... mmm... desaliñado.

Todas asintieron. Todas tenían hermanos.

—Apenas podía mantenerse erguido —continuó Philomena—. Y apestaba a Dios sabe qué. —Sacudió la mano frente a su nariz—. Tuve que ayudarle a pasar de largo el salón para que mamá no lo viera.

—Entonces ahora te debe una —dijo Olivia, siempre maquinando.

Philomena asintió.

—Al parecer estaban por ahí, haciendo lo que sea que hagan los hombres, y Julian estaba un poco... Mmm...

—¿Borracho? —intervino Anne.

—Suele estarlo —añadió Olivia.

—Sí. Lo que cuadra, dado el estado en que volvió a casa mi hermano. —Philomena hizo un alto, frunciendo la frente como si estuviese pensando en algo, pero entonces dejó de fruncirla con la misma rapidez y continuó—: Me dijo que Julian no hizo nada fuera de lo común, y que luego sir Harry apareció y prácticamente lo despedazó.

—¿Hubo sangre? —preguntó Olivia.

—¡Olivia! —la reprendió Mary.

—La pregunta es pertinente.

—No sé si hubo sangre —dijo Philomena un tanto oficiosamente.

—Si lo despedazó, sería lo lógico —pensó en voz alta Olivia.

Extremidades que menos me importaría perder,
en sentido descendente,
por Olivia Bevelstoke.
(En la actualidad con todas las extremidades intactas.)

No, de eso nada. Meneó los dedos de los pies dentro de sus chinelas para quedarse más tranquila.

—Tiene un ojo morado —continuó Philomena.

—¿Sir Harry? —preguntó Anne.

—Julian Prentice. Sir Harry también podría tenerlo que yo no lo sabría, porque no lo he visto en mi vida.

—Yo lo vi hace un par de días —dijo Mary—. No tenía un ojo morado.

—¿Estaba desmejorado?

—No. Estaba tan adorable como siempre. Aunque iba todo de negro. Es muy curioso.

—¿Todo de negro? —insistió Olivia.

—Casi todo menos la camisa blanca y la corbata, pero aun así… —Mary sacudió la mano en el aire, como si no pudiese aceptar esa posibilidad—. Es como si estuviese de luto.

—Tal vez lo esté —dijo Anne, volviendo a la carga—. ¡Por su prometida!

—¿La que mató? —preguntó Philomena.

—¡No ha matado a nadie! —exclamó Olivia.

—¿Cómo lo sabes? —dijeron las otras tres al unísono.

Olivia habría contestado, pero pensó que *no* lo sabía. Nunca había visto a ese hombre, nunca había oído siquiera un rumor sobre él hasta esta tarde. Pero aun así debía imperar el sentido común. Eso de que uno asesinara a su prometida se asemejaba sospechosamente a las novelas góticas que Anne y Mary siempre leían.

—¿Olivia? —dijo alguien.

Esta parpadeó varias veces, cayendo en la cuenta de que había permanecido callada un instante demasiado largo.

—No es nada —dijo, dando una leve sacudida con la cabeza—. Estaba pensando, nada más.

—En sir Harry —repuso Anne, con cierta suficiencia.

—Tampoco es que se me haya dado la oportunidad de pensar en otra cosa —dijo Olivia entre dientes.

—¿En qué preferirías pensar? —preguntó Philomena.

Olivia abrió la boca para hablar, pero entonces se dio cuenta de que no tenía ni idea de cómo responder.

—En nada —dijo por fin—. En casi nada.

Pero le había picado la curiosidad. Y la curiosidad de Olivia Frances Bevelstoke era realmente formidable.

La muchacha de la casa que quedaba al norte lo estaba observando de nuevo. Llevaba gran parte de la semana haciéndolo. Al principio a Harry no le había extrañado. Era la hija del conde de Rudland, ¡por el amor de Dios!, y si no, guardaría con él alguna clase de parentesco, porque de ser una criada a estas alturas ya la habrían despedido por pasar tanto tiempo frente a la ventana.

Y no era la institutriz. El conde de Rudland tenía esposa, o eso le habían dicho. Ninguna esposa consentiría que hubiera en su casa una institutriz que mirara de *esa manera*.

Por eso casi con toda seguridad era su hija. Lo que significaba que Harry no tenía ningún motivo para creer que ella no fuera más que la típica señorita de sociedad cotilla, de esas para las que espiar a los vecinos nuevos carecía de importancia. Solo que llevaba *cinco días* observándolo. Seguro que si únicamente hubiera sentido curiosidad por el corte de su abrigo y el color de su pelo, a estas alturas ya habría terminado su minucioso examen.

Había tenido la tentación de saludarla con la mano; de pintarse una enorme y alegre sonrisa en la cara y saludar con la mano. Eso detendría el espionaje de la joven. Solo que entonces nunca sabría el porqué de su interés por él.

Lo cual era inaceptable. Harry jamás aceptaba un «porqué» sin respuesta.

Por no mencionar que no estaba lo *bastante* cerca de la ventana de la muchacha para ver su reacción. Cosa que frustraba el objetivo del saludo. Si ella se ruborizaba, él quería verlo; de lo contrario, ¿qué gracia tendría?

Harry volvió a sentarse frente al escritorio, actuando como si no tuviese ni idea de que ella lo estaba mirando entre las cortinas. Tenía trabajo y necesitaba dejar de hacerse preguntas sobre la rubia de la ventana. Esa misma mañana un mensajero del Ministerio de Guerra le había entregado un documento de extensión considerable que debía traducirse de inmediato. Él siempre seguía el mismo procedimiento para traducir del ruso al inglés: primero una lectura rápida para captar el significado general y luego un examen más detallado analizando el documento palabra por palabra. Solo entonces, tras este riguroso estudio, tomaba una pluma y tinta y empezaba su traducción.

Era una tarea tediosa, pero aun así, le gustaba porque siempre le habían atraído los enigmas. Podía trabajar en un documento durante horas, hasta que se ponía el sol, sin darse cuenta de que no había probado bocado en todo el día. Pero ni siquiera él, un enamorado de su trabajo, podía imaginarse a sí mismo dedicando el día entero a *observar* cómo otra persona traducía documentos.

Y, sin embargo, allí estaba ella, de nuevo junto a su ventana. Pensando, probablemente, que se le daba muy bien esconderse y que él era un zopenco redomado.

Harry sonrió para sí mismo. Ella no sabría el motivo. Puede que él trabajara para la sección más aburrida del Ministerio de Guerra (la que manejaba las palabras y los papeles en lugar de revólveres, navajas y misiones secretas), pero estaba bien preparado. Había pasado diez años en el ejército, la mayoría de ellos en Europa, donde ser observador y tener un agudo sentido del movimiento podían marcar la diferencia entre la vida y la muerte.

Había reparado, por ejemplo, en que ella tenía la costumbre de colocarse tras la oreja mechones sueltos de pelo. Y, como en ocasiones lo observaba de noche, sabía que cuando se soltaba la melena (dorada como el sol), las puntas le llegaban justo hasta media espalda.

Lo suyo no era estarse quieta. Aunque ella creyera que sí lo estaba, pues no se movía nerviosamente y su postura era erguida y firme. Pero siempre la delataba algo: un leve movimiento de las yemas de los dedos o tal vez una diminuta elevación de los hombros al respirar.

Y, naturalmente, en ese momento a Harry le resultaba imposible no reparar en ella.

Le dio que pensar. ¿Por qué le interesaba tanto verlo encorvado sobre un fajo de papeles? Porque eso era lo que había estado haciendo toda la semana.

Tal vez debería animar un poco el espectáculo. En serio, sería todo un detalle por su parte. Era probable que ella se aburriera como una ostra.

Podía encaramarse a la mesa y cantar.

Comer algo y fingir que se atragantaba. ¿Qué haría ella entonces?

Ese sí que sería un dilema moral interesante. Dejó la pluma un momento, pensando en las damas que había tenido ocasión de conocer. No era tan cínico. Estaba convencido de que, al menos, algunas de ellas intentarían salvarlo, aunque dudaba mucho que tuvieran las aptitudes atléticas necesarias para actuar a tiempo.

Lo mejor sería que masticara detenidamente lo que comiera.

Harry inspiró hondo y procuró devolver la atención al trabajo. Había mantenido los ojos en los papeles durante todo el rato que había estado pensando en la muchacha de la ventana, pero no había leído nada. No había avanzado *nada* en los últimos cinco días. Suponía que podía correr la cortina, pero eso sería demasiado evidente. Especialmente ahora, a mediodía, cuando el sol daba de lleno.

Clavó los ojos en las palabras que tenía delante, pero no se podía concentrar. Ella seguía allí, seguía mirándolo fijamente, creyendo que estaba escondida tras la cortina.

¿Por qué demonios lo observaba?

A Harry no le hacía ninguna gracia. Era imposible que ella pudiese ver en qué estaba trabajando, y aunque pudiera, dudaba mucho que supiese leer el alfabeto cirílico. Aun así, los documentos que había sobre su escritorio solían tratar temas delicados, a veces incluso de relevancia nacional. Si alguien lo espiaba...

Sacudió la cabeza. Si alguien lo espiaba, no sería la hija del conde de Rudland, ¡por el amor de Dios!

Y entonces, milagrosamente, desapareció. Primero se giró, levantando el mentón unos tres centímetros, y luego se alejó. Había oído un ruido; es probable que alguien la hubiese llamado. ¡Qué más daba! Lo que a Harry le alegraba es que se hubiera ido. Tenía que ponerse a trabajar.

Llevaba media página traducida cuando oyó:

—¡Buenos días, sir Harry!

Era Sebastian, claramente de un humor festivo; de lo contrario, no le habría llamado sir Nada. Harry no levantó la vista del papel.

—Es por la tarde.

—No cuando uno se despierta a las once.

Harry reprimió un suspiro.

—No has llamado a la puerta.

—Nunca lo hago. —Sebastian se sentó con abandono en una silla sin reparar en que su pelo moreno le había caído sobre los ojos—. ¿Qué estás haciendo?

—Trabajar.

—Trabajas mucho.

—Algunos no tenemos condados que heredar —comentó Harry, intentando acabar al menos una frase más antes de que Sebastian acaparara toda su atención.

—Puede que sí —dijo Sebastian en voz baja—, puede que no.

Era cierto. Sebastian siempre había ocupado el segundo lugar en la línea hereditaria; su tío, el conde de Newbury, había engendrado solamente un hijo, Geoffrey. Pero eso no había preocupado al conde (que todavía consideraba que Sebastian era un completo gandul, pese a la década que había estado al servicio del Imperio de Su Majestad); al fin y al cabo, nunca hubo muchos motivos para creer que Sebastian pudiese heredar. Geoffrey había contraído matrimonio cuando Sebastian estaba en el ejército y su esposa había alumbrado dos niñas, con lo que quedaba claro que su primo era capaz de tener hijos.

Pero entonces Geoffrey tuvo un acceso febril y murió. En cuanto se hizo evidente que su viuda no estaba encinta y que, por tanto, no había a la vista joven heredero alguno para salvar el condado de la devastación que suponía Sebastian Grey, el conde, viudo desde hacía tiempo, se había propuesto engendrar un nuevo heredero para el título y con ese fin deambulaba ahora por Londres en busca de una esposa.

Lo que quería decir que nadie sabía muy bien qué pensar de Sebastian. O era un heredero irresistiblemente guapo y atractivo de un antiguo y acaudalado condado, en cuyo caso era el mayor trofeo del mercado matrimonial, o era un muchacho irresistiblemente guapo y atractivo sin herencia, en cuyo caso podía ser la peor pesadilla de una madre de la alta sociedad.

Aun así lo invitaban a todas partes. Y lo sabía todo de la alta sociedad londinense.

Razón por la cual Harry sabía que obtendría una respuesta cuando preguntó:

—¿El conde de Rudland tiene una hija?

Sebastian lo contempló con una expresión que la mayoría interpretaría como hastío, pero que Harry sabía que significaba «zoquete».

—Claro que sí —dijo Sebastian. Harry decidió que lo de «zoquete» estaba implícito—. ¿Por qué? —preguntó.

Harry lanzó una mirada furtiva hacia la ventana, aunque ella no estaba allí.

—¿Es rubia?

—Completamente.

—¿Bastante guapa?

A Sebastian se le escapó una pícara sonrisa.

—Más que eso, a juzgar por la mayoría de los cánones de belleza.

Harry frunció las cejas. ¿Qué demonios hacía la hija de Rudland observándolo con tanta atención?

Sebastian bostezó sin molestarse en disimular, pese a que Harry lo fulminó con la mirada.

—¿Alguna razón concreta para este repentino interés?

Harry contempló la ventana de *Olivia*, que ahora sabía que estaba en la segunda planta, la tercera por la derecha.

—Me observa todo el tiempo.

—Lady Olivia Bevelstoke te observa —repitió Sebastian.

—¿Ese es su nombre? —murmuró Harry.

—No te observa.

Harry se volvió.

—¿Cómo dices?

Sebastian se encogió de hombros.

—Lady Olivia Bevelstoke no te necesita.

—Yo no he dicho que me necesite.

—El año pasado recibió cinco proposiciones de matrimonio, que se habrían duplicado si no hubiera disuadido a varios caballeros antes de que hicieran el ridículo.

—Para no interesarte los chismes sabes mucho.

—¿He dicho alguna vez que no me interesen? —Sebastian se acarició la barbilla fingiendo seriedad—. ¡Qué mentiroso soy!

Harry lo fulminó con la mirada, luego se puso de pie y anduvo tranquilamente hasta la ventana, ahora que lady Olivia se había ido.

—¿Pasa algo emocionante? —susurró Sebastian.

Harry lo ignoró, moviendo un poco la cabeza hacia la izquierda, aunque no es que eso sirviera demasiado para mejorar su ventajosa posición. Aun así ella había ceñido la cortina más de lo habitual con la abrazadera y, de no ser porque el sol centelleaba contra el cristal, habría disfrutado de una buena vista de su habitación. Por el momento la mejor, sin duda.

—¿Está ella ahí? —preguntó Sebastian, su voz burlonamente trémula—. ¿Te observa *en este momento*?

Harry se giró y, acto seguido, puso los ojos en blanco al ver que Sebastian sacudía las manos en el aire, doblando los dedos con extraños movimientos, como si intentara ahuyentar un fantasma.

—Eres un idiota —dijo Harry.

—Pero un idiota guapo —repuso Sebastian, volviendo a repantigarse de inmediato—. Y muy atractivo. Eso me saca de muchos apuros.

Harry se giró y se apoyó lánguidamente en el marco de la ventana.

—¿A qué se debe el honor?

—A que te echaba de menos.

Harry esperó con paciencia.

—¿A que necesito dinero? —aventuró Sebastian.

—Eso es mucho más probable, pero sé de buena tinta que el martes pasado le aligeraste el billetero a Winterhoe soplándole cien libras.

—¿Y dices que no estás al tanto de los cotilleos?

Harry se encogió de hombros. Se enteraba de lo que le convenía.

—Fueron doscientas, para que lo sepas. Y habrían sido más, si no hubiese aparecido el hermano de Winterhoe y se lo hubiese llevado a rastras.

Harry no hizo comentarios. No les tenía mucho cariño a Winterhoe ni a su hermano, pero no pudo evitar compadecerse de ellos.

—Lo siento —dijo Sebastian, interpretando correctamente el silencio de Harry—. ¿Qué tal está el joven cachorrillo?

Harry miró hacia el techo. Su hermano menor, Edward, seguía en la cama; era de suponer que durmiendo cualquier exceso que hubiera cometido la noche anterior.

—Todavía me odia. —Se encogió de hombros. La única razón por la que Harry se había mudado a Londres era para cuidar de su hermano pequeño, y Edward detestaba haber tenido que doblegarse a su autoridad—. Ya madurará.

—¿Estás aplicándole mano dura o simplemente haces de amigo?

Harry sintió que asomaba a sus labios una sonrisa.

—Creo que hago el papel de amigo.

Sebastian se repantigó aún más en la silla y dio la impresión de que se encogía de hombros.

—Yo sería más bien duro.

—Y yo diría que no es asunto tuyo —murmuró Harry.

—¡Para el carro, sir Harry! —lo reprendió Sebastian—. ¡Ni que hubiese seducido a una virgen!

Harry contestó a esa frase con un movimiento de cabeza. Pese a que aparentaba todo lo contrario, Sebastian conducía su vida conforme a cierto código ético. No era un código que la mayoría de la gente aprobara, pero ahí estaba. Y, si alguna vez había seducido a una virgen, desde luego no lo había hecho adrede.

—Me he enterado de que la semana pasada le diste una paliza a alguien —dijo Sebastian.

Harry cabeceó indignado.

—Se pondrá bien.

—Eso no es lo que he preguntado.

Harry se puso de espaldas a la ventana para mirar directamente a Sebastian.

—De hecho, no has preguntado nada.

—Muy bien —dijo Sebastian con exagerada concesión—. ¿Por qué golpeaste a ese joven hasta hacerle papilla?

—No fue así —contestó Harry malhumorado.

—Tengo entendido que lo dejaste inconsciente.

—*Eso* lo consiguió él solito. —Harry sacudió la cabeza furioso—. Estaba completamente borracho. Le di un puñetazo en la cara. A lo sumo adelanté diez minutos su desmayo.

—No es propio de ti golpear a otro hombre si no te ha provocado —dijo Sebastian en voz baja—, aunque haya bebido demasiado.

Harry tensó la mandíbula. No estaba orgulloso del episodio, pero tampoco lo lamentaba.

—Estaba molestando a alguien —dijo de forma tensa. Y eso era cuanto iba a decir. Sebastian lo conocía lo bastante bien para saber lo que eso significaba.

Sebastian asintió pensativo y luego soltó un largo suspiro. Harry interpretó con eso que dejaría el tema y regresó a su escritorio, mirando disimuladamente hacia la ventana.

—¿Está ahí? —preguntó de pronto Sebastian.

Harry no fingió entenderlo mal.

—No. —Se volvió a sentar y localizó el punto del documento en ruso donde se había quedado.

—¿Está ahí *ahora*?

Esto se estaba volviendo muy aburrido por momentos.

—Sebastian...

—¿Ahora?

—¿Por qué *estás* aquí?

Sebastian se incorporó un poco.

—Necesito que el jueves vayas al recital de las Smythe-Smith.

—¿Por qué?

—Le he prometido a alguien que iría, y...

—¿A quién se lo has prometido?

—Eso no importa.

—A mí sí que me importa, si estoy obligado a ir.

Sebastian se ruborizó un poco, lo que siempre era un acontecimiento gracioso por inusual.

—Muy bien, se trata de mi abuela. La semana pasada me acorraló.

Harry gruñó. De haber sido cualquier otra mujer, habría podido zafarse. Pero una promesa a una abuela..., eso había que mantenerlo.

—Entonces, ¿irás? —preguntó Sebastian.

—Sí —dijo Harry con un suspiro. Detestaba estas cosas, pero por lo menos en un recital uno no tenía que pasarse la velada dando conversación para quedar bien. Podría sentarse en su butaca, no decir palabra y si tenía aspecto de aburrirse, en fin, los demás también lo tendrían.

—Magnífico. ¿Le...?

—Espera un momento. —Harry se volvió hacia él con recelo—. ¿Por qué me necesitas? —Porque lo cierto era que Sebastian difícilmente carecía de don de gentes.

Sebastian se revolvió incómodo en su asiento.

—Sospecho que mi tío estará allí.

—¿Desde cuándo te da eso miedo?

—No me da miedo. —Sebastian le lanzó una mirada de absoluta indignación—. Pero es probable que la abuela trate de poner fin al distanciamiento y... ¡oh, por el amor de Dios, qué importa eso! ¿Irás o no?

—Claro que sí. —Porque la verdad es que no lo había puesto en duda. Si Sebastian lo necesitaba, él estaría ahí.

Sebastian se levantó y cualquier angustia que hubiera podido sentir había desaparecido, siendo reemplazada por su acostumbrada despreocupación.

—Te debo una.

—Me debes tantas que he dejado de contarlas.

Sebastian se rio al oír eso.

—Iré a despertar al cachorrillo por ti. Hasta yo creo que es una hora indecorosa para estar aún en la cama.

—Adelante. Eres lo único que tengo que Edward respeta.

—¿Que respeta?

—Que admira —corrigió Harry. En más de una ocasión Edward había expresado su incredulidad por el hecho de que su hermano (al que encontraba aburrido en extremo) tuviera una relación tan estrecha con Sebastian, su modelo a imitar en todos los aspectos.

Sebastian se detuvo en la puerta.

—¿Sigue estando el desayuno en la mesa?

—¡Largo de aquí! —exclamó Harry—. Y cierra la puerta, ¿quieres?

Sebastian obedeció, pero aun así su risa resonó por toda la casa. Harry cerró el puño con impotencia y devolvió la mirada hacia su escritorio, donde los documentos rusos permanecían intactos. Tenía únicamente dos días para concluir este trabajo. Menos mal que la muchacha (lady Olivia) había salido de su habitación.

Al pensar en ella, Harry levantó la vista, pero sin la cautela habitual, puesto que sabía que no estaba ahí.

Solo que sí estaba.

Y esta vez seguro que ella se dio cuenta de que él la había visto.

2

Olivia se puso a cuatro patas, con el corazón martilleándole. Él la había visto. Seguro que la había visto. Lo había detectado en su mirada, en el brusco giro de su cabeza. ¡Santo Dios! ¿Cómo lo explicaría? Una joven distinguida no espiaba a sus vecinos. Cotilleaba a sus espaldas, inspeccionaba el corte de sus abrigos y la calidad de sus carruajes, pero en ningún caso los espiaba desde la ventana.

Aun cuando se comentara que un vecino era un posible asesino.

Cosa que Olivia seguía sin creerse.

Sin embargo, dicho eso, estaba claro que sir Harry Valentine se traía algo entre manos. Esta última semana su comportamiento no había sido normal. No es que ella pudiese asegurar a ciencia cierta qué era normal en él, pero tenía dos hermanos. Sabía qué hacían los hombres en sus despachos y estudios.

Sabía, por ejemplo, que la mayoría de los hombres no pasaba en ellos un mínimo de diez horas al día, como al parecer hacía sir Harry. Y sabía que cuando pisaban casualmente sus despachos, normalmente era para evitar entrar en contacto con el otro sexo, y no, como en el caso de sir Harry, para dedicarse a estudiar detenidamente papeles y documentos.

Olivia habría dado sus colmillos y quizás un molar o dos por saber qué decían aquellos papeles. Todos los días sir Harry se pasaba la jornada entera ahí sentado frente a su escritorio, estudiando con ahínco unos papeles sueltos. Algunas veces casi daba la impresión de que los estuviera copiando.

Pero eso no tenía sentido. Los hombres como sir Harry contrataban secretarias para esa clase de cosas.

Con el corazón todavía acelerado, Olivia levantó la vista, valorando su situación. No es que levantar la mirada sirviese de algo; la ventana seguía quedando por encima de su cabeza y en realidad era lógico que pudiera...

—No, no. No te muevas.

Olivia soltó un gruñido. Winston, su hermano gemelo (o, como a ella le gustaba pensar, su hermano pequeño exactamente por tres minutos), estaba de pie en el umbral de la puerta. O más bien apoyado con dejadez en el marco de esta intentando aparentar que era el seductor despreocupado que ahora dedicaba su vida a intentar aparentar.

Frase que, gramaticalmente, había que reconocer que dejaba mucho que desear, pero que parecía describirle a la perfección. Llevaba el pelo despeinado con habilidad, la corbata cuidadosamente anudada y, sí, las botas se las había hecho el propio Weston, pero cualquiera que tuviera una pizca de sentido común podía ver que aún era un novato. Nunca había entendido por qué a todas sus amigas les hacían chiribitas los ojos y se volvían unas estúpidas de tomo y lomo en su presencia.

—Winston —dijo Olivia rabiosa, reacia a hacerle alharaca alguna.

—Quédate como estás —le dijo él, sosteniendo una mano al frente, con la palma hacia ella—. Solo un instante más. Estoy intentando retener la imagen en mi memoria.

Olivia se mordió malhumorada el labio y se arrastró sigilosamente por el suelo pegada a la pared, alejándose de la ventana.

—Déjame adivinar —dijo Winston—. Te han salido ampollas en los dos pies.

Ella lo ignoró.

—Mary Cadogan y tú estáis escribiendo una nueva función de teatro en la que hacéis de ovejas.

Winston se merecía más que nunca una contestación, pero lamentablemente ella no había estado nunca en una posición menos adecuada para dársela.

—De haberlo sabido —añadió Winston—, me habría traído una fusta.

Olivia estaba *casi* lo bastante cerca de él como para morderle la pierna.

—¿Winston?

—¿Sí?

—Cállate.

Él se echó a reír.

—Te voy a matar —anunció ella, poniéndose de pie. Había bordeado la mitad de la habitación. Era imposible que sir Harry pudiese verla donde estaba ahora.

—¿Con las pezuñas?

—¡Oh, vale ya! —exclamó Olivia indignada. Y entonces se dio cuenta de que su hermano entraba tranquilamente en la habitación —. ¡Apártate de la ventana!

Winston se quedó helado, luego se giró y la miró sorprendido, con las cejas arqueadas.

—Retrocede —dijo Olivia—. Eso es. Despacio, despacio...

Él fingió un movimiento hacia delante.

A Olivia le dio un brinco el corazón.

—¡Winston!

—En serio, Olivia —dijo él, volviéndose y poniéndose en jarras—. ¿Qué estás haciendo?

Ella tragó saliva. *Algo* tendría que decirle. La había visto reptando por la habitación como una idiota. Esperaría una explicación. ¡Sabe Dios que ella lo haría, de estar los papeles invertidos!

Pero quizá no tuviera que decirle la *verdad.* Tenía que haber alguna otra explicación para sus acciones.

Razones por las que podría arrastrarme por el suelo
y necesitar apartarme de la ventana.

No, no tenía ninguna.

—Es por nuestro vecino —dijo Olivia, recurriendo a la verdad, ya que, dada su posición, no tenía alternativa.

Winston giró la cabeza hacia la ventana. Lentamente y con todo el sarcasmo que un movimiento lateral de cabeza podía transmitir.

Que era bastante cuando lo hacía un Bevelstoke, tuvo que reconocer Olivia.

—Nuestro vecino —repitió él—. ¿Tenemos uno?

—Sir Harry Valentine. Alquiló la casa cuando tú estabas en Gloucestershire.

Winston asintió despacio.

—Y su presencia en Mayfair te tiene reptando por el suelo... porque...

—Le estaba espiando.

—A sir Harry.

—Sí.

—A cuatro patas.

—Claro que no. Me ha visto y...

—Y ahora cree que eres una lunática.

—Sí. ¡No! No lo sé. —Exhaló con fuerza—. ¿Cómo voy a saber lo que piensa?

Winston arqueó una ceja.

—Pero sí sabes lo que ocurre en su alcoba, que estabas...

—Es su *despacho* —le interrumpió ella con vehemencia.

—Que sientes la necesidad de espiar porque...

—Porque Anne y Mary me han dicho... —Olivia no terminó, muy consciente de que si decía por qué estaba espiando a sir Harry parecería más estúpida de lo que ya parecía.

—¡Oh, no! ¡Ahora no te calles! —imploró Winston con ironía—. Si lo han dicho Anne y Mary, sin duda quiero oírlo.

Olivia frunció la boca y se puso seria.

—Muy bien, pero no debes contárselo a nadie.

—Procuro no contar nada de lo que ellas digan —repuso él con franqueza.

—¡Winston!

—No diré ni mu. —Alzó las manos, como si se rindiera.

Olivia se lo agradeció con un seco movimiento de cabeza.

—Porque ni siquiera es verdad.

—Eso ya lo sabía, a juzgar por la fuente de información.

—Win...

—¡Oh, venga, Olivia! Deberías saber que no te puedes fiar de nada de lo que esas dos te digan.

Muy a su pesar, ella sintió la necesidad de defenderlas.

—No son tan malas.

—Claro que no —convino él—; es solo que carecen de toda habilidad para distinguir entre verdad y ficción.

Winston tenía razón, pero aun así eran sus amigas y él un pesado, de modo que no pensaba reconocerlo; antes bien, ignoró completamente su comentario y continuó diciendo:

—Lo digo en serio, Winston. Debes mantener esto en secreto.

—Te doy mi palabra —dijo él, que parecía casi aburrido con todo el asunto.

—Lo que diga entre estas paredes...

—Se quedará entre estas paredes —terminó él—. Olivia...

—Está bien. Anne y Mary me han dicho que ha llegado a sus oídos que sir Harry mató a su prometida... No, no me interrumpas, yo tampoco me lo creo, pero entonces me he puesto a pensar, en fin, ¿cómo se levanta un rumor como ese?

—Con Anne Buxton y Mary Cadogan —contestó Winston.

—Ellas nunca lanzan los rumores —dijo Olivia—. Solo los hacen circular.

—Una diferencia crucial.

Olivia creía lo mismo, pero este no era el momento ni el lugar para estar de acuerdo con su hermano.

—*Sabemos* que tiene genio —continuó ella.

—¿Lo sabemos? ¿Cómo?

—¿No te has enterado de lo de Julian Prentice?

—¡Ah, eso! —Winston puso los ojos en blanco.

—¿A qué te refieres?

—Apenas lo tocó. Julian estaba tan borracho que una ráfaga de viento podría haberle hecho perder el conocimiento.

—Pero sir Harry le *golpeó*.

Winston hizo un gesto con la mano restando importancia al asunto.

—Supongo que sí.

—¿Por qué?

Su hermano se encogió de hombros, luego cruzó los brazos.

—En realidad, nadie lo sabe. O por lo menos nadie lo ha dicho. Pero para un momento… ¿Qué tiene todo esto que ver contigo?

—Sentía curiosidad —confesó ella. Sonaba de lo más absurdo, pero era la verdad, y esta tarde ya no podía hacer más el ridículo, imposible.

—¿De qué?

—De verlo. —Olivia movió bruscamente la cabeza hacia la ventana—. Ni siquiera sabía qué aspecto tenía. Y *sí* —dijo con intención, frenando la interrupción que podía ver formándose en los labios de su hermano—, sé que su aspecto no tiene nada que ver con el hecho de que haya matado o no a alguien, pero no he podido evitarlo. Vive aquí al lado.

Él cruzó los brazos.

—¿Y te preocupa que haya planeado venir a robar y rebanarte el cuello?

—¡Winston!

—Lo siento, Olivia —dijo él riéndose—, pero reconoce que es la cosa más absurda…

—No lo es —repuso ella con seriedad—. Lo *era*. Estoy de acuerdo en eso. Pero entonces… empecé a observarlo y te digo que hay algo muy raro en ese hombre, Winston.

—Cosa que has percibido en los últimos… —Winston frunció el entrecejo—. ¿Cuánto tiempo llevas espiándole?

—Cinco días.

—¿Cinco *días*? —La expresión de aristócrata aburrido se esfumó y fue sustituida por una boca abierta por la incredulidad—. ¡Santo Dios, Olivia! ¿No tienes nada mejor que hacer con tu tiempo?

Ella procuró no parecer avergonzada.

—Al parecer, no.

—¿Y él no te ha visto? ¿En todo este tiempo?

—No —mintió ella, y con bastante facilidad, además—. Y no quiero que lo haga. Por eso me estaba alejando a rastras de la ventana.

Él desvió la vista hacia allí. Luego volvió a mirarla a ella, moviendo la cabeza lentamente y con gran escepticismo.

—Muy bien. ¿Qué has sacado en claro de nuestro nuevo vecino?

Olivia se dejó caer en una silla de la pared del fondo, sorprendida por lo mucho que deseaba contarle sus conclusiones.

—Bueno, la mayor parte del tiempo parece bastante normal.

—Asombroso.

Ella frunció el ceño.

—¿Quieres que te lo cuente o no? Porque no continuaré si lo único que vas a hacer es burlarte de mí.

Winston le indicó que continuara con un movimiento de la mano claramente sarcástico.

—Pasa una cantidad de tiempo excesiva frente a su escritorio.

Winston asintió.

—Una señal inequívoca de intento de asesinato.

—¿Cuándo fue la última vez que *tú* te sentaste frente a un escritorio? —le devolvió ella.

—Un tanto para ti.

—Y —continuó Olivia, poniendo considerable énfasis— también creo que le gusta *disfrazarse.*

Eso captó la atención de Winston.

—¿Disfrazarse?

—Sí. A veces lleva gafas y a veces no. Y en dos ocasiones ha llevado un sombrero sumamente extraño. Dentro de casa.

—No me puedo creer que esté escuchando esto —manifestó Winston.

—¿Quién lleva sombrero por casa?

—Te has vuelto loca. Es la única explicación.

—Además, solo viste de negro. —Olivia recordó los comentarios de Anne de hacía unos días—. O de azul oscuro. No es que *eso* sea sospechoso —añadió, porque lo cierto era que, de ser otra persona la que estuviera pronunciando esas palabras, también la habría considerado una idiota. Expuesta con tanta claridad, la aventura entera parecía un disparate.

Olivia suspiró.

—Sé que suena ridículo, pero te digo que hay algo en ese hombre que no cuadra.

Winston la miró fijamente durante varios segundos antes de decir por fin:

—Olivia, tienes demasiado tiempo libre. Aunque...

Sabía que su hermano había dejado la frase incompleta a propósito, pero también que ella era incapaz de no morder el anzuelo.

—Aunque ¿qué? —dijo ella entre dientes.

—Bueno, debo decir que demuestra una tenacidad inusitada por tu parte.

—¿Qué quieres decir con eso? —exigió ella.

Solo un hermano gemelo podría lanzarle una mirada tan condescendiente.

—Reconoce que no tienes fama de acabar lo que empiezas.

—¡Eso no es verdad!

Él cruzó los brazos.

—¿Qué me dices de esa maqueta de la catedral de San Pablo que estabas haciendo?

Se le descolgó la mandíbula inferior, boquiabierta por la sorpresa. No podía creerse que Winston usara eso como ejemplo.

—¡La tiró el perro!

—¿Tal vez recuerdas cierta promesa de escribirle a la abuela todas las semanas?

—A ti se te da incluso peor que a mí.

—Ya, pero yo nunca prometí tal actividad. Tampoco me ha dado nunca por pintar al óleo ni tocar el violín.

Las manos de Olivia se cerraron en un puño junto a su cuerpo. Es verdad, no había recibido más de seis clases de pintura o una suelta de violín. Porque ambas cosas se le daban fatal. ¿Y para qué iba a poner todo su empeño en intentar algo para lo que carecía de talento?

—Estábamos hablando de sir Harry —dijo Olivia entre dientes.

Winston esbozó una sonrisa.

—Es verdad.

Ella lo miró con fijeza. Con dureza. Winston aún tenía esa expresión en su cara (desdeñosa por un lado, pero doblemente irritante). Había disfrutado demasiado pinchándola.

—Muy bien —dijo él, repentinamente solícito—. Dime, ¿qué es lo que *no cuadra* en sir Harry Valentine?

Ella esperó unos instantes antes de hablar y luego dijo:

—Lo he visto un par de veces arrojando al fuego un montón de papeles.

—Yo he hecho lo mismo un par de veces —replicó Winston—. ¿Qué más quieres que haga un hombre con los papeles que son para tirar? Olivia...

—Es la *forma* en que lo hizo.

Parecía que Winston quería decir algo, pero no encontraba las palabras.

—Los echó al fuego —dijo Olivia—. ¡Los lanzó con violencia!

Winston empezó a sacudir la cabeza.

—Entonces miró por encima de su hombro...

—¡Es verdad que has estado observándolo durante cinco días!

—No me interrumpas —soltó ella, y entonces, sin tomar aire, dijo—: Miró por encima de su hombro como si oyese que venía alguien por el pasillo.

—Déjame adivinar. ¡*Venía* alguien por el pasillo!

—¡Sí! —exclamó ella emocionada—. Su mayordomo entró *justo en ese momento*. Bueno, creo que era su mayordomo. En cualquier caso, era una persona.

Winston la miró atentamente.

—¿Y la otra vez?

—¿Qué otra vez?

—La otra vez que echó al fuego sus papeles.

—¡Oh, eso! —dijo ella—. No hubo nada extraño, la verdad.

Winston la miró de nuevo durante varios segundos antes de decir:

—Olivia, tienes que dejar de espiar a ese hombre.

—Pero...

Su hermano alzó una mano.

—Lo que sea que creas de sir Harry, te prometo que es erróneo.

—También lo he visto metiendo dinero en una bolsita.

—Olivia, *conozco* a sir Harry Valentine. Es completamente normal.

—¿Lo *conoces*? —¿Y la había dejado seguir hablando como una idiota? Lo mataría.

Cómo me gustaría matar a mi hermano.
Versión decimosexta.
Por Olivia Bevelstoke.

No, en serio, ¿de qué serviría? Difícilmente podría superar la versión decimoquinta, que mezclaba el tema de la vivisección con los jabalíes.

—Bueno, en realidad no lo conozco —explicó Winston—. Pero conozco a su hermano. Fuimos juntos a la universidad. Y conozco de oídas a sir Harry. Si arroja papeles al fuego es solamente para despejar su escritorio.

—¿Y ese sombrero? —insistió Olivia—. Tiene plumas, Winston. —Lanzó los brazos al aire y los agitó, intentando describir lo espantoso que era—. ¡Lleva penachos de plumas!

—Para eso no tengo explicación. —Winston se encogió de hombros; luego sonrió de oreja a oreja—. Pero me encantaría verlo con mis propios ojos.

Ella frunció el ceño; era la reacción menos infantil que se le ocurrió.

—Además —continuó él con los brazos cruzados—, no está prometido.

—Sí, ya, pero...

—Y nunca lo ha estado.

Lo cual reforzaba la opinión de Olivia de que todo el rumor no era más que un infundio, pero resultaba mortificante que fuera Winston quien lo demostrara. Eso si es que lo había demostrado, porque su hermano difícilmente era una autoridad en datos sobre ese hombre.

—¡Ah, por cierto! —exclamó Winston en un tono de excesiva indiferencia—. Supongo que mamá y papá no están al tanto de tus últimas actividades detectivescas.

¡Vaya con la pequeña comadreja!

—Me has dicho que no dirías nada —le dijo Olivia con tono acusador.

—Te he dicho que no diría nada sobre las bobadas de Mary Cadogan y Anne Buxton. No he dicho nada de la vena que te ha entrado.

—¿Qué es lo que quieres, Winston? —preguntó Olivia entre dientes.

Él la miró fijamente a los ojos.

—El jueves me pondré enfermo. Cúbreme.

Olivia repasó mentalmente su agenda social. El jueves... El jueves... El recital de las Smythe-Smith.

—¡Oh, no! ¡No te atreverás! —gritó ella, tambaleándose hacia él.

Winston removió el aire que le rodeaba la cabeza.

—Mis pobres oídos, ya sabes...

Olivia procuró pensar en una respuesta adecuada y sintió una brutal decepción cuando todo lo que se le ocurrió fue:

—¡Te, te...!

—Yo que tú no amenazaría.

—Si yo voy, tú vas.

Él le dedicó una sonrisa forzada.

—Es curioso, pero el mundo no funciona así.

—¡Winston!

Aún se reía cuando huyó por la puerta. Olivia se concedió tan solo unos instantes para regodearse en su irritación antes de decidir que *prefería* asistir al recital de las Smythe-Smith sin su hermano. La única razón por la que había querido que fuera era para verlo sufrir, y estaba convencida de que se le ocurrirían otros medios para lograr ese objetivo. Además, si a Winston lo obligaban a quedarse quieto durante la actuación, seguramente se dedicaría a *atormentarla* todo el rato. El año pasado le hundió un dedo en el costado derecho, y el anterior...

Bueno, bastará con decir que la venganza de Olivia incluyó un huevo viejo y a tres de sus amigas, todas convencidas de que Winston se había enamorado perdidamente de ellas, pero seguía pensando que aún no estaban en paz.

Así que, en realidad, lo mejor era que Winston no acudiese al recital. En cualquier caso, ella tenía problemas mucho más apremiantes que su hermano gemelo.

Con el ceño fruncido, devolvió la atención a la ventana de su dormitorio. Naturalmente, estaba cerrada; no hacía tan buen día como para dejar que entrara el aire fresco. Pero las cortinas estaban recogidas, y el cristal transparente la atraía y desafiaba. Desde su ventajosa posición, en el lado opuesto de la habitación, solo podía ver el ladrillo de la fachada de sir Harry y tal vez una porción del cristal de otra ventana (no la de su estudio). Si giraba un poco el cuerpo. Y si no le deslumbraba la luz.

Entornó los ojos.

Desplazó rápidamente su silla un poco a la derecha, intentando esquivar el resplandor.

Alargó el cuello.

Entonces, antes de que tuviera ocasión de cambiar de parecer, volvió a tirarse al suelo, usando el pie izquierdo para cerrar la puerta de su habitación de una patada. Lo último que necesitaba era que Winston la pillara de nuevo a cuatro patas.

Avanzó muy lentamente, preguntándose qué demonios estaba haciendo. ¿De veras se levantaría como si nada al llegar a la ventana, como diciendo: «Me he caído pero aquí estoy»?

¡Oh, eso sí que era sensato!

Y entonces se le ocurrió que, presa del pánico, se había olvidado por completo de que él estaría preguntándose por qué se había caído ella al suelo. La había visto (de eso estaba segura) y luego se había caído.

Se había caído. No se había girado ni se había ido, sino que se había caído. Como una piedra.

¿Estaría ahora con la vista clavada en su ventana, preguntándose qué le había pasado? ¿Creería que estaba enferma? ¿Vendría incluso a su casa para interesarse por su estado?

A Olivia se le aceleró el pulso. El bochorno sería insoportable. Winston no pararía de reírse en una semana.

No, no, se tranquilizó a sí misma, no creería que estaba enferma. Solo que era una patosa. Una patosa, sin más. Lo que significaba que era preciso que se levantara, que se pusiera de nuevo de pie y se dejara ver caminando por la habitación en perfecto estado.

Y tal vez debería saludar con la mano, puesto que ella sabía que él sabía que ella sabía que él la había visto.

Hizo una pausa, dándole vueltas a este último pensamiento. ¿Era ese el número correcto de «sabías»?

Es más, esa era la primera vez que él la había detectado junto a la ventana. No tenía ni idea de que ella llevaba cinco días observándolo; de eso estaba segura. Así que, en realidad, sir Harry no tendría motivo de sospecha alguno. Estaban en Londres, ¡por el amor de Dios! La ciudad más populosa de Gran Bretaña. Las personas se veían unas a otras de ventana a ventana constantemente. Lo único sospechoso del encuentro era que ella había actuado como una absoluta idiota y no lo había saludado.

Era preciso que saludara. Era preciso que sonriera y saludara con la mano como diciendo: «¡Qué divertido es todo esto!, ¿eh?».

Sabía hacer eso. Algunas veces tenía la sensación de que su vida entera consistía en sonreír y saludar y fingir que todo era muy divertido. Sabía cómo comportarse en cualquier situación social, ¿y qué era eso sino una situación social, aunque inusitada?

Olivia Bevelstoke se desenvolvía de maravilla en situaciones así.

Reptó hasta un lateral de la habitación para poder ponerse de pie fuera del campo de visión de sir Harry. Entonces, como si tal cosa, se acercó tranquilamente hasta la ventana, en sentido paralelo a la fachada, visiblemente concentrada en algo que tenía frente a ella, porque eso es lo que haría en su alcoba en circunstancias normales.

Entonces, justo en el momento adecuado, miraría hacia un lado, como si hubiese oído piar a un pájaro o quizás una ardilla, y miraría casualmente por la ventana, porque eso es lo que *haría* en semejante situación, y entonces, cuando ella vislumbrase a su vecino, esbozaría una sonrisa a modo de reconocimiento. Sus ojos reflejarían una pizca de interés casi imperceptible y saludaría con la mano.

Cosa que hizo. A la perfección. Con la persona equivocada.

Y ahora el mayordomo de sir Harry pensaría que era una imbécil redomada.

3

Mozart, Mozart, Bach (el mayor de los hermanos), más Mozart. Olivia echó un vistazo al programa del recital anual de las Smythe-Smith, manoseando distraídamente una esquina hasta ablandarla y deformarla. Todo parecía igual que el año anterior, salvo por la muchacha del chelo, que parecía nueva. Curioso. Se mordió el interior del labio mientras pensaba en esto. ¿Cuántas primas podía haber en la familia Smythe-Smith? Según Philomena, que se había enterado por su hermana mayor, el cuarteto de cuerda formado por las Smythe-Smith tocaba todos los años desde 1807. Y, sin embargo, las muchachas que tocaban nunca pasaban de los veinte años; era como si siempre hubiese otra esperando entre bastidores.

¡Pobrecillas! Olivia dedujo que obligaban a todas a dedicarse a la música, les gustase o no. No era conveniente que se quedaran sin violonchelistas, y eso que dos de las muchachas apenas parecían lo bastante fuertes para levantar sus violines.

Instrumentos musicales que me gustaría tocar, si tuviese talento.
Por lady Olivia Bevelstoke:

Flauta.
Flautín.
Tuba.

De vez en cuando era bueno elegir lo más inesperado y una tuba bien podría hacer las veces de arma.

Los instrumentos musicales que con bastante seguridad *no* desearía tocar incluían toda la variedad de cuerda, porque aun cuando lograse exceder los logros de las primas Smyhe-Smith (legendarias por sus recitales por todas las razones equivocadas), muy posiblemente seguiría tocando como una vaca agonizante.

En cierta ocasión había intentado tocar el violín, y su madre ordenó que se lo llevaran de casa.

Pensándolo bien, también era raro que le pidieran a Olivia que cantase.

¡Oh, bueno, suponía que tenía otros talentos! Podía pintar una acuarela más que pasable y pocas veces se quedaba en blanco en una conversación. Y si no tenía talento para la música, por lo menos nadie la obligaba a subirse a un escenario una vez al año para aporrear los oídos de los incautos.

O no tan incautos. Olivia miró alrededor de la sala. Reconoció a casi todo el mundo; seguramente todos sabían a lo que iban. El recital de las Smythe-Smith se había convertido en un rito de paso. Había que ir porque...

¡Vaya! Esa sí que era una buena pregunta. Tal vez imposible de contestar.

Olivia volvió a bajar la mirada hacia su programa, aunque ya lo había leído tres veces. La tarjeta era de color crema, de un tono que parecía difuminarse con la seda amarilla de su falda. Había querido ponerse su nuevo vestido de terciopelo azul, pero entonces había pensado que un color más alegre podría ser más útil. Alegre y llamativo. Aunque, pensó contemplando su atuendo con el ceño fruncido, el amarillo no estaba resultando ser tan llamativo, y ya no estaba tan segura de que le gustase el ribete de puntilla, y...

—Está aquí.

Olivia levantó la vista de su programa. Mary Cadogan estaba de pie frente a ella; no, ahora se estaba sentando, ocupando el asiento que se suponía que Olivia tenía que haber reservado para su madre.

Olivia estuvo a punto de preguntar quién, pero entonces las Smythe-Smith empezaron a puntear sus instrumentos.

Dio un respingo, luego hizo una mueca de disgusto, y entonces cometió el error de mirar hacia el improvisado escenario para ver qué podía haber emitido tan espantoso sonido. No fue capaz de determinar el origen, pero la expresión de horror de la cara de la viola bastó para hacer que apartara la vista.

—¿Me has oído? —dijo Mary con apremio, dándole con el codo en el costado—. Está aquí. Tu vecino. —Ante la inexpresiva mirada de Olivia, dijo impaciente y prácticamente en voz alta—: ¡Sir Harry Valentine!

—¿Aquí? —Olivia se giró de inmediato en su butaca.

—¡No mires!

Y se giró de nuevo hacia delante.

—¿Por qué está aquí? —susurró.

Mary se toqueteó el vestido, una muselina color lavanda que por lo visto era tan incómoda como parecía.

—No lo sé. Probablemente lo hayan invitado.

Debía de ser cierto. Nadie, en su sano juicio, acudiría sin invitación a ese recital. Era, para describirlo con la máxima delicadeza, un atentado contra los sentidos.

En cualquier caso contra uno de ellos. Probablemente fuese una buena noche para estar sordo.

¿Qué hacía sir Harry Valentine aquí? Olivia se había pasado los tres últimos días con las cortinas echadas, evitando resueltamente todas las ventanas del ala sur de la casa de los Rudland. Pero no contaba con verlo *fuera,* ya que como bien sabía, sir Harry Valentine no salía de casa.

Y, sin duda, cualquiera que pasase tanto tiempo como él con la pluma, la tinta y el papel poseía la inteligencia suficiente para saber que si *decidía* salir, había opciones mejores que el recital de las Smythe-Smith.

—¿Habrá asistido alguna vez a algo así? —preguntó Olivia con disimulo, manteniendo la cabeza al frente.

—No lo creo —le susurró Mary a su vez, también con la mirada clavada al frente. Se inclinó un poco hacia Olivia, hasta que sus hombros casi se tocaron—. Desde su llegada a la ciudad ha estado en dos bailes.

—¿Ha ido al club Almack's?

—Ni una sola vez.

—¿Y a esa carrera de caballos del parque a la que asistió todo el mundo el mes pasado?

Aunque no lo vio, Olivia notó que Mary sacudía la cabeza.

—Creo que no. Pero no estoy segura. A mí no me dejaron ir.

—A mí tampoco —murmuró Olivia. Winston se lo había contado todo sobre la carrera, naturalmente, pero (también naturalmente) no le había dado una explicación tan detallada como le habría gustado.

—Pasa mucho tiempo con el señor Grey —continuó Mary.

Olivia dio un respingo sorprendida.

—¿Sebastian Grey?

—Son primos. Primos hermanos, creo.

Al oír eso Olivia dejó de fingir que no estaba manteniendo una conversación y miró directamente a Mary.

—¿Sir Harry Valentine es primo de Sebastian Grey?

Mary se encogió débilmente de hombros.

—Eso dicen.

—¿Estás segura?

—¿Por qué es tan difícil de creer?

Olivia hizo un alto.

—No tengo ni idea. —Pero lo era. Conocía a Sebastian Grey. Todo el mundo lo conocía. Por eso le parecía que encajaba tan mal con sir Harry, quien, hasta donde Olivia sabía, abandonaba su despacho únicamente para comer, dormir y dejar inconsciente de un puñetazo a Julian Prentice.

¡Julian Prentice! Se había olvidado completamente de él. Olivia se irguió y echó un vistazo a la sala con experta discreción.

Aunque, cómo no, Mary supo al instante lo que estaba haciendo.

—¿A quién buscas? —le susurró.

—A Julian Prentice.

Mary ahogó un grito con regocijado horror.

—¿Está aquí?

—No creo, pero Winston me ha dicho que no fue tan atroz como pensamos. Por lo visto, Julian estaba tan borracho que sir Harry podría haberlo tumbado de un soplido.

—Pero un soplido no le deja a uno el ojo amoratado —le recordó Mary, siempre rigurosa en el detalle.

—La cuestión es que no creo que él le diera una *paliza*.

Mary hizo una pausa de unos segundos; luego debió de decidir que era el momento de cambiar de tema. Miró hacia un lado y el otro, y entonces se rascó allí donde el rígido encaje de su vestido se doblaba sobre su clavícula.

—Mmm... Hablando de tu hermano, ¿va a venir?

—¿Estás loca? ¡No! —Olivia consiguió no poner los ojos en blanco, pero le faltó poco. Winston había fingido un resfriado de un modo bastante convincente y se había metido en la cama. Había engañado a su madre tan bien, que esta le había pedido al mayordomo que fuese a echarle un vistazo cada hora y la mandase a buscar si empeoraba.

Lo que había sido un detalle positivo de la velada. Olivia sabía de buena tinta que más tarde los caballeros se encontrarían en el club White's. Pues bien, el encuentro tendría que desarrollarse sin Winston Bevelstoke.

Cosa que podría haber sido perfectamente el objetivo de su madre.

—¿Sabes? —murmuró Olivia—. Cuanto mayor soy, más admiro a mi madre.

Mary la miró como si se hubiese vuelto una excéntrica.

—¿De qué hablas?

—Déjalo. —Olivia sacudió levemente la mano. Sería demasiado difícil de explicar. Alargó el cuello un poco, intentando aparentar que no escudriñaba al público—. No lo veo.

—¿A quién? —preguntó Mary.

Olivia reprimió el impulso de darle una bofetada.

—A sir Harry.

—Pues está aquí —dijo Mary en tono confidencial—. Lo he visto.

—Ahora no está aquí.

Mary (quien tan solo momentos antes había reprendido a Olivia por su falta de discreción) hizo alarde de una flexibilidad asombrosa al girar el cuello casi por completo.

—Mmm...

Olivia esperó a que dijese algo más.

—No lo veo —dijo Mary al fin.

—¿Es posible que te hayas equivocado? —preguntó Olivia esperanzada.

Mary le lanzó una mirada de impaciencia.

—Por supuesto que no. Tal vez esté en el jardín.

Olivia se volvió, aunque el jardín no pudiera verse desde la sala donde tendría lugar el recital. Supuso que era por reflejo. Si sabías que alguien estaba en algún sitio, no podías dejar de girarte en esa dirección, aun cuando fuera imposible verlo.

Naturalmente, no *sabía* si sir Harry estaba en el jardín. Ni siquiera sabía a ciencia cierta si estaba en el recital. Contaba tan solo con la afirmación de Mary y, aunque esta era de fiar en lo relativo a los nombres de los asistentes a las fiestas, nada más había visto a ese hombre unas cuantas veces (reconocido por ella misma). Era muy posible que se hubiese equivocado.

Olivia decidió aferrarse a esa idea.

—Mira lo que he traído —dijo Mary, rebuscando en su magnífico bolso.

—¡Oh, es precioso! —exclamó Olivia, bajando los ojos hacia el abalorio de cuentas.

—¿A que sí? Lo compró mamá en Bath. ¡Oh, aquí están! —Mary extrajo dos pequeñas bolas de algodón—. Son para los oídos —explicó.

Olivia abrió la boca con admiración. Y envidia.

—No tendrás un par más, ¿verdad?

—No, lo siento —contestó Mary encogiéndose de hombros—. El bolso es muy pequeño. —Se giró al frente—. Creo que ya va a empezar.

Una de las madres de las Smythe-Smith pidió a todo el mundo en voz alta que se sentara. La madre de Olivia miró hacia su hija, vio que Mary había ocupado su butaca y la saludó fugazmente con la mano antes de encontrar un hueco al lado de la madre de Mary.

Olivia inspiró hondo, preparándose mentalmente para su tercer encuentro con el cuarteto de cuerda de las Smythe-Smith. El año anterior había perfeccionado mucho su técnica; consistía en respirar hondo, buscar un punto fijo en la pared que había tras las muchachas del que no tuviera que apartar la vista y reflexionar sobre los diversos y variados viajes que pudieran surgirle, por muy vulgares o poco originales que fueran.

Lugares en los que preferiría estar. Edición 1821.
Por lady Olivia Bevesltoke.

En Francia.
Con Miranda.
Con Miranda en Francia.
En la cama con una taza de chocolate y un periódico.
En cualquier parte con una taza de chocolate y un periódico.
En cualquier parte con una taza de chocolate o un periódico.

Miró hacia Mary, que parecía a punto de quedarse dormida. El algodón se le había medio salido de las orejas, y Olivia prácticamente tuvo que reprimirse para evitar sacárselo.

De haberse tratado de Winston o Miranda, se lo habría sacado sin dudarlo.

Los compases de Bach, reconocibles únicamente por su melodía barroca..., bueno, ella no llamaría a eso «melodía» exactamente, pero sí tenía algo que ver con las notas de una escala que subían y bajaban. Fuera lo que fuese, aquello era una ofensa para los oídos y Olivia volvió a girar bruscamente la cabeza al frente.

Los ojos clavados en la pared, los ojos en la pared.

Preferiría estar:

Nadando.
Montando a caballo.
Nadando a lomos de un caballo, no.
Dormida.
Tomándose un helado.

¿Valía esto último como lugar? En realidad, era más bien una experiencia, como *estar dormido*, claro que dormir implicaba estar en la cama, que *era* un sitio. Aunque, para ser exactos, uno podía dormirse sentado. Olivia nunca lo hacía, pero su padre a menudo se quedaba dormido en el salón durante los «ratos en familia» que su madre había *establecido*, y por lo visto Mary podía hacerlo incluso durante esta cacofonía.

¡La muy traidora! Ella jamás habría llevado algodones solamente para ella.

«Clava los ojos en la pared, Olivia.»

Soltó un suspiro (un poco demasiado fuerte, aunque no es que pudiera oírla nadie) y volvió a hacer sus respiraciones profundas. Se concentró en un candelabro que había detrás de la triste cabeza de la viola; no, mejor de la cabeza de la triste viola...

La verdad era que esa muchacha no parecía feliz. ¿Sabía lo mal que tocaba el cuarteto? Porque saltaba a la vista que las otras tres no tenían ni idea. Pero la que tocaba la viola, era distinta, era...

Hizo que Olivia escuchara realmente la música.

«¡No puede ser! ¡No puede ser!» Su cerebro se rebeló y volvió a retomar esas malditas inspiraciones, y...

Y entonces el recital terminó, y las intérpretes se levantaron e hicieron unas reverencias bastante coquetas. Olivia se sorprendió a sí misma parpadeando demasiado; al parecer, no podía mover adecuadamente los ojos después de tenerlos tanto rato clavados en un punto fijo.

—Te has dormido —le dijo a Mary, dedicándole una mirada de decepción.

—No es verdad.

—¡Sí que lo es!

—Bueno, en cualquier caso esto ha funcionado —contestó ella, sacándose el algodón de los oídos—. No he oído casi nada. ¿Adónde vas?

Olivia ya estaba a mitad del pasillo.

—Al cuarto de baño. No aguanto... —Y decidió que eso tendría que bastar. No había olvidado que era posible que sir Harry Valentine estuviese en algún punto de la sala, por lo que si alguna situación requería prisa, era esa.

No es que ella fuese una cobarde, en absoluto. No estaba tratando de evitar a ese hombre; simplemente intentaba evitar que él tuviera la oportunidad de sorprenderla.

«¡No hay que bajar la guardia!» Si hasta ahora no había sido su lema, ahora lo haría suyo.

¿Acaso no le impresionaría eso gratamente a su madre? Siempre le decía que fuese más «perfeccionadora». No, eso no estaba bien dicho. ¿Qué era lo que decía su madre? Daba igual; ya estaba casi en la puerta. Únicamente tenía que pasar junto a sir Robert Stoat y...

—Lady Olivia.

¡Maldita sea! ¿Quién...?

Se giró y se le encogió el corazón. Y cayó en la cuenta de que sir Harry Valentine era mucho más alto de lo que le había parecido desde su despacho.

—Disculpe —dijo ella sin inmutarse, porque siempre se le había dado bastante bien actuar—. ¿Nos conocemos?

Pero por la burlona curva de su sonrisa, Olivia estaba casi segura de que no había sido capaz de disimular su fugaz sorpresa inicial.

—Perdone —le dijo él con delicadeza, y ella se estremeció, porque su voz... no era como había pensado que sería. Sonaba como el olor del brandi y le pareció que sabría a chocolate. Y no sabía muy bien por qué había sentido un escalofrío, ya que tenía bastante calor ahora—. Sir Harry Valentine —murmuró, haciéndole con educación una elegante reverencia—. Usted es lady Olivia Bevelstoke, ¿verdad?

Olivia levantó el mentón un par de centímetros, sintiéndose importantísima.

—Sí.

—En ese caso estoy encantado de conocerla.

Ella asintió. Probablemente debería hablar; desde luego sería más educado, pero sentía que su compostura peligraba y era más aconsejable que se quedase callada.

—Soy su nuevo vecino —añadió sir Harry Valentine, que parecía un tanto divertido con su reacción.

—¡Claro! —repuso Olivia, manteniendo el rostro inexpresivo; sir Harry no podría con ella—. Su casa está al sur de la mía, ¿verdad? —preguntó, satisfecha por el tono ligeramente indiferente de su voz—. Había oído que estaba en alquiler.

Él no dijo nada. No enseguida. Pero sus ojos se clavaron en los de ella, que necesitó toda su fortaleza para mantener su expresión plácida, serena y algo curiosa nada más. Olivia consideró esto último necesario; de no haber estado espiándole durante casi una semana, el encuentro le habría parecido un tanto curioso.

Era un desconocido que actuaba como si ya se conocieran.

Un desconocido guapo.

Un desconocido guapo que parecía que fuese...

¿Por qué le estaba mirando los labios?

¿Por qué estaba ella *relamiéndose* los suyos?

—Bienvenido a Mayfair —se apresuró a decir ella. Lo que fuera con tal de romper el silencio. El silencio no la beneficiaba; no con este hombre, ya no—. Tendremos que invitarle a casa.

—Me encantaría —replicó él aparentemente en serio, y Olivia no salió de su asombro. No solo porque había dicho que le encantaría, sino porque pretendiese aceptar el ofrecimiento, que cualquier idiota habría visto que era solo por educación.

—Per-perfecto —dijo ella *convencida* de que no estaba tartamudeando, solo que sí hablaba tartamudeando un poco o como si tuviese algo en la garganta—. Si me permite... —Señaló la puerta, porque seguro que al interceptarle al paso él se había fijado en que ella se dirigía hacia la salida.

—Hasta la próxima, lady Olivia.

Ella trató de dar con una contestación ingeniosa, o incluso sarcástica y astuta, pero su mente estaba confusa y no se le ocurrió nada. Él la miraba fijamente con una expresión que no parecía revelar nada de su persona y que, sin embargo, lo decía todo de *ella*. Tuvo que recordarse a sí misma que sir Harry no conocía todos sus secretos; que no la conocía.

¡Cielo santo! Pero si al margen de esta tontería del espionaje, ¡no tenía ningún secreto!

Y eso él tampoco lo sabía.

Un tanto entonada por la indignación, Olivia le saludó con la cabeza; un movimiento leve y cortés, perfectamente adecuado para una despedida. Y entonces, recordándose a sí misma que era lady Olivia Bevelstoke y que estaba como pez en el agua en cualquier situación social, se giró y se fue.

Y, cuando se le trabaron los pies, agradeció muchísimo estar ya en el vestíbulo, donde él no pudo verla.

4

Había ido bien.

Harry se felicitó mientras observaba a lady Olivia saliendo apresuradamente de la sala. No es que se moviese a gran velocidad, en absoluto, pero tenía los hombros un poco encogidos y se había recogido el vestido con la mano, levantando los bajos; aunque no muchos centímetros, sino como hacían las mujeres cuando tenían que correr. No obstante, ella se sujetaba el bajo, un gesto sin duda inconsciente, como si sus dedos creyeran que necesitaban prepararse para salir corriendo, aun cuando el resto de su persona hubiera decidido mantener la calma.

Ella sabía que él la había visto espiándolo. Él también lo sabía, naturalmente. Si no hubiese tenido esa certeza en el instante en que sus miradas se habían cruzado tres días antes, lo habría sabido poco después; porque ella había echado las cortinas y no se había asomado a la ventana ni una sola vez desde que él la descubriera.

Un claro reconocimiento de culpabilidad. Un error que un verdadero profesional no habría cometido jamás. Si él hubiese estado en su pellejo...

Claro que él nunca *habría* estado en su pellejo. No le gustaba el espionaje, nunca le había gustado, y el Ministerio de Guerra era plenamente consciente de ello. Pero aun así, bien mirado, nunca le habrían pillado.

El desliz de Olivia había confirmado sus sospechas. Ella era exactamente lo que aparentaba; la típica niña de buena cuna, con toda probabilidad mimada. Tal vez un poco más fisgona que la media; sin duda más atractiva que la media. La distancia (por no hablar de las dos ventanas de cristal que los separaban) no le había hecho justicia. No había podido ver su cara, no del todo. Había atisbado la forma, un poco parecida a un corazón y a la vez un poco ovalada; pero no había visto sus rasgos, que tenía los ojos un tanto más separados de lo normal y que sus pestañas eran tres tonos más oscuras que sus cejas.

El pelo se lo había visto con bastante claridad: suave, de color mantequilla, bastante rizado. No debería haberle parecido más seductor ahora que cuando lo llevaba suelto sobre los hombros, pero por alguna razón, a la luz de las velas, con ese rizo que le colgaba junto al cuello...

Había sentido deseos de tocarla. Había deseado tirar con suavidad del rizo solo para ver si al soltarlo volvía rápidamente a su sitio, y luego había deseado sacarle las horquillas, una a una, y observar cómo cada bucle se le desprendía del peinado, haciendo que poco a poco pasara de la perfección gélida a ser una divinidad apoteósica.

¡Santo Dios!

Y ahora Harry estaba indignado consigo mismo. Sabía que aquella noche no debería haber leído ese libro de poesía antes de salir. Y en francés, para más inri. Esa maldita lengua siempre le dejaba excitado.

No recordaba la última vez que había reaccionado así ante una mujer. En su defensa había que decir que últimamente pasaba tanto tiempo encerrado en su despacho que había conocido a muy pocas mujeres que pudieran obrar algún efecto en él. Llevaba ya varios meses en Londres, pero daba la impresión de que el Ministerio de Guerra le adjudicaba siempre un documento u otro, y *siempre* necesitaban las traducciones lo antes posible. Y si se daba el milagro de que conseguía dejar su mesa despejada de papeles, entonces Edward decidía meterse en algún maldito lío (deudas, alcohol, mujeres que no le convenían). Edward no era selectivo en sus vicios, y él no lograba armarse de la suficiente crueldad como para dejar que su hermano se hundiera en sus propios errores.

Lo que significaba que él mismo raras veces tenía tiempo para equivocarse, o sea, para cometer deslices con el otro sexo. No es que se hubiese acostumbrado a vivir como un monje, pero a decir verdad ¿cuánto tiempo hacía...?

Como nunca se había enamorado, ignoraba si la carestía hacía el corazón más proclive a encariñarse, pero después de esta noche estaba totalmente convencido de que la abstinencia había hecho el resto en un hombre hosco como él.

Era preciso que encontrase a Sebastian. La agenda social de su primo nunca se limitaba a un evento por noche. Dondequiera que fuese tras el concierto, sin duda incluiría a mujeres de dudosa moral. Y Harry iría con él.

Se dirigió hacia el otro extremo de la sala con la intención de encontrar algo para beber, pero al dar un paso oyó varios gritos sofocados seguidos de la protesta:

—¡Esto no estaba en el programa!

Harry miró a uno y otro lado, luego hacia el escenario siguiendo la dirección general de las miradas. Una de las muchachas Smythe-Smith había retomado su posición y parecía que se preparaba para tocar un impromptu en solitario (pero no improvisado, ¡Dios no lo quisiera!).

—¡Dios misericordioso! —oyó Harry. Y ahí estaba Sebastian, de pie a su lado, contemplando el escenario sin duda con más espanto que diversión.

—Me debes una —le dijo Harry, susurrando con maldad las palabras en el oído de Sebastian.

—Creía que habías dejado de contar.

—Esta deuda es impagable.

La muchacha empezó su solo.

—Puede que tengas razón —admitió Sebastian.

Harry miró hacia la puerta. Era una puerta preciosa, de proporciones perfectas y que conducía al exterior de la sala.

—¿Podemos irnos?

—Todavía no —dijo Sebastian con pesar—. Falta mi abuela.

Harry alargó la vista hacia la anciana condesa de Newbury, que estaba sentada con el resto de viudas aristócratas, con una amplia sonrisa y aplaudiendo.

—¿No estaba sorda? —recordó Harry volviéndose de nuevo hacia Sebastian.

—Prácticamente —confirmó Sebastian—. Pero no es tonta. Para la actuación ha guardado la trompetilla. —Se giró hacia Harry con ojos chispeantes—. Por cierto, he visto que has conocido a la encantadora lady Olivia Bevelstoke.

Harry no se molestó en contestar, nada que fuera más allá de una leve inclinación de cabeza.

Sebastian se acercó a él y su voz adoptó un molesto registro de bajo.

—¿Lo ha reconocido todo? ¿Su insaciable curiosidad? ¿Su incontenible deseo?

Harry se volvió y lo miró directamente a los ojos.

—¡Eres un imbécil!

—Me lo dices muchas veces.

—Las palabras no caducan.

—Tampoco mi inmadurez. Es comodísimo ser inmaduro —dijo Sebastian con una media sonrisa.

El solo de violín llegó a lo que parecía un *crescendo*, y el público entero contuvo el aliento, esperando el consiguiente clímax seguido de lo que *necesariamente* tenía que ser el final.

Salvo que no lo era.

—¡Qué crueldad! —exclamó Sebastian.

Harry hizo una mueca de dolor mientras el violín subía una octava chirriando.

—No he visto a tu tío —señaló.

Sebastian apretó los labios y en las comisuras se le formaron unas diminutas arrugas.

—Se ha excusado esta misma tarde. Estoy por plantearme si me ha tendido una trampa; solo que no es tan inteligente.

—¿Lo sabías?

—¿Lo de la música?

—Ese es un uso despiadado de la palabra «música».

—Me habían llegado rumores —confesó Sebastian—. Pero nada podría haberme preparado para...

—¿Esto? —murmuró Harry, por algún motivo incapaz de apartar los ojos de la muchacha del escenario. Esta sujetaba el violín con cuidado y su concentración en la música no era fingida. Parecía estar disfrutando, como si estuviese oyendo algo totalmente diferente a lo que oía el resto de la sala. Y quizás así fuese, ¡muchacha con suerte!

¿Cómo sería vivir en un mundo propio? ¿Ver las cosas como deberían ser y no como eran? Desde luego la violinista *debería* ser buena. Tenía pasión, y si era cierto lo que las matronas de la familia Smythe-Smith habían dicho al principio de la velada, ensayaba a diario.

¿Cómo debería ser la vida de Harry?

No debería haber tenido un padre que bebía más que respiraba.

No debería tener un hermano decidido a seguir sus mismos pasos.

Debería...

Rechinó los dientes. No debería sumirse en un abismo autocompasivo. Era más hombre que eso. Un hombre más fuerte, y...

Una escalofriante y repentina toma de conciencia lo sacudió y, como era ya su costumbre siempre que tenía la sensación de que algo no iba bien, miró hacia la puerta.

Lady Olivia Bevelstoke. Estaba sola, observando a la violinista con una expresión inescrutable. Solo que...

Harry entornó los ojos. No estaba seguro, pero desde este ángulo casi parecía como si tuviese los ojos clavados en el ánfora griega que había detrás de la muchacha.

¿Qué estaba *haciendo*?

—No le sacas los ojos de encima. —La voz siempre chirriante de Sebastian llegó a su oído.

Harry lo ignoró.

—Es guapa.

Harry siguió ignorándolo.

—También es simpática y no está prometida.

Ni caso.

—Y no es que los serviciales solteros de Gran Bretaña no lo hayan intentado —continuó Sebastian, como siempre sin inmutarse ante la ausencia de respuesta de Harry—. Ellos le siguen pidiendo su mano, pero por desgracia ella siempre los rechaza. Tengo entendido que hasta el viejo Winterhoe...

—Es distante —le interrumpió Harry, con más irritación de la que había pretendido.

La voz de Sebastian rebosó de feliz ironía cuando preguntó:

—¿Cómo dices?

—Que es distante —repitió Harry, rememorando el breve intercambio de palabras con Olivia Bevelstoke. Se había comportado como una maldita diva. Cada una de sus gélidas palabras se había cuarteado como el hielo y ahora ni siquiera se dignaba a mirar a la pobre muchacha que tocaba el violín.

Para ser honesto, le sorprendía que hubiese venido esta noche. No parecía el lugar más adecuado para los diamantes gélidos de máxima calidad. Con toda probabilidad alguien le habría obligado a asistir.

—Y yo que me había hecho grandes esperanzas sobre vuestro futuro juntos —murmuró Sebastian.

Harry se giró para darle una respuesta mordaz o, por lo menos, con todo el sarcasmo que pudiera expresar, pero hubo un cambio en la música y la violinista llegó de nuevo a un *crescendo*. Esta vez *tenía* que ser el final, pero el público no pensaba jugársela y estalló una salva de aplausos antes siquiera de que ella hubiese tocado la última nota.

Harry caminó al lado de Sebastian, que se abría paso hacia su abuela. Sebastian le había dicho que esta había venido en su propio carruaje, por lo que no hacía falta que esperasen a que estuviera lista para irse. Aun así Sebastian tenía que despedirse y, aunque Harry no era pariente suyo, también debía saludarla.

Pero antes de que pudieran cruzar la sala, fueron abordados por una de las madres de la familia Smythe-Smith, que gritaba:

—¡Señor Grey! ¡Señor Grey!

A juzgar por la intensidad de su voz, decidió Harry, el conde de Newbury debía de estar teniendo problemas para dar con una esposa fértil.

A favor de Sebastian había que decir que no manifestó ni pizca de su prisa por irse cuando se giró y dijo:

—Señora Smythe-Smith, ha sido una velada deliciosa.

—Me alegro mucho de que haya podido asistir —repuso ella con entusiasmo.

Sebastian le respondió con una sonrisa, la clase de sonrisa que daba a entender que no se imaginaba en un sitio mejor. Y entonces hizo lo que hacía siempre que quería zanjar una conversación.

—Permítame que le presente a mi primo, sir Harry Valentine —dijo.

Harry la saludó con un movimiento de cabeza, diciendo su nombre en voz baja. Era evidente que la señora Smythe-Smith consideraba que Sebastian era el premio gordo. Lo miró directamente a los ojos y le preguntó:

—¿Qué le ha parecido mi Viola? ¿A que ha estado sencillamente magnífica?

Harry no logró ocultar del todo su sorpresa. ¿Su hija se llamaba Viola?

—Toca el violín —explicó la señora Smythe-Smith.

—¿Y cómo se llama la que toca la viola? —preguntó Harry sin poder evitarlo.

La señora Smythe-Smith lo miró con cierta impaciencia.

—Marianne. —Luego volvió a dirigirse a Sebastian—: Viola es la solista.

—¡Ah! —exclamó Sebastian—. Ha sido una sorpresa muy especial.

—¡Ya lo creo! Estamos muy orgullosos de ella. Tendremos que programar solos para el año que viene.

Para no ser menos, Harry empezó a planear su viaje al Ártico.

—Estoy muy contenta de que haya podido venir, señor Grey —continuó la señora Smythe-Smith, al parecer sin darse cuenta de que eso ya lo había dicho—. Tenemos otra sorpresa para esta noche.

—¿Le he comentado que mi primo es un baronet? —añadió Sebastian—. Tiene una finca preciosa en Hampshire, donde se caza de maravilla.

—¿En serio? —La señora Smythe-Smith se volvió hacia Harry, mirándolo con otros ojos y una amplia sonrisa—. Le agradezco mucho su asistencia, sir Harry.

Sir Harry habría respondido con algo más que un asentimiento de cabeza, solo que estaba tramando el fallecimiento inminente del señor Grey.

—Les contaré nuestra sorpresa —dijo emocionada la señora Smyhte-Smith—. Quiero que sean los primeros en saberlo. ¡Habrá baile! ¡Esta noche!

—¿Baile? —repitió Harry, cuya sorpresa casi lo empujó a decir incoherencias—. Mmm... ¿Tocará Viola?

—¡Claro que no! No quisiera que se perdiera el baile. Pero da la casualidad de que contamos con otros músicos aficionados entre el público, y la espontaneidad es sumamente divertida, ¿no creen?

Para Harry la espontaneidad era tan indeseada como las visitas al dentista. De lo que sí tenía una excelente opinión, sin embargo, era de la venganza rastrera.

—A mi primo —dijo con gran sentimiento— le encanta bailar.

—¿Le gusta? —La señora Smythe-Smith se dirigió a Sebastian con regocijo—: ¿Le gusta, señor Grey?

—Sí —respondió Sebastian, tal vez con un poco más de rigidez de la necesaria, teniendo en cuenta que no era mentira; le gustaba bailar, mucho más de lo que le había gustado nunca a Harry.

La señora Smythe-Smith miró a Sebastian con beatífica expectación. Harry los miró a ambos con complacida expectación; le encantaban los finales felices. Sobre todo cuando la balanza se inclinaba a su favor.

Consciente de que Harry había jugado mejor sus cartas, Sebastian le dijo a la señora Smyhte-Smith:

—Espero que su hija se reserve el primer baile para mí.

—Será un honor para ella hacerlo —dijo la señora Smyhte-Smith, juntando alegremente las manos—. Si me disculpan, debo ocuparme de que empiece la música.

Sebastian esperó a que ella se mezclara entre el público y entonces dijo:

—Esta me la pagarás.

—No, creo que ahora estamos en paz.

—Bueno, en cualquier caso tú también tendrás que quedarte aquí conmigo —repuso Sebastian—. A menos que quieras ir andando a casa.

Harry habría contemplado esa posibilidad, si no estuviese lloviendo a cántaros.

—Te esperaré encantado —le dijo, con toda la alegría del mundo.

—¡Vaya, mira! —exclamó Sebastian en un falso tono de sorpresa—. Lady Olivia está justo ahí. ¡Apuesto a que le gusta bailar!

«¡A que no!», pensó en decirle Harry, pero ¿para qué, realmente? Sabía que su primo se apostaría cualquier cosa.

—¡Lady Olivia! —gritó Sebastian.

La dama en cuestión se giró y hubiera sido imposible esquivarlos porque Sebastian se abrió paso entre el público para llegar hasta ella. Tampoco

Harry supo encontrar el modo de evitar el encuentro, aunque no quería darle a Olivia esa satisfacción.

—Lady Olivia —volvió a decir Sebastian en cuanto estuvieron lo bastante cerca como para poder mantener una conversación—, es un placer verla.

Ella hizo un leve movimiento de cabeza.

—Señor Grey.

—Está usted muy taciturna esta noche, ¿verdad, Olivia? —murmuró Sebastian, pero antes de que Harry pudiera asombrarse por la familiaridad de semejante afirmación, continuó diciendo—: ¿Conoce a mi primo, sir Harry Valentine?

—Mmm... Sí —balbució ella.

—He conocido a lady Olivia esta misma noche —intervino Harry, preguntándose qué tramaría Sebastian. Sabía perfectamente que lady Olivia y él ya habían hablado.

—Sí —dijo lady Olivia.

—¡Ay, pobre de mí! —exclamó Sebastian, cambiando de tema con asombrosa rapidez—. La señora Smythe-Smith me está haciendo señas. Debo encontrar a su Viola.

—¿Ella toca también? —preguntó lady Olivia, con la mirada nublada por la confusión. Y quizá por cierta inquietud.

—No lo sé —contestó Sebastian—, pero está claro que ha organizado el futuro de su progenie. Viola es su querida hija.

—Toca el violín —intervino Harry.

—¡Oh! —Olivia parecía divertida con la ironía del asunto. O tal vez solo perpleja—. Desde luego.

—Que disfruten del baile —deseó Sebastian, dedicándole a Harry una fugaz mirada de intenciones malignas.

—¿Hay baile? —preguntó lady Olivia, con aspecto un tanto alarmado.

Harry se compadeció de ella.

—Tengo entendido que el cuarteto Smythe-Smith no tocará.

—¡Qué... bien! —Lady Olivia carraspeó—. Para ellas, naturalmente. Así podrán bailar. Estoy segura de que querrán hacerlo.

Harry sintió que un destello de malicia lo recorría por dentro (¿o era de amenaza?).

—Tiene los ojos azules —comentó.

Ella le miró espantada.

—¿Cómo dice?

—Sus ojos —susurró—. Que son azules. Me lo había parecido, por el tono de su piel y su pelo, pero desde tan lejos resultaba difícil saberlo.

Ella se quedó petrificada, pero Harry admiró su firme determinación cuando dijo:

—No tengo la menor idea de qué me habla.

Él se le acercó lo bastante como para que ella viera sus ojos.

—Los míos son marrones.

Dio la impresión de que ella estaba a punto de contestar, pero en lugar de eso parpadeó varias veces y casi pareció que lo escudriñaba más atentamente.

—Lo son —murmuró—. ¡Qué raro!

Harry no sabía con seguridad si su reacción era graciosa o preocupante. Sea como fuere, la provocación no había terminado.

—Creo que ya empieza la música —anunció él.

—Debería buscar a mi madre —soltó ella.

Lady Olivia estaba empezando a desesperarse. A Harry eso le gustó. Después de todo, tal vez la velada acabase siendo agradable.

5

Tenía que haber una manera de hacer que la velada llegase a su fin. A ella se le daba mucho mejor actuar que a Winston. Olivia decidió que, si él podía fingir un resfriado de forma convincente, ella podría sin duda hacer lo propio con la peste.

Oda a la peste.
Por Olivia Bevelstoke.

Bíblica.
Bubónica.
Mejor que la lepra.

Porque lo era. Al menos en estas circunstancias. Necesitaba algo que no fuera solo repugnante, también tenía que ser tremendamente contagioso. Con historia. ¿Acaso la peste no había matado a media Europa hacía unos cuantos siglos? La lepra nunca había sido tan eficaz.

Se le pasó por la cabeza qué ocurriría si se llevase la mano al cuello y murmurase: «¿Son pústulas esto?».

Resultaba tentador. Realmente tentador.

Y a sir Harry, ¡maldito fuera!, se le veía como unas pascuas, como si no hubiese sitio mejor en el que estar.

Más que aquí. Atormentándola.

—¡Mire eso! —dijo él con familiaridad—. Sebastian está bailando con la señorita Smythe-Smith.

Olivia escudriñó la sala con la mirada, decidida a no mirar al hombre que tenía a su lado.

—Seguro que ella estará encantada.

Hubo una pausa y entonces sir Harry preguntó:

—¿Busca a alguien?

—A mi madre —le espetó ella con astucia. ¿Acaso no la había escuchado hacía un momento?

—¡Ah! —Por fortuna, estuvo callado un instante y luego dijo—: ¿Se parece a usted?

—¿Quién?

—Su madre.

Olivia desvió la mirada hacia él. ¿Por qué le preguntaba eso? ¿Por qué hablaba con ella siquiera? Ya había dicho lo que tenía decir, ¿verdad?

Era un hombre repugnante. No por los papeles ni la chimenea, ni el estrafalario sombrero, pero sí por *esto*. Por el aquí y el ahora. Era simplemente repugnante.

Arrogante.

Un pesado.

Y bastantes cosas más, seguro, solo que estaba demasiado aturullada para pensar con claridad. La búsqueda de sinónimos requería una cabeza mucho más clara de lo que podía conseguir tener en su presencia.

—Se me había ocurrido ayudarle a buscarla —dijo sir Harry—, pero, por desgracia, no la conozco.

—Se parece un poco a mí —explicó Olivia distraídamente. Y luego, por alguna razón que no supo identificar, añadió—: Bueno, más bien yo me parezco a ella.

Harry esbozó una sonrisa al oír eso, y Olivia tuvo la extrañísima sensación de que, por una vez, él no se estaba riendo de ella. No trataba de provocarla, únicamente... sonreía.

Era desconcertante.

Olivia no pudo apartar la vista.

—Siempre he valorado la precisión lingüística —dijo él en voz baja.

Ella lo miró fijamente.

—Es usted un hombre muy extraño.

Se habría muerto de vergüenza, porque no era esa la clase de cosas que solía decir en voz alta, solo que él se lo tenía merecido. Y ahora se estaba riendo. Era de suponer que de ella.

Se tocó el cuello. Tal vez, si se pellizcaba a sí misma, la marca pasaría por una pústula.

Enfermedades que sé cómo fingir.
Por Olivia Bevelstoke.

Resfriado.
Dolencia pulmonar.
Migraña.
Esguince de tobillo.

Lo último no era exactamente una enfermedad, pero en algunos momentos era útil.

—¿Bailamos, lady Olivia?

Como ahora mismo. Solo que se le había ocurrido demasiado tarde.

—Quiere bailar —repitió ella. Le parecía inconcebible que él quisiera bailar, y aún más inconcebible que creyera que ella lo haría.

—Así es —contestó él.

—¿Conmigo?

A sir Harry pareció divertirle la pregunta, aunque se mostró amable.

—Había pensado en pedírselo a mi primo, puesto que es la única persona de la sala cuyo parentesco conmigo puedo afirmar, pero eso provocaría un pequeño escándalo, ¿no cree?

—Creo que se ha acabado la música —dijo Olivia. Si no era cierto, faltaría poco para que acabase.

—Entonces bailaremos la siguiente.

—¡No he accedido a bailar con usted! —Olivia se mordió el labio. Hablaba como una idiota. Una idiota irascible, que era la peor clase de idiota que había.

—Pero lo hará —repuso él con seguridad.

Desde que Winston le dijese a Neville Berbrooke que ella estaba *interesada* en él, no había tenido tantas ganas de pegar a un ser humano. Es más, lo habría hecho, de haber creído que podía salirse con la suya.

—La verdad es que no tiene otra opción —continuó él.

¿Dónde le dolería más? ¿En la mandíbula o en un lado de la cabeza?

—¡Y quién sabe! —Sir Harry se acercó a ella, su mirada ardiente a la luz de las velas—. Puede que le guste.

En un lado de la cabeza. De todas todas. Si lo golpeaba con un movimiento amplio y arqueado, quizá le haría perder el equilibrio. Le haría gracia verlo despatarrado en el suelo. Sería una escena *maravillosa*. Puede que se diera un golpe con una mesa o, mejor aún, que en la caída se agarrase del mantel, llevándose consigo la ponchera y toda la cristalería tallada de la señora Smythe-Smith.

—¿Lady Olivia?

Habría fragmentos de cristal por doquier. Tal vez sangre también.

—¿Lady Olivia?

Si no podía llevarlo realmente a la *práctica*, podía al menos fantasear sobre ello.

—¿Lady Olivia? —Sir Harry le ofreció la mano.

Ella desvió la mirada hacia él. Seguía erguido y no había ni una mota de sangre ni cristales rotos a la vista. ¡Qué lástima! Y esperaba claramente que ella aceptase su invitación a bailar.

Por desgracia, se salió con la suya. Olivia no tuvo alternativa. Podía seguir insistiendo (y probablemente lo haría) en que jamás lo había visto antes de esta velada, pero ambos sabían la verdad.

No sabía con seguridad qué pasaría si sir Harry anunciaba ante la gente allí congregada que ella había estado espiándolo durante cinco días desde la ventana de su habitación, pero bueno, eso no pasaría. Los rumores serían brutales. En el mejor de los casos tendría que esconderse en casa durante una semana para evitar el chismorreo; en el peor, podría verse instada a casarse con el palurdo este.

¡Santo Dios!

—Me encantaría bailar —se apresuró a decir Olivia, aceptando su mano estirada.

—Entusiasmo además de precisión —dijo él en voz baja.

Ese hombre era realmente raro.

Se plantaron en la pista de baile momentos antes de que los músicos levantaran sus instrumentos.

—Es un vals —dijo sir Harry nada más oír las dos primeras notas. Olivia le lanzó una mirada de asombro y curiosidad. ¿Cómo podía *saberlo* tan deprisa? ¿Tenía dotes musicales? Eso esperaba. Significaba que la velada habría sido mayor tortura para él que para ella.

Sir Harry tomó su mano derecha y la sostuvo en el aire en la posición adecuada. Como si el contacto de sus manos no fuese lo bastante alarmante, puso la otra mano donde terminaba su espalda. Estaba tibia. No, caliente. Y Olivia sintió un hormigueo en lugares muy extraños.

Había bailado un montón de valses, incluso tal vez cientos, pero nunca había sentido nada parecido a esto cuando le habían puesto una mano donde la espalda perdía su nombre.

Era porque aún estaba inquieta. En su presencia estaba nerviosa. Debía de ser por eso.

La agarraba con firmeza, aunque con bastante suavidad a la vez, y parecía un buen bailarín. No, era un magnífico bailarín, mucho mejor que ella. Olivia daba el pego, pero nunca sería una gran bailarina. La gente decía que sí, pero solo por su belleza.

No era justo, ella era la primera en reconocerlo, pero en Londres una mujer podía conseguir bastantes cosas simplemente por ser guapa.

Claro que eso también quería decir que nunca la consideraban inteligente. Había sido así durante toda su vida. La gente siempre se había imaginado que era una especie de muñeca de porcelana, que estaba ahí para hacer bonito y que la vieran, y para no hacer absolutamente nada.

A veces Olivia se preguntaba si quizá por eso se portaba mal en ocasiones. Nunca nada por lo que llevarse las manos a la cabeza, era prudente en exceso, pero tenía fama de hablar con demasiada franqueza y de expresar sus opiniones con demasiada contundencia. En cierta ocasión Miranda le había dicho que por nada del mundo desearía ser tan guapa, y Olivia no lo había entendido, no del todo. No hasta que Miranda se hubo marchado y no quedó nadie con quien mantener una conversación deliciosa.

Levantó la vista hacia sir Harry, tratando disimuladamente de escudriñar su rostro. ¿Era guapo? Supuso que sí. Tenía una pequeña cicatriz, que en realidad apenas se le notaba, cerca de la oreja izquierda y unas mejillas un poco más prominentes de lo que marcaba la belleza clásica, pero aun así tenía algo. ¿Inteligencia? ¿Intensidad?

Se fijó en que también tenía unas cuantas canas junto a las sienes. Se preguntaba qué edad tendría.

—Baila usted con mucho garbo —dijo él.

Olivia puso los ojos en blanco. No pudo evitarlo.

—¿Se ha vuelto usted inmune a los cumplidos, lady Olivia?

Ella lo fulminó con la mirada; no se merecía menos. También él le había hablado con dureza, en un tono rayano al insulto.

—Tengo entendido —dijo sir Harry, haciéndola girar con pericia hacia la derecha— que ha roto corazones por toda la ciudad.

Ella se puso tensa. Era justo la clase de frase que a la gente le gustaba decirle, creyendo que se enorgullecía de ello, pero no era así. Más aún, le *dolía* que todo el mundo pensara eso.

—No me parece un comentario amable ni apropiado.

—¿Hace usted siempre lo apropiado, lady Olivia?

Ella lo miró indignada, pero solo unos segundos. Sus miradas se encontraron, y ahí estaba de nuevo esa inteligencia. Esa intensidad. Tuvo que apartar la mirada.

Era una cobarde. Una excusa lamentable, inconsistente y pobre para... para..., en fin, para su conciencia. Jamás se había echado atrás en una batalla de voluntades. Y se odiaba a sí misma por hacerlo ahora.

Cuando volvió a oír la voz de sir Harry, fue más cerca del oído, su aliento caliente y húmedo.

—¿Y es usted siempre amable?

Olivia apretó los dientes. Sir Harry la estaba provocando, y si bien le encantaría hacerle un desaire, se contuvo; al fin y al cabo, era lo que él trataba de conseguir. Quería que ella reaccionase para poder hacerle lo mismo.

Además, no se le ocurría nada convenientemente demoledor.

La mano de sir Harry se deslizó por su espalda; una presión sutil y experta que la guiaba en el baile. Giraron, volvieron a girar y Olivia vislumbró a Mary Cadogan, que tenía los ojos muy abiertos y la boca formando un óvalo perfecto.

Genial. Mañana por la tarde toda la ciudad sabría que había bailado con sir Harry Valentine. Bailar un solo baile con un caballero no debería ser motivo de escándalo, pero Mary estaba lo bastante fascinada con ese hombre como para encontrar la manera de contarlo de corrido y de que pareciese tremendamente *au courant.*

—¿Cuáles son sus aficiones, lady Olivia? —le preguntó él.

—¿Mis aficiones? —repitió ella, preguntándose si alguien le había preguntado eso con anterioridad. Desde luego no de una forma tan directa.

—¿Canta? ¿Pinta acuarelas? ¿Clava agujas en esas telas que se enganchan en un aro?

—Se llama «bordar» —aclaró ella un tanto exasperada; el tono de sir Harry era casi burlón, como si no esperara que ella tuviera aficiones.

—¿Borda?

—No. —Olivia detestaba el bordado. Siempre lo había detestado. Y tampoco se le daba bien.

—¿Toca algún instrumento?

—Me gusta cazar —contestó ella sin rodeos, esperando poner fin a la conversación. No era del todo cierto, pero en realidad tampoco era mentira. No le gustaba la caza.

—Una mujer a la que le gustan las escopetas —dijo sir Harry en voz baja.

¡Por Dios bendito, esta velada no acabaría nunca! Frustrada, Olivia soltó un suspiro.

—¿Es este un vals más largo de lo habitual?

—Creo que no.

Hubo algo en su tono que le llamó la atención y Olivia alzó la vista justo a tiempo para ver sus labios curvándose mientras decía:

—Tan solo le parece largo porque no le caigo bien.

Ella ahogó un grito. Era verdad, por supuesto, pero sir Harry no debería haberlo dicho.

—Tengo un secreto, lady Olivia —susurró él, bajando la cabeza todo lo que pudo sin invadir su territorio—. Usted tampoco me cae bien.

Varios días después a Olivia seguía sin caerle bien sir Harry. Daba igual que no hubiera hablado con él, que ni siquiera lo hubiera visto. Sabía que existía y al parecer eso bastaba.

Cada mañana una de las doncellas entraba en su alcoba y descorría las cortinas, y cada mañana, en cuanto la doncella se iba, Olivia se levantaba de un salto y las volvía a correr de un tirón. Se negaba a darle motivos para que la acusara otra vez de espiarlo.

Además, así él dejaría de espiarla a *ella*.

Ni tan siquiera había salido a la calle desde la noche del recital. Había fingido un resfriado (fue muy fácil afirmar que Winston se lo había contagiado) y se había quedado en casa. No es que le preocupara toparse con sir Harry. ¿Qué probabilidades había realmente de que bajasen los escalones frontales de sus casas al mismo tiempo? ¿O de que regresaran a estas a la vez? ¿O de que se vieran en Bond Street o en Gunther's? ¿O en una fiesta?

No tropezaría con él. Incluso pensaba muy poco en ello.

No, la cuestión principal pasaba por evitar a sus amigas. Mary Cadogan se había acercado a verla al día siguiente del recital y luego al otro y al otro. Finalmente, lady Rudland le dijo que cuando su hija se encontrase mejor, le mandaría un mensaje.

No se imaginaba teniendo que hablarle a Mary Cadogan de su conversación con sir Harry. Si ya era bastante horrible recordarla, cosa que al parecer hacía con todo detalle, tener que relatársela a otro ser humano...

Casi bastaba para hacer que un resfriado desembocase en la peste.

Lo que detesto de sir Harry Valentine.
Por la normalmente benévola
lady Olivia Bevelstoke.

Creo que piensa que no soy muy inteligente.
Sé que piensa que no soy muy amable.
Me hizo chantaje para que bailase con él.
Baila mejor que yo.

Sin embargo, después de tres días de aislamiento autoimpuesto, Olivia se moría de ganas de sobrepasar los límites de su casa y su jardín. Tras decidir que el mejor momento para evitar a otras personas era a primera hora de la mañana, se puso el sombrero y los guantes, tomó el periódico matutino recién traído y se encaminó hacia su banco favorito de Hyde Park. Su doncella, quien a diferencia de ella le gustaba bordar, la acompañó agarrada con fuerza a su bordado y protestando por la hora.

Hacía una mañana espléndida: cielo azul, nubes esponjosas y una brisa ligera. Un tiempo perfecto, en realidad, y no había nadie a la vista.

—¡Venga, Sally! —le gritó a su doncella, que iba al menos dos metros rezagada.

—Es muy *pronto* —se quejó esta.

—Son las siete y media —le dijo Olivia, deteniéndose unos instantes para dejar que Sally le diese alcance.

—Eso es pronto.

—En circunstancias normales estaría de acuerdo contigo, pero resulta que creo que estoy empezando una nueva etapa. ¿Has visto lo bonito que está el día? El sol brilla, hay música en el aire...

—Yo no oigo ninguna música —refunfuñó Sally.

—Los pájaros, Sally. El trino de los pájaros.

La doncella siguió sin convencerse.

—Esa nueva etapa de la que habla..., digo yo que no querría plantearse volver a la anterior, ¿verdad?

Olivia sonrió de oreja a oreja.

—No será tan horrible. En cuanto lleguemos al parque nos sentaremos y disfrutaremos del sol. Yo leeré el periódico, tú bordarás y nadie nos molestará.

Solo que al cabo de apenas un cuarto de hora, Mary Cadogan apareció literalmente corriendo.

—Tu madre me ha dicho que estabas aquí —le dijo sin aliento—. ¿Ya te encuentras mejor?

—¿Has hablado con mi madre? —preguntó Olivia, incapaz de dar crédito a su mala suerte.

—El sábado me dijo que me mandaría un mensaje en cuanto te encontraras mejor.

—Mi madre es rapidísima —dijo Olivia entre dientes.

—¿A que sí?

Sally se deslizó un poco en el banco, sin levantar la vista apenas de su bordado. Mary tomó asiento entre las dos y estuvo buscando la posición adecuada hasta que entre su falda rosa y la verde de Olivia pudieron verse un par de centímetros de banco.

—Quiero saberlo *todo* —le dijo Mary a su amiga, en voz baja y expectante.

A Olivia se le pasó por la cabeza fingir un desconocimiento absoluto, pero ¿para qué en realidad? Ambas sabían perfectamente de lo que le estaba hablando.

—No hay mucho que contar —le dijo, enrollando el periódico en un intento por recordarle a Mary que había venido al parque a leer—. Me identificó como vecina suya y me pidió que bailáramos. Fue todo muy civilizado.

—¿Comentó algo de su prometida?

—Por supuesto que no.

—¿Y sobre Julian Prentice?

Olivia puso los ojos en blanco.

—¿De veras crees que le contaría a una absoluta desconocida, mujer además, que le puso un ojo morado a otro caballero de un puñetazo?

—No —contestó Mary con pesar—. Era demasiado pedir, la verdad. ¡No hay manera de que *alguien* me dé los detalles!

Olivia hizo lo posible por aparentar que todo el asunto la aburría.

—Muy bien —continuó Mary sin inmutarse ante la falta de respuesta de su amiga—. Háblame del baile.

—Mary... —Fue un pequeño gruñido, un pequeño chasquido; ordinario, sin duda, pero es que bajo ningún concepto Olivia quería contarle nada a Mary.

—Tienes que contármelo —insistió su amiga.

—Alguna otra cosa de interés habrá en Londres, aparte de mi único, brevísimo y aburridísimo baile con sir Harry Valentine, ¿no?

—La verdad es que no —respondió Mary, que se encogió de hombros y luego reprimió un bostezo—. A Philomena se la ha llevado su madre a la fuerza a Brighton, y Anne está enferma. Es probable que haya pillado el mismo resfriado que tú.

«Es probable que no», pensó Olivia.

—Nadie ha visto a sir Harry desde el recital —añadió Mary—. No ha ido a *ningún* sitio más.

Cosa que no sorprendió a Olivia. Lo más probable es que estuviese sentado frente a su escritorio, garabateando con frenesí. Y posiblemente llevara puesto ese ridículo sombrero.

Aunque ella no podía saberlo. Llevaba días sin asomarse a la ventana, sin mirar hacia ella siquiera. Bueno, en cualquier caso, no más de seis u ocho veces.

Diarias.

—¿De qué hablasteis entonces? —preguntó Mary—. Sé que hablaste con él. Vi cómo movías los labios.

Olivia se giró hacia ella, con los ojos encendidos de rabia.

—¿Me estuviste leyendo los labios?

—¡Oh, venga ya! Como si tú nunca hubieras hecho eso.

No solamente era cierto, sino además irrefutable, puesto que lo había hecho con Mary. Pero estaba claro que era pertinente una respuesta (no, una réplica), de modo que Olivia resopló un poco y dijo:

—Nunca te lo he hecho a *ti*.

—Pero lo harías —repuso Mary con rotundidad.

También cierto, pero no era algo que Olivia tuviese la intención de admitir.

—¿De qué *hablasteis*? —volvió a preguntar Mary.

—De nada especial —mintió Olivia, enrollando de nuevo el periódico, esta vez haciendo más ruido. Había echado un vistazo a las páginas de sociedad (siempre empezaba por el final), pero quería leer las noticias relacionadas con el Parlamento. Siempre las leía. Todos los días. Ni siquiera su padre las leía a diario, y eso que era un miembro de la Cámara de los Comunes.

—Parecías enfadada —insistió Mary.

«Ahora lo estoy», quiso quejarse Olivia.

—¿Lo estabas?

—Te habrás equivocado.

—No lo *creo* —dijo Mary con esa horrible voz cantarina con la que hablaba cuando creía que tenía razón.

Olivia desvió la mirada hacia Sally, que estaba pasando su aguja por la tela, fingiendo no escuchar. Entonces volvió los ojos hacia Mary, dedicándole una mirada de socorro, como diciendo: «Delante de los criados, no».

No era una solución definitiva al problema de Mary, pero al menos la tendría un rato callada.

Volvió a enrollar el periódico y acto seguido se miró las manos consternada. Lo había recogido antes de que el mayordomo tuviera ocasión de planchar el papel y ahora la tinta se le estaba quedando pegada en la piel.

—¡Qué asco! —exclamó Mary.

A Olivia no se le ocurrió ninguna respuesta, salvo:

—¿Dónde está tu doncella?

—¡Ah, está ahí! —contestó Mary, señalando con la mano a un punto indefinido del espacio que quedaba a sus espaldas. Y entonces Olivia comprendió su tremendo error de cálculo, porque al instante Mary se giró hacia Sally y le dijo—: Conoces a Genevieve, ¿verdad? ¿Por qué no vas a hablar con ella?

Sally conocía a la doncella de Mary, y también sabía que sus conocimientos de la lengua inglesa eran, en el mejor de los casos, limitados, pero como Olivia no pudo intervenir e insistirle en que no hablase con Genevieve, Sally se vio obligada a dejar de bordar y acudir a su encuentro.

—¡Bravo! —exclamó Mary con orgullo—. ¡Excelente táctica! Ahora cuéntame, ¿cómo es sir Harry? ¿Es guapo?

—Ya lo has visto.

—Sí, pero ¿es guapo de cerca? Tiene unos ojos... —Mary se estremeció.

—¡Bah! —exclamó Olivia, recordando de pronto—. Son marrones, no de color gris azulado.

—No puede ser. Estoy convencida...

—Te equivocaste.

—No, nunca me equivoco con esas cosas.

—Mary, estuve a esto de su cara —dijo Olivia, señalando la distancia que las separaba—. Te aseguro que sus ojos son marrones.

Mary parecía horrorizada. Finalmente, sacudió la cabeza y dijo:

—Seguro que es por esa forma tan penetrante que tiene de mirar a las personas. Di por sentado que sus ojos eran azules. —Parpadeó pensativa—. O grises.

Olivia puso los ojos en blanco y miró al frente, esperando que ese fuera el fin de la conversación, pero Mary no era fácil de disuadir.

—Todavía no me has hablado de él —señaló.

—Mary, no hay nada que decir —insistió Olivia. Clavó los ojos en su regazo, consternada. Su periódico era ahora un bulto arrugado e ilegible—. Me pidió que bailara con él y yo acepté.

—Pero... —Y entonces Mary ahogó un grito.

—Pero ¿qué? —Lo cierto es que Olivia ya estaba empezando a perder la paciencia.

Mary le agarró del brazo con fuerza.

—¿Qué ocurre ahora?

Su amiga señaló con un dedo hacia el lago Serpentine.

—Mira allí.

Olivia no vio nada.

—A caballo —susurró Mary.

Olivia desvió la vista a la izquierda y entonces...

«¡Oh, no!» Imposible.

—¿Es él?

Olivia no contestó.

—¿Sir Harry? —aclaró Mary.

—Ya sé a quién te refieres —soltó Olivia.

—Creo que es sir Harry, sí —dijo Mary alargando el cuello.

Olivia sabía que era él, no tanto porque se parecía al caballero en cuestión, sino porque siempre le pasaba todo a ella.

—Monta bien —murmuró Mary admirada.

Olivia decidió que había llegado el momento de actuar desde la fe y rezar. Tal vez él no las vería. Tal vez decidiría ignorarlas. Tal vez un rayo...

—Creo que nos ha visto —dijo Mary, toda contenta y feliz—. Deberías saludar con la mano. Yo lo haría, pero no hemos sido presentados.

—No le des ánimos —le espetó Olivia.

Mary no dudó en arremeter contra ella.

—*Sabía* que no te caía bien.

Olivia cerró los ojos abatida. Se suponía que tenía que haber sido un paseo tranquilo y solitario. Se preguntó cuánto tardaría Mary en pillar el resfriado de Anne.

Entonces se preguntó si había algo que pudiera hacer para acelerar el contagio.

—Olivia —le susurró Mary, hincándole el codo en las costillas.

Olivia abrió los ojos. Sir Harry estaba ahora bastante más cerca y cabalgaba en dirección a ellas.

—Me pregunto si el señor Grey estará también aquí —comentó Mary esperanzada—. Puede que sea el heredero de lord Newbury, ¿lo sabías?

Olivia esbozó una forzada sonrisa mientras sir Harry se acercaba, al parecer sin su primo, el presunto heredero. Reparó en que montaba bien, sí, y su montura era magnífica; un precioso capón castaño de calcetines blancos. Iba vestido para montar, para montar de verdad, no para trotar majestuosamente por el sendero del parque. La brisa le había despeinado el pelo moreno y tenía un poco de color en las mejillas, lo cual *debería* haberle hecho parecer menos distante y más simpático, pero para ello necesitaría sonreír, pensó Olivia con cierto desdén.

Sir Harry Valentine no iba por ahí regalando sonrisas; desde luego a ella no.

—Señoras —dijo, deteniéndose frente a ellas.

—Sir Harry. —Fue cuanto Olivia logró decir, teniendo en cuenta lo poco que le apetecía hablar.

Mary le propinó una patada.

—Permítame que le presente a la señorita Cadogan —dijo Olivia.

Él ladeó la cabeza cortésmente.

—Encantado de conocerla.

—Sir Harry —dijo Mary, devolviéndole el saludo con un movimiento de cabeza—. ¡Qué día tan agradable!, ¿verdad?

—De lo más agradable —contestó él—, ¿no le parece, lady Olivia?

—¡Sí, desde luego! —exclamó ella de forma tensa. Se volvió hacia Mary con la esperanza de que él hiciera lo mismo y le dirigiera sus preguntas a esta.

Pero, naturalmente, no lo hizo.

—No la había visto nunca por Hyde Park, lady Olivia —le dijo sir Harry.

—No suelo atreverme a salir tan temprano.

—Claro —murmuró él—, me imagino que tendrá cosas muy importantes que hacer en casa a estas horas de la mañana.

Mary miró a Olivia con curiosidad. La frase de Harry era críptica.

—Cosas que hacer —continuó él—, gente a la que observar...

—¿Ha venido su primo también? —se apresuró a preguntarle Olivia.

Harry arqueó las cejas con aire burlón.

—Sebastian rara vez sale antes de mediodía —contestó.

—¿Y usted madruga?

—Siempre.

Otra cosa que detestaba de él. A Olivia no le importaba levantarse pronto, pero odiaba a la gente que presumía de ello.

No hizo ningún comentario más, tratando de alargar el momento hasta que resultase incómodo. Tal vez él se daría por aludido y se iría. Cualquier persona sensata sabía que era imposible que dos damas sentadas en un banco y un caballero a lomos de un caballo mantuviesen una conversación. Ya estaba empezando a sentir calambres en el cuello de tanto estirarlo.

Alargó el brazo y se masajeó un lado de este, esperando que él captase la indirecta. Pero entonces (como era evidente que todo el mundo estaba en su contra, incluida ella misma), su memoria le jugó una mala pasada. Recordó sus pústulas imaginarias y lo de la peste de variedad bubónica. Y se echó a reír, ¡horror!

Solo que no podía reírse, no con Mary sentada precisamente a su lado y sir Harry mirándola con esa arrogancia, de modo que selló la boca. Pero eso hizo que el aire le subiera por la nariz y resoplara; sin ninguna elegancia. Y le hizo cosquillas.

Lo cual hizo que se riera de verdad.

—¿Olivia? —preguntó Mary.

—No es nada —dijo, haciendo un gesto con la mano mientras se volvía hacia el otro lado, intentando ocultar la cara—. En serio.

Gracias a Dios, sir Harry no dijo nada. Aunque puede que solo fuese porque creía que estaba loca.

Pero lo de Mary era otra historia, nunca sabía dónde estaba el límite.

—¿Estás segura, Olivia? Porque...

Olivia seguía con la cabeza girada hacia un lado, porque en cierto modo sabía que de lo contrario volvería a reírse.

—Es que me ha venido algo a la cabeza, eso es todo.

—Pero...

Mary dejó de darle la lata; asombroso.

Olivia se habría sentido aliviada, solo que parecía muy poco probable que Mary desarrollase de pronto tacto y sentido común. Y, de hecho, resultó tener razón porque Mary no había interrumpido su frase fruto de su compasión por Olivia, en absoluto. Había dejado de hablar porque...

—¡Oh, mira, Olivia! Tu hermano.

6

Harry tenía previsto dirigirse a casa. Tenía por costumbre salir a montar a primera hora de la mañana, aun estando en la ciudad, y se disponía a salir del parque cuando divisó a lady Olivia sentada en un banco. Esto despertó la suficiente curiosidad en él como para detenerse y que esta le presentara a su amiga, pero tras un rato de cháchara decidió que ninguna de las dos le parecía lo bastante fascinante como para distraerlo del trabajo.

Sobre todo teniendo en cuenta que, de entrada, era lady Olivia Bevelstoke la causante de que fuese tan atrasado en sus traducciones.

Era cierto que ella había dejado de espiarle, pero el daño ya estaba hecho, pues cada vez que se sentaba frente al escritorio notaba los ojos de ella en el cogote, aunque sabía a la perfección que Olivia había corrido completamente las cortinas. Pero estaba claro que la realidad tenía muy poco que ver con el asunto, porque al parecer era mirar hacia la ventana de ella y él perdía una hora de trabajo.

Sucedía de este modo: miraba hacia la ventana, porque la ventana estaba *ahí* y era imposible no acabar mirando hacia allí a menos que él también corriese completamente las cortinas, cosa que no estaba dispuesto a hacer, dada la cantidad de tiempo que pasaba en su despacho. Así que veía la ventana y pensaba en Olivia, porque ¿en qué más podía pensar al ver la ventana de su dormitorio? En ese momento empezaba a enfadarse, porque a) Olivia no merecía ese gasto de energía, b) ni siquiera estaba allí y c) por su culpa no estaba trabajando nada.

La c) siempre desembocaba en un ataque de rabia aún mayor, esta vez contra sí mismo, porque d) la verdad es que debería tener más poder de concentración, e) no era más que una estúpida ventana y f) si se ponía nervioso por una mujer, esta al menos debería *gustarle.*

En la f) se le escapaba normalmente un fuerte gruñido y se obligaba a sí mismo a retomar la traducción. Eso solía funcionar durante un par de minutos y luego volvía a levantar la vista, veía casualmente la ventana y volvía a repetirse la maldita y absurda historia.

Que fue por lo que, cuando vio la cara de espanto que puso lady Olivia Bevelstoke al oír nombrar a su hermano, decidió que no, que no necesitaba volver al trabajo todavía. Después de todas las molestias que le había causado, estaba deseoso de verla pasar por un trance similar.

—¿Conoce al hermano de Olivia, sir Harry? —preguntó la señorita Cadogan.

Harry bajó de su montura de un salto; todo indicaba que se quedaría allí un rato.

—No he tenido el placer.

Al oír la palabra «placer», la cara de pocos amigos de lady Olivia fue inequívoca.

—Es su hermano gemelo —continuó la señorita Cadogan—. Ha acabado hace poco el curso universitario.

Harry se volvió hacia lady Olivia y dijo:

—No había caído en que eran ustedes gemelos.

Ella se encogió de hombros.

—¿Ha terminado sus estudios? —le preguntó.

Ella asintió de forma seca.

Al ver su actitud, Harry por poco cabeceó con desaprobación. Era una mujer realmente antipática. Lástima que fuese tan guapa, no se merecía el físico que tenía. Harry más bien creía que debería tener una enorme verruga en la nariz.

—En ese caso es posible que conozca a mi hermano —comentó Harry—. Deben de tener la misma edad.

—¿Quién es su hermano? —preguntó la señorita Cadogan.

Harry les habló un poco de Edward y paró justo antes de que llegase el hermano de lady Olivia. Venía solo, a pie, con el paso ágil de un muchacho joven. Entonces reparó en que se parecía bastante a su hermana. Su pelo rubio era varios tonos más oscuro que el de ella, pero tenía exactamente el mismo brillo en la mirada y el mismo color y forma de ojos.

Harry hizo una reverencia; el señor Bevelstoke hizo lo propio.

—Sir Harry Valentine, mi hermano, el señor Bevelstoke. Winston, sir Harry —dijo lady Olivia con una falta de interés e inflexión en la voz asombrosas.

—Sir Harry —dijo Winston con educación—, conozco a su hermano.

Harry no lo reconoció, pero supuso que el joven Bevelstoke pertenecía al círculo de Edward. Este le había presentado a la mayoría de sus conocidos en uno u otro sitio, pero prácticamente ninguno era memorable.

—Tengo entendido que es usted nuestro nuevo vecino —dijo Winston.

Harry respondió diciendo algo en voz baja y asintiendo con la cabeza.

—El de la casa que queda al sur.

—Así es.

—Siempre me ha gustado esa casa —dijo Winston, o más bien pontificó. Desde luego parecía que estuviese a punto de hacer una gran revelación—. Es de ladrillo, ¿verdad?

—Winston —dijo Olivia con impaciencia—, sabes perfectamente que es de ladrillo.

—Sí, bueno —repuso él con un gesto de la mano, como quitándole importancia—, estaba bastante seguro de ello. No suelo prestar atención a esas cosas y, como bien sabes, mi dormitorio da al otro lado.

Harry notó que sus labios dibujaban lentamente una sonrisa. Esto no podía sino mejorar.

Winston se volvió a Harry y, sin motivo aparente, aparte del de torturar a su hermana, dijo:

—La habitación de Olivia da al sur.

—¿Ah, sí?

Olivia puso cara de...

—Sí —confirmó Winston, acabando con las conjeturas de Harry acerca de cómo podía o no reaccionar lady Olivia. Pero pensó que una bronca espontánea estaba dentro de lo posible.

—Puede que haya visto su ventana —siguió Winston—. Sería imposible no verla, en realidad. Está...

—¡Winston!

Harry retrocedió, literalmente, unos centímetros. Parecía que la violencia iba a estallar. Y aunque Winston era más alto que su hermana y pesaba más que ella, Harry creía que ganaría Olivia.

—Estoy segura de que a sir Harry no le interesa un plano del interior de nuestra casa —le espetó Olivia.

Winston se acarició el mentón pensativo.

—Yo no estaba pensando tanto en un plano del interior como en la fachada.

Harry se volvió hacia Olivia. No creía haber visto nunca una ira tan bien controlada. Era impresionante.

—Me alegro mucho de verte esta mañana, Winston —intervino la señorita Cadogan, ajena a la tensión familiar—. ¿Sueles salir tan temprano de casa?

—No —contestó él—. Mi madre me ha enviado en busca de Olivia.

La señorita Cadogan sonrió con alegría y devolvió su atención a Harry.

—Entonces parece que usted es el único visitante matutino habitual por el parque. Yo también he venido en busca de Olivia. Hace siglos que no tenemos ocasión de charlar. Ha estado enferma, ¿sabe?

—No lo sabía —dijo Harry—. Espero que se encuentre mejor.

—Winston también ha estado enfermo —explicó Olivia. Les dedicó una sonrisa aterradora—. Mucho más que yo.

—¡Oh, no! —exclamó la señorita Cadogan con vehemencia—. ¡Cuánto lamento oír eso! —Se giró hacia Winston con gran preocupación—. De haberlo sabido, te habría traído una tintura.

—La próxima vez que caiga enfermo me aseguraré de decírtelo —le comentó Olivia. Se volvió hacia Harry, bajó el tono de voz y dijo—: Sucede con más frecuencia de la que querríamos. Es muy angustioso. —Y entonces susurró—: Le viene de nacimiento.

La señorita Cadogan se puso de pie, toda su atención puesta en Winston.

—¿Ya te encuentras mejor? Porque debo decir que estás un poco pálido.

A Harry le parecía la viva estampa de la salud.

—Estoy bien —dijo Winston entre dientes. Su ira iba claramente dirigida hacia su hermana, quien seguía sentada en el banco, con aspecto de estar muy satisfecha por sus recientes logros.

La señorita Cadogan desvió la mirada hacia Olivia, que estaba cabeceando mientras movía los labios en silencio: «No lo está».

—Te traeré la tintura sin duda —dijo la señorita Cadogan—. El sabor es asqueroso, pero nuestra ama de llaves tiene una fe ciega en ella. E insisto en que vuelvas a casa de inmediato. Aquí fuera hace frío.

—De verdad que no es necesario —protestó Winston.

—De todas formas yo pensaba volver pronto —añadió la señorita Cadogan, demostrando que el joven Bevelstoke no tenía nada que hacer contra la suma de poderes de dos mujeres decididas—. Me puedes acompañar.

—Dile a mamá que volveré enseguida —dijo Olivia con dulzura.

Su hermano la fulminó con la mirada. Era evidente que había perdido, así que le ofreció el brazo a la señorita Cadogan y se fue con ella.

—Bien jugado, lady Olivia —dijo Harry admirado en cuanto los otros dos estuvieron fuera del alcance del oído.

Ella lo miró hastiada.

—No es usted el único caballero que me resulta irritante.

Como le fue imposible ignorar un comentario como ese, Harry se sentó a su lado, dejándose caer en el sitio recién desocupado por la señorita Cadogan.

—¿Hay algo interesante? —preguntó señalando el periódico.

—¡Cómo voy a saberlo, si no paran de interrumpirme! —repuso ella.

Él se rio entre dientes.

—Pues aprovecho para disculparme, por supuesto, pero no pienso darle la satisfacción de saberlo.

Ella apretó los labios, era de suponer que para reprimir una réplica.

Harry se reclinó y cruzó el tobillo derecho sobre la rodilla izquierda, dejando que su relajada postura indicase que no pensaba marcharse.

—Al fin y al cabo —reflexionó él en voz alta—, tampoco es que esté invadiendo su intimidad. Estamos sentados en un banco de Hyde Park, al aire libre y en un espacio público.

Hizo un alto, dándole a Olivia la posibilidad de decir algo, pero como no dijo nada, él continuó:

—De haber querido intimidad, podría haberse llevado el periódico a su habitación, o tal vez a su despacho. Son sitios donde, presumiblemente, uno puede tener intimidad, ¿no cree?

Harry esperó de nuevo. Y, de nuevo, ella rehusó responder a la provocación. Así que redujo el tono de voz a un susurro y preguntó:

—¿Tiene usted un despacho, lady Olivia?

Pensaba que no contestaría, puesto que Olivia tenía los ojos clavados al frente, decidida a no mirarlo a él, pero para gran sorpresa suya, soltó:

—No.

Harry la admiró por eso, pero no lo bastante como para cambiar de táctica.

—¡Qué pena! —murmuró él—. Porque a mí me parece de lo más beneficioso tener un lugar para mí que no se utilice para dormir. Si desea leer el periódico lejos de miradas fisgonas, debería usted contemplar la posibilidad de tener un despacho, lady Olivia.

Ella se volvió hacia él con una expresión de extraordinaria indiferencia.

—Está sentado encima del bordado de mi doncella.

—Discúlpeme. —Harry miró hacia abajo, se sacó de debajo la tela (apenas había chafado el borde, pero decidió ser magnánimo y omitir comentario alguno) y la puso a un lado—. ¿Dónde está su doncella?

Olivia sacudió la mano en una dirección indeterminada.

—Se ha ido con la doncella de Mary. Estoy convencida de que volverá en cualquier momento.

Harry no tenía respuesta para eso, así que dijo:

—Tiene usted una relación curiosa con su hermano.

Ella se encogió de hombros, tratando de deshacerse de él cuanto antes.

—A mí el mío me detesta.

Eso captó el interés de Olivia. Se giró, sonrió con excesiva dulzura y dijo:

—Me gustaría conocerlo.

—No me cabe duda —contestó él—. No suele venir por mi despacho, pero cuando se levanta a una hora razonable, desayuna en el comedor pequeño, cuyas ventanas están justo dos más allá de mi despacho, hacia la fachada frontal de la casa. Puede intentar encontrarlo allí.

Ella lo miró con dureza. Él, a cambio, le dedicó una sonrisa forzada.

—¿Por qué está aquí? —preguntó Olivia.

Harry señaló su montura.

—He salido a cabalgar.

—No, ¿por qué está *aquí*? —dijo ella entre dientes—. En este banco. Sentado a mi lado.

Él pensó unos instantes en eso.

—Me saca usted de quicio.

Olivia frunció los labios.

—Bueno —dijo ella con cierta brusquedad—, me imagino que es justo.

Expresó su opinión con bastante cordialidad, si bien el tono no fue cordial; al fin y al cabo, tan solo unos minutos antes le había dicho a Harry que le resultaba irritante.

Entonces llegó su doncella. Harry la oyó antes de verla, porque caminaba pisoteando enfadada la hierba húmeda y tenía un evidente acento *cockney* en la voz.

—¿Por qué esa mujer cree que yo debería aprender francés? Es ella la que está en Inglaterra, digo yo. ¡Ohhh! —Hizo un alto, mirando a Harry con cierta sorpresa. Cuando continuó hablando, lo hizo con un acento muchísimo más refinado—. Lo lamento, señora. No me había dado cuenta de que tenía usted compañía.

—Sir Harry Valentine ya se va —dijo lady Olivia, con absoluta dulzura y naturalidad. Se giró hacia él con una sonrisa tan deslumbrante y alegre que acabó entendiendo el porqué de todos esos corazones rotos de los que no paraba de oír hablar—. Muchísimas gracias por la compañía, sir Harry —le dijo.

A él se le cortó la respiración y pensó que Olivia mentía muy bien. Si no acabase de pasar los últimos diez minutos con la dama a la que en su mente se refería ya como «la muchacha arisca», él mismo se habría podido enamorar de ella.

—Como bien dice, lady Olivia —dijo él en voz baja—, me voy ya.

Y eso hizo, con la firme intención de no volverla a ver nunca más.

Al menos, no intencionadamente.

Tras haber borrado de su mente todo pensamiento sobre lady Olivia, avanzada la mañana Harry volvió al trabajo y por la tarde se hallaba inmerso en un sinfín de modismos rusos.

Kogda rak na goryeh svistnyet = Cuando el cangrejo silbe en la montaña = Cuando las ranas críen pelo.

Sdelatz slona iz mukha = Hacer un elefante de una mosca = Hacer una montaña de un grano de arena.

Sdokhlogo kozla i shersti klok = Incluso un jirón de lana de una cabra muerta tiene algún valor =

Equivale a...

Equivale a...

Estuvo varios minutos reflexionando sobre esto mientras repiqueteaba distraídamente la pluma contra el papel secante, y estaba a punto de rendirse y pasar a otra cosa cuando oyó que llamaban a la puerta.

—Adelante. —No levantó la vista. Hacía mucho que no era capaz de mantener la atención durante un párrafo entero; no iba a perder el ritmo ahora.

—Harry.

La pluma de Harry se detuvo. Se había imaginado que sería el mayordomo con el correo vespertino, pero esa era la voz de su hermano pequeño.

—Edward —dijo, asegurándose de que sabía exactamente en qué punto de la traducción se había quedado antes de levantar los ojos—. ¡Qué agradable sorpresa!

—Ha llegado esto para ti. —Edward atravesó la habitación y dejó un sobre en su mesa—. Lo ha traído un mensajero.

En el exterior del sobre no aparecía indicado el remitente, pero la caligrafía le resultó familiar. Procedía del Ministerio de Guerra y casi con toda seguridad sería importante; casi nunca le mandaban comunicados de esta índole directamente a su casa. Harry dejó el sobre a un lado con la intención de leer su contenido cuando estuviese solo. Edward sabía que su hermano traducía documentos, pero no sabía para quién. Y hasta ahora Harry no había creído necesario informarle sobre el asunto.

Sin embargo, la misiva podía esperar unos minutos. Ahora mismo Harry sentía curiosidad por la presencia de su hermano en su despacho. Edward no tenía por costumbre repartir cosas por la casa. Aun cuando la carta hubiera sido para él, con toda probabilidad la habría dejado en la bandeja del vestíbulo para que el mayordomo se ocupase de ella.

De hecho, Edward no se comunicaba con él a menos que se viese obligado a hacerlo por influencias externas o por necesidad; necesidad que solía ser de índole monetaria.

—¿Cómo estás hoy, Edward?

Este se encogió de hombros. Parecía cansado y tenía los ojos rojos e hinchados. Harry se preguntó hasta qué hora habría salido la noche anterior.

—Esta noche Sebastian cenará con nosotros —anunció Harry. Edward casi nunca comía en casa, pero Harry pensó que quizá lo hiciese si sabía que Sebastian estaría allí.

—Tengo otros planes —dijo Edward, pero luego añadió—: aunque tal vez podría posponerlos.

—Te lo agradecería.

Edward se quedó plantado en el centro del despacho. Era la viva imagen de un muchacho enfurruñado y hosco. Ahora tendría veintidós años y Harry suponía que se consideraba todo un hombre, pero sus modales eran inmaduros y su mirada aún aniñada.

Aniñada, no juvenil. A Harry le preocupó lo demacrado que parecía. Edward bebía demasiado y probablemente durmiese demasiado poco, aunque no era como su padre. Harry no sabía con exactitud en qué se diferenciaban, salvo en que sir Lionel siempre fue alegre. Menos cuando estaba triste y le daba por pedir perdón sin parar, pero en general a la mañana siguiente no recordaba nada.

En cambio, Edward era diferente. El abuso del alcohol no lo volvía efusivo. Harry no se lo imaginaba encaramándose a una silla y deshaciéndose en elogios acerca de lo *maravilloza* que era una *ezcuela*. En las escasas ocasiones en que comían juntos, Edward no intentaba ser simpático y alegre; antes bien, se sentaba en un silencio pétreo, sin responder a nada más que a las preguntas que se le formulaban directamente, cosa que hacía tan solo con las palabras indispensables.

Harry era muy consciente de que no conocía a su hermano, de que no sabía qué pensaba ni cuáles eran sus aficiones. La mayoría de los años de formación de Edward los había pasado fuera, en Europa, luchando junto a Sebastian en el decimoctavo regimiento de húsares. A su regreso trató de reencauzar la relación, pero Edward no quiso saber nada de él. Estaba aquí, en su casa, tan solo porque no podía permitirse una vivienda propia. Era el hermano pequeño ideal, sin herencia y sin aptitudes aparentes. Se había burlado de la sugerencia que le había hecho de que también se alistara en el ejército, acusándolo de querer únicamente deshacerse de él.

Harry no se molestó en sugerirle el clero. Resultaba difícil imaginarse a Edward guiando a alguien hacia la rectitud moral y, además, no quería deshacerse de él.

—A principios de esta semana recibí una carta de Anne —mencionó Harry. Su hermana, que se había casado con William Forbush a los diecisiete años y a la que todo le iba sobre ruedas, había ido a parar nada más y nada menos que a Cornualles. Cada mes le enviaba una carta a Harry repleta de novedades sobre su prole, y él le contestaba en ruso, insistiéndole en que si no practicaba el idioma lo acabaría olvidando del todo.

Una de las respuestas de Anne había sido la advertencia de su hermano, recortada de su carta y pegada en una nueva hoja de papel, seguida de la siguiente frase en inglés: «Esa es mi intención, querido hermano».

Harry se había reído, pero no había dejado de escribirle en ruso. Creía que ella se tomaba el tiempo de leer y traducir, porque cuando le contestaba a menudo le formulaba preguntas sobre cosas que él había escrito.

Era una correspondencia amena; Harry siempre esperaba ansioso sus cartas.

A Edward no le escribía. Antes solía hacerlo, pero paró al darse cuenta de que él nunca le devolvería el gesto.

—Los niños están bien —continuó Harry. Anne tenía cinco hijos, todos muchachos menos la última. Él se preguntaba qué aspecto tendría ahora su hermana; no la había visto desde que se fue al ejército.

Entonces se reclinó en su silla, esperando. Lo que fuese. Que Edward hablara, que se moviera o que le diese una patada a la pared. Sobre todo esperaba que le pidiese un adelanto de la mensualidad, ya que seguramente esa era la razón de su presencia allí. Pero Edward no dijo nada y se limitó a arrastrar la punta del pie por el suelo, enganchando el borde de la alfombra de tonos oscuros y levantándolo antes de volver a bajarlo de un talonazo.

—¿Edward?

—Será mejor que leas la carta —dijo Edward con brusquedad mientras se disponía a marcharse—. Han dicho que era importante.

Harry aguardó a que se hubiera marchado y a continuación tomó la misiva del Ministerio de Guerra. No era habitual que contactasen con él de esta manera; solían mandar a alguien que le entregaba los documentos en mano. Giró el sobre, usó el dedo índice para romper el sello y luego lo abrió.

La carta era breve, únicamente dos frases, pero clara. Harry tenía que personarse de inmediato en las oficinas del Edificio de la Caballería Real Británica de Whitehall.

Refunfuñó. Algo que requiriese su presencia física no podía ser bueno. La última vez que lo convocaron fue para ordenarle que se hiciese pasar por el asistente de una anciana condesa rusa. No se separó de su lado en tres semanas. Ella se quejó del calor, de la comida, de la música... De lo único que no se quejó fue del vodka, pero porque se lo había traído consigo.

Y, además, insistió en compartirlo con él. Comentó que hablando Harry ruso tan bien como hablaba, no podía beber aquella bazofia británica. La verdad es que en ese aspecto le recordaba un poco a su abuela.

Pero Harry no bebió, ni siquiera una gota, y se pasó noche tras noche derramando el contenido de su vaso en una maceta.

Por extraño que parezca, la planta creció. Muy posiblemente el mejor momento de la misión fue cuando el mayordomo se quedó mirando con asombro el milagro botánico y dijo: «No pensé que esta planta daría flores».

Aun así, no tenía ganas de repetir la experiencia. Por desgracia, casi nunca podía permitirse el lujo de decir que no. Lo cual no dejaba de ser curioso, porque *lo necesitaban*. Los traductores del ruso no abundaban precisamente. Y, sin embargo, daban por sentado que cumpliría sus órdenes sin rechistar.

Harry contempló fugazmente la posibilidad de concluir la página en la que estaba trabajando antes de salir, pero decidió no hacerlo. Lo mejor sería sacárselo de encima cuanto antes.

Y, además, la condesa había regresado a San Petersburgo; era de suponer que para protestar por el frío, el sol y la falta de caballeros ingleses obligados a atender todos sus deseos.

Sea lo que fuere lo que quisieran de él, seguro que no sería tan horrible como la misión anterior.

7

Fue peor.

—¿El príncipe qué? —preguntó Harry.

—El príncipe Alexei Ivanovich Gomarovsky —contestó el señor Winthrop, el enlace habitual de Harry con el Ministerio de Guerra. Puede que Winthrop tuviese un nombre de pila, pero de ser así no se lo habían comunicado. Era simplemente el señor Winthrop, de estatura media y complexión normal, de pelo castaño normal y una cara absolutamente gris. Que Harry supiera, jamás salía del edificio del Ministerio.

—No nos gusta —dijo Winthrop con muy poca inflexión de voz—. Nos pone nerviosos.

—¿Qué *creen* que podría hacer?

—No estamos seguros —contestó el enlace, que no pareció captar el sarcasmo de Harry—. Pero hay una serie de aspectos de su visita que lo ponen bajo sospecha. El principal, su padre.

—¿Su padre?

—Ivan Alexandrovich Gomarovsky. Ya fallecido. Era partidario de Napoleón.

—¿Y el príncipe sigue siendo un peso influyente en la sociedad rusa? —A Harry le costaba creer eso. Habían pasado nueve años desde que los franceses invadieran Moscú, pero las relaciones franco-rusas seguían siendo cuando menos frías. El zar y sus seguidores no supieron entender la invasión napoleónica. Y los franceses tienen buena memoria; la humillante y devastadora retirada se les quedó grabada durante muchos años.

—Las actividades traicioneras de su padre nunca fueron descubiertas —explicó Winthrop—. Murió el año pasado por causas naturales y aún se consideraba que era un fiel servidor del zar.

—¿Cómo sabemos que era un traidor?

Winthrop le quitó importancia a la pregunta haciendo un gesto indefinido con la mano.

—Tenemos información.

Harry decidió dar eso por válido, ya que lo más probable es que no le contarían nada más.

—También nos sorprende el momento elegido para la visita del príncipe. Ayer llegaron a la ciudad tres conocidos simpatizantes de Napoleón, dos de ellos súbditos británicos.

—¿Permiten que los traidores queden en libertad?

—Con frecuencia nos interesa que el adversario crea que pasa inadvertido. —Winthrop se inclinó hacia delante y apoyó los antebrazos en la mesa—. Bonaparte está enfermo, se dice que morirá pronto.

—¿Bonaparte? —preguntó Harry no muy convencido. Había visto al tipo en una ocasión. De lejos, naturalmente. Era bajito, sí, pero tenía una barriga prominente. Resultaba difícil imaginárselo flaco y demacrado.

—Nos hemos enterado —Winthrop revolvió unos cuantos papeles de su escritorio hasta que dio con lo que buscaba— de que le han estrechado los pantalones doce centímetros.

Muy a su pesar, Harry estaba impresionado. Nadie podría acusar al Ministerio de Guerra de falta de atención a los detalles.

—No huirá de Santa Elena —continuó Winthrop—, pero debemos mantener la alerta. Siempre habrá quienes conspiren en su nombre. Creemos que es posible que el príncipe Alexei sea una de esas personas.

Harry exhaló malhumorado, porque quería que Winthrop supiera que no deseaba verse envuelto en esta clase de asuntos. Era traductor, ¡por el amor de Dios!, le gustaban las palabras. El papel. La tinta. No le gustaban los príncipes rusos y no tenía ganas de pasarse las tres semanas siguientes fingiendo lo contrario.

—¿Qué quieren de mí? —preguntó—. Ya saben que no me involucro en actividades de espionaje.

—Ni pretendemos que lo haga —repuso Winthrop—. Sus dotes lingüísticas son demasiado valiosas para nosotros como para tenerlo escondido en algún oscuro rincón esperando que no le disparen.

—Cuesta creer que tengan problemas para contratar espías —murmuró Harry.

A Winthrop se le volvió a escapar el sarcasmo.

—Su dominio del ruso, junto con su posición social, lo convierten en la persona ideal para vigilar al príncipe Alexei.

—No hago mucha vida social —le recordó Harry.

—No, pero podría hacerla.

Las palabras de Winthrop flotaron en la sala como una amenaza. Harry sabía de sobras que tan solo había otro hombre en el Ministerio de Guerra cuya fluidez en ruso fuese comparable a la suya. También sabía que George Fox era hijo de un posadero que había contraído matrimonio con una muchacha rusa que había venido a Inglaterra en calidad de criada de un diplomático. Fox era un buen hombre, perspicaz y valiente, pero jamás lograría acceder a las mismas reuniones sociales que un príncipe. Francamente, él tampoco estaba tan seguro de lograrlo.

Pero Sebastian, con su posible condado, quizá sí. Y no sería la primera vez que Harry lo acompañaba.

—No le pediremos que actúe directamente —dijo Winthrop—, aunque con sus antecedentes en Waterloo estamos convencidos de que sería más que capaz de hacerlo.

—Lo de combatir se acabó —le advirtió Harry. Y era verdad. Los siete años en Europa habían sido suficientes. No tenía la intención de volver a esgrimir un sable.

—Lo sabemos. Por eso lo único que le pedimos es que lo vigile. Que escuche sus conversaciones cuando pueda y que nos informe de cualquier cosa que le parezca sospechosa.

—Sospechosa —repitió Harry. ¿Acaso pensaban que el príncipe revelaría sus secretos en el club Almack's? Había pocos hablantes de ruso en

Londres, pero el príncipe no sería tan estúpido como para dar por sentado que nadie entendería lo que dijera.

—La orden viene de Fitzwilliam —dijo Winthrop en voz baja.

Harry levantó la vista de golpe. Fitzwilliam era el director del Ministerio de Guerra. Oficialmente no, por supuesto. Oficialmente ni siquiera existía. Harry no sabía su verdadero nombre y no estaba seguro de saber qué aspecto tenía; las dos veces que se habían visto, su aspecto estaba tan cambiado que no fue capaz de discernir qué era real y qué era parte del disfraz.

Pero sabía que si Fitzwilliam ordenaba algo, había que hacerlo.

Winthrop tomó una carpeta de su escritorio y se la entregó a Harry.

—Lea esto. Es nuestro dosier sobre el príncipe.

Harry tomó los documentos y se dispuso a levantarse, pero Winthrop lo detuvo diciéndole con voz áspera:

—La carpeta no puede salir del edificio.

Harry fue consciente de pararse; la clase de interrupción del movimiento molesta y exagerada que uno hacía cuando se lo ordenaban. Se volvió a sentar, abrió la carpeta, extrajo las hojas de papel y empezó a leer.

Príncipe Alexei Ivanovich Gomarovsky, hijo de Ivan Alexandrovich Gomarovsky, nieto de Alexei Pavlovich Gomarovsky, etcétera, etcétera. Soltero (no había constancia de que estuviese prometido). Estaba en Londres para visitar al embajador, su primo sexto.

—¡Caray! Están todos emparentados —dijo Harry entre dientes—. Puede que hasta sea pariente mío.

—¿Cómo dice?

Harry le lanzó una fugaz mirada a Winthrop.

—Disculpe.

Viajaba con un séquito de ocho personas, incluido un diplomático consorte muy corpulento e intimidante. Le gustaba el vodka (lógicamente), el té inglés (¡qué mente tan abierta la suya!) y la ópera.

Harry asintió mientras leía. Tal vez no sería tan horrible. La ópera le gustaba, pero nunca encontraba tiempo para ir. Ahora sería un requisito. ¡Magnífico!

Volvió la página. Había un retrato del príncipe. Lo sostuvo en el aire.

—¿Se parece al del dibujo?

—No mucho —admitió Winthrop.

Harry puso el dibujo debajo de la última página. ¿Por qué se molestaban en dárselo entonces? Continuó leyendo, reuniendo retazos de la historia personal del príncipe. Su padre había muerto a los sesenta y tres años de una enfermedad cardiaca. No hubo sospechas de envenenamiento. Su madre aún vivía, repartiendo su tiempo entre San Petersburgo y Nizhni Nóvgorod.

Saltó a la última página. Al parecer, el príncipe era un mujeriego y se decantaba por las rubias. En las dos semanas que llevaba en Londres había acudido seis veces al burdel más exclusivo de la ciudad. También había asistido a numerosos actos sociales, posiblemente en busca de una esposa británica. Se rumoreaba que la fortuna que tenía en Rusia había disminuido y que quizá necesitase una prometida de dote considerable. Se había fijado especialmente en la hija de...

—¡Oh, no!

—¿Hay algún problema? —preguntó Winthrop.

Harry levantó el papel, aunque desde el otro lado de su escritorio Winthrop no podía leer lo que estaba escrito.

—Lady Olivia Bevelstoke —dijo, su voz cargada de incredulidad.

—Sí. —Eso fue todo. Un simple «sí».

—La conozco.

—Lo sabemos.

—No me cae bien.

—Lamentamos oír eso. —Winthrop carraspeó—. No lamentamos, sin embargo, enterarnos de que la casa de los Rudland queda justamente al norte de la casa que acaba de alquilar usted.

Harry rechinó los dientes.

—No estamos equivocados al respecto, ¿verdad?

—No —contestó Harry a regañadientes.

—Bien. Porque es básico que la vigile a ella también.

Harry no fue capaz de disimular su disgusto.

—¿Será eso un problema?

—¡Por supuesto que no, señor! —dijo Harry, puesto que ambos sabían que la pregunta era puramente retórica.

—No es que sospechemos que lady Olivia esté en connivencia con el príncipe, pero sí creemos, a la vista del documentado talento seductor de este, que ella podría cometer un error.

—¿Tienen pruebas de su talento para seducir? —repitió Harry, que no quería ni saber cómo las habían conseguido.

De nuevo, el impreciso gesto de Winthrop rechazando su comentario.

—Tenemos nuestros métodos.

Harry estuvo a punto de decir que sería un alivio para Gran Bretaña que el príncipe lograra seducir a lady Olivia, pero algo se lo impidió. Un recuerdo fugaz, algo en sus ojos tal vez...

Fueran cuales fuesen sus pecados, ella no merecía esto.

Solo que...

—Contamos con usted para que lady Olivia no se meta en líos —estaba diciendo Winthrop.

Ella le había estado *espiando.*

—Su padre es un hombre ilustre.

Lady Olivia había dicho que le gustaban los revólveres. ¿Y no había dicho algo su doncella acerca del francés?

—Ella es muy conocida y querida entre la sociedad. Si le ocurriera algo, el escándalo sería irreparable.

Pero era imposible que ella supiese que Harry trabajaba para el Ministerio de Guerra. Nadie lo sabía. Era un simple traductor.

—Nos resultaría imposible conducir nuestra investigación bajo las miradas que semejante desastre dirigiría hacia nosotros. —Winthrop hizo una pausa, por fin—. ¿Entiende lo que le digo?

Harry asintió. Seguía sin pensar que lady Olivia fuese una espía, pero, sin duda, le picaba la curiosidad; aunque se sentiría como un idiota si al final se equivocaba.

—Milady.

Olivia levantó la vista de la carta que le estaba escribiendo a Miranda. Se debatía entre hablarle o no de sir Harry. No se le ocurría nadie más a quien pudiera o quisiera contárselo, claro que tampoco era la clase de historia que tuviera sentido por escrito.

No estaba muy segura de que tuviera sentido alguno.

Alzó la vista. El mayordomo estaba en el umbral de la puerta, sosteniendo una bandeja de plata que contenía una tarjeta de visita.

—Un invitado, milady.

Levantó la mirada hacia el reloj que había sobre la repisa de la chimenea del salón. Era un poco pronto para las visitas y su madre aún estaba por ahí comprando sombreros.

—¿Quién es, Huntley?

—Sir Harry Valentine, milady. Creo que ha alquilado la casa que queda al sur.

Olivia dejó lentamente la pluma. ¿Sir Harry? ¿Aquí?

«¿Por qué?»

—¿Lo hago pasar?

Olivia no sabía por qué se lo preguntaba. Si sir Harry estaba en el recibidor, casi podía ver a Huntley hablando con ella. No cabía la posibilidad de fingir que estaba ocupada. Asintió, ordenó las páginas de la carta, las metió en un cajón y luego se levantó porque tuvo la sensación de que necesitaba estar de pie cuando él llegase.

Harry apareció por la puerta instantes después, vestido con sus habituales colores oscuros. Llevaba un pequeño paquete bajo el brazo.

—Sir Harry —dijo con naturalidad, ya de pie—. ¡Menuda sorpresa!

Él saludó con la cabeza.

—Siempre procuro ser un buen vecino.

Ella le devolvió el movimiento de cabeza, mirándolo con recelo mientras entraba en la sala.

Era incapaz de imaginarse por qué Harry habría decidido hacerle una visita. Había sido de lo más antipático con ella el día antes en el parque, y lo cierto era que ella no se había comportado mejor. No lograba recordar la última vez que había tratado tan mal a nadie, pero en su defensa cabía decir que le daba terror que él intentase volverla a chantajear, esta vez por algo mucho más peligroso que un baile.

—Espero no interrumpir nada —dijo él.

—En absoluto. —Olivia señaló el escritorio—. Estaba escribiéndole una carta a mi hermana.

—No sabía que tuviese una.

—Es mi cuñada —rectificó ella—, pero para mí es como si fuese mi hermana. La conozco de toda la vida.

Harry esperó a que ella se sentase en el sofá y, a continuación, hizo lo propio en la silla de estilo egipcio que había justo frente a Olivia. No parecía incómodo, lo que a ella le resultó curioso, ya que no le gustaba nada sentarse en esa silla.

—Le he traído esto —comentó él dándole el paquete.

—¡Oh, gracias! —Lo tomó con cierta reticencia. No quería que este hombre le hiciera regalos, y desde luego no se fiaba de las motivaciones que lo llevaban a obsequiarla con uno.

—Ábralo —la instó él.

Había sido envuelto con sencillez y a Olivia le temblaban los dedos, aunque esperaba que no tanto como para que él pudiera verlo. Necesitó varios intentos para deshacer el nudo de la cinta, pero finalmente pudo abrir el papel.

—Un libro —dijo ella con cierta sorpresa. Por el peso y la forma del paquete, sabía que seguramente era un libro, pero no dejaba de ser una elección curiosa.

—Cualquiera puede traer flores —comentó él.

Olivia puso el libro del derecho (al desenvolverlo estaba al revés) y echó un vistazo al título. *La señorita Butterworth y el barón loco.* Esto sí que era una auténtica sorpresa.

—¿Me ha traído una novela gótica?

—Una novela gótica *escabrosa* —matizó él—. Me pareció que era el tipo de regalo con el que disfrutaría.

Ella levantó la vista hacia él, analizando el comentario.

Él le devolvió la mirada, como retándola a interpelarlo.

—La verdad es que no leo mucho —murmuró ella.

Él arqueó las cejas.

—Quiero decir que *sé* leer —se apresuró a aclarar mientras la rabia crecía en su interior, tanto contra él como contra sí misma—. Pero no me gusta mucho.

Las cejas de Harry seguían arqueadas.

—¿No está bien que lo reconozca? —preguntó ella con descaro.

Los labios de Harry se curvaron en una tenue sonrisa y transcurrió un momento angustiosamente largo antes de que dijera:

—Usted no piensa antes de hablar, ¿verdad?

—No suelo hacerlo —confesó ella.

—Pues intente hacerlo —replicó él señalando hacia el libro—. Pensé que le resultaría más ameno que el periódico.

Era justamente lo que diría un hombre. Nadie parecía entender que ella prefería las noticias de la jornada a los absurdos productos de la imaginación ajena.

—¿Usted lo ha leído? —preguntó Olivia, bajando la mirada para abrirlo por una página al azar.

—¡No, por Dios! Pero mi hermana me ha hablado muy bien de él.

Ella levantó la vista de golpe.

—¿Tiene usted una hermana?

—Parece que le sorprende.

Así era. No estaba segura del motivo, pero sus amigas habían considerado oportuno contarle *todo* sobre él y, por alguna razón, se habían dejado eso.

—Vive en Cornualles —explicó Harry—, rodeada de acantilados, leyendas y un montón de niños pequeños.

—¡Qué descripción tan bonita! —Y lo decía en serio, además—. ¿Está muy unido a sus sobrinos?

—No.

A Olivia se le tuvo que reflejar la sorpresa en la cara, porque él dijo:

—¿No está bien que lo reconozca?

Ella se rio sin pretenderlo.

—¡Chapó, sir Harry!

—Me encantaría dedicarme más a mis sobrinos —le explicó él a Olivia con una sonrisa más cálida y sincera—, pero no se me ha presentado la oportunidad de conocer a ninguno de ellos.

—Lógico —murmuró ella—, ha pasado muchos años en Europa.

Harry ladeó muy levemente la cabeza. Ella se preguntó si él hacía eso siempre que sentía curiosidad.

—Sabe usted bastantes cosas sobre mí —dijo.

—Eso lo sabe todo el mundo. —Lo cierto era que sir Harry no tenía de qué extrañarse.

—En Londres no hay demasiada privacidad, ¿verdad?

—Casi ninguna. —Las palabras salieron de su boca antes de caer en la cuenta de lo que había dicho, de lo que quizás acababa de reconocer—. ¿Le apetece un té? —le preguntó ella, cambiando hábilmente de tema.

—Me encantaría, gracias.

Una vez que Olivia hubo llamado a Huntley y le dio instrucciones, Harry dijo en tono familiar:

—Es lo que más eché de menos en el ejército.

—¿El té? —A Olivia le resultaba difícil de creer.

Él asintió.

—Me *moría* por tomar uno.

—¿No se ocuparon de proporcionárselo? —Por alguna razón a Olivia le pareció simplemente inaceptable.

—Algunas veces. Otras tuvimos que pasar sin él.

Hubo algo en su voz (melancólica y juvenil) que a Olivia le hizo sonreír.

—Espero que apruebe el nuestro.

—No tengo manías.

—¿En serio? Pensaba que gustándole tantísimo sería usted un entendido en té.

—Al contrario, me he quedado tantas veces sin tomarme uno que doy gracias por cada gota.

Ella se rio.

—¿De veras fue el té lo que echó de menos? La mayoría de los caballeros que conozco dirían que el brandi. O el oporto.

—El té —dijo él con firmeza.

—¿Toma café?

Harry sacudió la cabeza.

—Es demasiado amargo.

—¿Chocolate?

—Tan solo con un montón de azúcar.

—Es usted un hombre muy interesante, sir Harry.

—Soy muy consciente de que *usted* me encuentra interesante.

A Olivia se le sonrojaron las mejillas. Este hombre empezaba a gustarle. Y lo peor de todo era que tenía algo. Ella lo había estado espiando, lo cual fue una grosería, pero aun así no hacía falta que él hiciera nada en especial para que ella se sintiera incómoda.

Llegó el té, que por un momento permitió aparcar las conversaciones trascendentales.

—¿Leche? —le preguntó a Harry.

—Por favor.

—¿Azúcar?

—No, gracias.

Olivia no se molestó en alzar la vista mientras comentaba:

—¿En serio? ¿No toma azúcar y, en cambio, endulza el chocolate?

—Y el café, si me veo obligado a beberlo. Pero el té es algo totalmente diferente.

Olivia le pasó su taza y procedió a prepararse la suya. Ocuparse de tareas rutinarias le producía cierta tranquilidad. Sus manos sabían qué hacer en cada momento; los recuerdos de los movimientos llevaban mucho tiempo grabados en sus músculos. También la conversación resultaba reconfortante. Era sencilla y trivial, y sin embargo le devolvió la serenidad. Tanto que cuando Harry iba por el segundo sorbo, ella pudo por fin alterarle a él la suya y sonreírle con dulzura mientras le decía:

—Dicen que mató usted a su prometida.

Él se atragantó, lo cual le produjo a ella una gran satisfacción (su sorpresa, no que se atragantase; esperaba no haberse vuelto tan despiadada), pero se recuperó rápidamente y habló con voz queda y regular cuando respondió:

—¿Eso dicen?

—Sí.

—¿Y dicen cómo la maté?

—No.

—¿Dicen cuándo?

—Quizá lo hayan dicho —mintió ella— y yo no estuviera escuchando.

—Mmm... —Parecía reflexionar sobre ello. Era una escena desconcertante tener a este hombre alto y viril sentado en el salón malva de su madre con una delicada taza de té en la mano, al parecer reflexionando sobre un asesinato.

Harry tomó un sorbo.

—¿Alguien ha dicho por casualidad cómo se llamaba ella?

—¿Su prometida?

—Sí. —Fue un «sí» suave y absolutamente cortés, como si estuviesen hablando del tiempo o de las probabilidades de que el caballo Buqué de Rosas ganase las carreras de Ascot el Día de las Damas.

Olivia dio una pequeña sacudida con la cabeza y se llevó su propia taza a los labios.

Harry cerró los ojos un instante y luego la miró fijamente mientras movía con decepción la cabeza a uno y otro lado.

—Lo único que importa es que ahora descansa en paz.

Olivia no solo se atragantó con el té, sino que al escupirlo prácticamente lo envió al otro extremo del salón. Y él, el muy miserable, se rio.

—¡Santo Dios! Hacía años que no me divertía tanto —dijo, intentando recobrar el aliento.

—Es usted despreciable.

—¡Y usted me ha acusado de asesinato!

—No es verdad. Tan solo le he trasladado lo que alguien más me ha dicho.

—¡Claro! —exclamó él en tono burlón—. La diferencia es enorme.

—Para su información, yo no me lo creí.

—Su confianza en mí me llega al alma.

—Pues que no le llegue —le espetó ella—. Tan solo fue cuestión de sentido común.

Harry volvió a reírse.

—¿Por eso me estaba espiando?

—No... —¡Oh, venga ya! ¿Por qué seguía negándolo?—. Sí. —Casi escupió—. ¿No haría usted lo mismo?

—Yo quizá llamaría primero a la policía.

—Yo quizá llamaría primero a la policía —lo imitó ella, poniendo una voz que solía reservarse para sus hermanos.

—Es usted muy irascible. —Ella lo fulminó con la mirada—. Muy bien, ¿descubrió por lo menos algo interesante?

—Sí —contestó Olivia entornando los ojos—. Lo descubrí.

Harry esperó. Luego dijo finalmente, no sin sarcasmo:

—Cuéntemelo.

Ella se inclinó hacia delante.

—Explíqueme lo del sombrero.

Él la miraba como si se hubiese vuelto loca.

—¿De qué está hablando?

—¡Del sombrero! —exclamó Olivia agitando las manos alrededor de su cabeza, con las muñecas más elevadas como para dibujar el contorno de un sombrero—. ¡Era ridículo, tenía plumas! Y lo llevaba dentro de casa.

—¡Ah, eso! —Harry ahogó una risita—. Lo hice en su honor, en realidad.

—Pero ¡si no sabía que estaba ahí!

—Me perdonará, pero sí lo sabía.

Olivia se quedó literalmente boquiabierta y dio la impresión de que estaba un poco mareada cuando preguntó:

—¿Cuándo me vio?

—La primera vez que se plantó delante de la ventana. —Harry se encogió de hombros y arqueó las cejas como diciendo: «Ahora intente contradecirme»—. Esconderse no se le da tan bien como cree.

Enfadada, se dio por vencida. Era absurdo, pero Harry se figuró que ella consideraba aquello un insulto.

—¿Y lo de arrojar los papeles a la chimenea? —preguntó Olivia.

—¿No tira usted nunca papeles al fuego?

—No con tanta violencia.

—Bueno, eso también lo hice en su honor. Se estaba tomando tantas molestias que pensé que lo mejor sería que el tiempo invertido fuera provechoso.

—¡Si será...!

Olivia no parecía capaz de acabar la frase, de modo que él añadió, casi con indiferencia:

—Estuve a punto de saltar sobre la mesa y bailar una giga, pero pensé que sería demasiado descarado.

—Ha estado riéndose de mí todo el tiempo.

—A ver... —Harry pensó en ello—. Sí.

Olivia se quedó boquiabierta. Parecía ultrajada, y Harry por poco se deshizo en disculpas (sin duda, debía de ser un reflejo masculino sentirse avergonzado cuando una mujer ponía esa cara), aunque ella no tenía nada a lo que agarrarse.

—Permítame recordarle —señaló él— que usted me espió. Si alguien puede ofenderse aquí, soy yo.

—Bien, pues creo que ya se ha vengado —respondió ella con remilgo y el mentón levantado hacia arriba.

—¡Oh, no sé qué decirle, lady Olivia! Pasará mucho tiempo antes de que estemos empatados.

—¿Qué está tramando? —preguntó ella recelosa.

—Nada. —Harry sonrió de oreja a oreja—. Todavía.

Olivia resopló con gracia (la verdad es que fue de lo más entrañable) y él decidió ir por el jaque mate diciendo:

—¡Ah, por cierto, nunca he estado prometido!

Ella parpadeó varias veces, parecía un tanto confusa por su repentino cambio de tercio.

—¿Recuerda a la prometida muerta? —aportó Harry solícito.

—Ya no está muerta entonces.

—Es que de entrada nunca ha estado viva.

Ella asintió lentamente con la cabeza y luego preguntó:

—¿Por qué ha venido hoy a mi casa?

De ninguna manera pensaba Harry contarle la verdad, que ella era ahora su misión y que él debía asegurarse de que no cometiera una traición de forma inconsciente. De modo que se limitó a decir:

—Me ha parecido un acto de cortesía.

En las próximas semanas tendría que pasar un montón de tiempo con ella y, si no con ella, por lo menos cerca de su persona. Ya no sospechaba que lo hubiera estado espiando con algún objetivo innoble. En realidad, nunca lo había sospechado, pero habría sido una estupidez no ser prudente. Aun así, su historia acerca de la prometida muerta era tan absurda que debía de ser cierta. Parecía justo el motivo por el que una debutante aburrida espiaría a un vecino.

Tampoco es que él supiese gran cosa de lo que hacían las debutantes aburridas.

Pero supuso que pronto lo sabría.

Le dedicó una sonrisa a Olivia. Se lo estaba pasando mucho mejor de lo que se había imaginado.

Por su cara parecía que ella fuese a poner los ojos en blanco y por alguna razón Harry deseó que lo hiciera. Le gustaba mucho más cuando gesticulaba y su rostro se cargaba de emoción. En el recital de las Smythe-Smith se había mostrado distante e inflexiblemente reservada. Salvo por unos cuantos destellos de ira inútiles, su cara había sido inexpresiva.

Lo cual a Harry le había parecido enervante, y se quedó con esa imagen como si se tratase del picor que nunca se va por mucho que uno se rasque.

Olivia le ofreció más té, y él lo aceptó curiosamente contento de prolongar la visita. Sin embargo, mientras le servía, el mayordomo volvió a entrar en la sala llevando una bandeja de plata.

—Lady Olivia —dijo entonando—, ha llegado esto para usted.

El mayordomo se inclinó para que lady Olivia pudiese tomar una tarjeta de la bandeja. Parecía una invitación, sofisticada y elegante, llevaba un lazo y estaba lacrada.

¿Lacrada?

Harry cambió un poco de postura, intentando obtener un ángulo de visión mejor. ¿Era un sello real? A los rusos les gustaban los motivos de adorno de su familia real. Supuso que a los británicos también, pero eso no venía al caso. El rey Jorge no iba detrás de Olivia.

Ella echó un vistazo a la tarjeta que tenía en las manos y a continuación la dejó encima de la mesa de al lado.

—¿No quiere abrirla?

—Estoy segura de que no es urgente. Y no quisiera parecer grosera.

—¡Por mí no se preocupe! —le aseguró él. Señaló la tarjeta y dijo—: Parece interesante.

Ella parpadeó unas cuantas veces, mirando primero hacia la tarjeta y luego levantando la vista hacia él con expresión de curiosidad.

—Elegante —matizó Harry al pensar que su primera elección de adjetivo no había sido acertada.

—Ya sé quién la envía —replicó ella, impasible pese a conocer la identidad del remitente.

Él ladeó la cabeza, esperando que el gesto sustituyese la pregunta que sería de mala educación formular en voz alta.

—¡Bueno, está bien! —dijo ella, deslizando el dedo bajo el lacre—. Si insiste...

Harry no había insistido lo más mínimo, pero no tenía ninguna intención de decir nada que pudiese hacerle cambiar de idea.

Así pues, esperó con paciencia mientras ella leía, disfrutando con el abanico de emociones que se reflejaban en su cara. Olivia puso los ojos en blanco una vez, soltó una leve pero sentida exhalación y finalmente refunfuñó.

—¿Malas noticias? —preguntó Harry con educación.

—No —contestó ella—. Solo es una invitación que preferiría no aceptar.

—Pues no la acepte.

Ella sonrió con nerviosismo o tal vez con pesar; imposible saberlo con seguridad.

—Es más bien una cita —le explicó Olivia.

—¡Oh, venga ya! ¿Quién tiene autoridad para citar a la ilustre lady Olivia Bevelstoke?

Sin decir palabra, ella le entregó la tarjeta.

8

Razones por las que un príncipe podría fijarse en mí.
Por lady Olivia Bevelstoke.

Porque está arruinado.
Porque quiere casarse conmigo.

Ninguna opción le apetecía especialmente. La ruina económica, por razones evidentes, y el matrimonio porque..., en fin, por un sinfín de razones.

Razones por las que no me gustaría casarme
con un príncipe ruso.
Por lady Olivia Bevelstoke.

Porque no hablo ruso.
Porque ni siquiera me defiendo en francés.
Porque no quiero irme a vivir a Rusia.
Porque tengo entendido que allí hace mucho frío.
Porque echaría de menos a mi familia.
Y por el té.

¿Tomaban té en Rusia? Alargó la mirada hacia sir Harry, que seguía estudiando la tarjeta que le había entregado. No sabía por qué, pero creía que él lo sabría. Había viajado mucho o, por lo menos, tanto como el ejército le había pedido que viajara, y le gustaba el té.

Su lista ni siquiera había mencionado de pasada los aspectos *reales* de un matrimonio con un príncipe. El protocolo. La formalidad. Parecía una auténtica pesadilla.

Una pesadilla en un clima muy frío.

Francamente, empezaba a pensar que la ruina económica era un mal menor.

—No sabía que se movía usted en tan altos círculos —dijo sir Harry en cuanto terminó de examinar con detenimiento la invitación.

—Y no lo hago. Lo he visto dos veces. No... —repasó las últimas semanas—, tres. Eso es todo.

—Pues debe de haberle causado muy buena impresión.

Olivia suspiró cansada. Se había dado cuenta de que el príncipe la encontraba atractiva. Ya habían tratado de cortejarla suficientes hombres como para no reconocer las señales. Había tratado de disuadirlo con la mayor educación posible, pero tampoco era fácil hacerle un desaire. Se trataba de un príncipe, ¡por Dios! No sería *ella* la causante de que en algún momento pudiese haber tensión entre las dos naciones.

—¿Irá? —le preguntó sir Harry.

Olivia hizo una mueca de disgusto. El príncipe, quien al parecer no estaba al tanto de la costumbre inglesa de los caballeros de visitar a las damas, le había pedido que fuese a verlo. Había llegado incluso a detallarle cuándo: dentro de dos días a las tres de la tarde, lo cual a Olivia le hizo pensar que el hombre había hecho una interpretación más bien libre de la palabra «petición».

—No veo de qué modo podría negarme —contestó ella.

—No. —Harry volvió a descender la mirada hacia la invitación y cabeceó—. No puede negarse.

Ella gruñó.

—La mayoría de las mujeres se sentirían halagadas.

—Supongo que sí. Quiero decir que sí, claro que sí. Es un príncipe. —Olivia procuró hablar con un poco más de entusiasmo, pero no lo consiguió.

—Pero sigue sin querer ir.

—Es un fastidio, ¡eso es lo que es! —Lo miró fijamente a los ojos—. ¿Alguna vez han anunciado su presencia en un palacio? ¿No? Es espantoso.

Harry se rio, pero ella iba demasiado embalada como para no continuar:

—El vestido tiene que ser de determinada manera, con pollera y miriñaque, aunque nadie haya llevado esas tonterías en años. Tienes que marcar la reverencia con la intensidad exacta y ¡Dios no quiera que sonrías en el momento equivocado!

—No sé por qué, pero no creo que el príncipe Alexei espere que se ponga usted la pollera y el miriñaque.

—Sé que no, pero aun así será todo tremendamente formal y desconozco por completo el protocolo ruso. Lo que significa que mi madre insistirá en buscar a alguien que me lo enseñe, aunque no se me ocurre dónde podría encontrar un profesor particular con el tiempo tan justo. Y encima tendré que pasarme los dos próximos días aprendiendo cuánto se marcan las reverencias en Rusia, y si hay algún tema que sería desconsiderado tocar y... ¡Ohhh!

Acabó con el «¡Ohhh!» porque, francamente, con todo este asunto le estaba entrando dolor de barriga. Nervios. Eran nervios. Odiaba ponerse nerviosa.

Miró hacia sir Harry. Estaba sentado, completamente inmóvil y con una expresión indescifrable en el rostro.

—¿Va a decirme que no será tan terrible? —preguntó.

Harry sacudió la cabeza.

—No. Será terrible.

Olivia se desplomó. A su madre le entrarían sofocos si la viera así, toda repanchigada en presencia de un caballero. La verdad, ¿no podía él haber mentido diciéndole que pasaría un rato maravilloso? Si sir Harry hubiese mentido, ella seguiría estando erguida.

Y si echándole la culpa a otra persona se sentía mejor, ¿qué?

—Por lo menos tiene un par de días por delante —la consoló él.

—Solo dos —repuso ella con pesar—. Y puede que también lo vea esta noche.

—¿Esta noche?

—Hoy los Mottram dan un baile. ¿Irá usted? —Olivia agitó una mano un palmo de la cara—. No, por supuesto que no.

—¿Cómo ha dicho?

—¡Vaya, lo siento! —Olivia notó que se ruborizaba. Eso había sido muy desconsiderado por su parte—. Me refería simplemente a que no se prodiga usted mucho, no a que no pudiera asistir al baile. Ha decidido no hacerlo, nada más. O al menos me imagino que esa es la razón.

Harry la miró fijamente durante tanto rato y con tal impasibilidad que ella se vio forzada a continuar:

—Recuerde que he estado cinco días observándolo.

—Es bastante improbable que lo olvide. —Debió de compadecerse de ella, porque en lugar de seguir con el tema dijo—: Da la casualidad de que sí pensaba asistir al baile de los Mottram.

Ella sonrió, sorprendida por las mariposas que notó en el estómago.

—Entonces lo veré allí.

—No me lo perdería por nada del mundo.

Resultó que Harry no había previsto asistir al baile de los Mottram. Ni siquiera estaba seguro de haber recibido una invitación, pero era fácil pegarse a Sebastian, que seguramente iría. Esto supuso verse forzado a soportar su interrogatorio: *¿Por qué* quería salir de repente y *quién* podía ser la causante de su cambio de parecer? Pero Harry tenía experiencia de obras eludiendo las preguntas de Sebastian, y cuando llegaron al baile bía tal aglomeración de gente que pudo deshacerse enseguida de su mo.

Harry se quedó en un lateral de la sala de baile, estudiando a la muchebre. Resultaba difícil calcular el número de asistentes. ¿Trescientos? ocientos? Sería fácil pasar una nota sin ser descubierto o mantener versación furtiva actuando todo el rato como si nada sucediera.

y desechó esos pensamientos. ¡Por Dios! Empezaba a pensar como to espía, cosa que no tenía que hacer. Las instrucciones eran vigi- Olivia y al príncipe, juntos o por separado. No tenía que intentar da ni detener nada, *nada de nada.*

e informar, eso era todo.

No vio a Olivia ni a nadie que pareciera de la realeza, de modo que se sirvió una copa de ponche y estuvo varios minutos bebiendo a sorbos mientras se entretenía observando a Sebastian, que se desplazaba por la sala embelesando a todo el mundo a su paso.

Lo suyo era un don. Un don que, sin duda, él no tenía.

Una media hora después de estar observando y esperando (no había nada de lo que informar), se produjo un pequeño revuelo cerca de la entrada este, así que se encaminó hacia allí. Se acercó tanto como pudo, entonces se inclinó hacia el caballero que estaba a su lado y le preguntó:

—¿Sabe usted a qué se debe tanto alboroto?

—A no sé qué príncipe ruso. —El hombre se encogió de hombros, impasible—. Lleva un par de semanas en la ciudad.

—Causando un gran revuelo —comentó Harry.

El hombre (Harry no lo conocía, pero parecía la clase de persona que dedicaba las noches a eventos de esta índole) resopló.

—Las mujeres se vuelven locas por él.

Harry devolvió la atención al corrillo que había cerca de la puerta. Se produjo el movimiento habitual de cuerpos, y de vez en cuando vislumbró al hombre que había en el centro de la escena, pero no durante el tiempo suficiente como para poder verlo bien.

El príncipe era completamente rubio, eso había sido capaz de verlo, y más alto que la media, aunque quizá no tanto como él, comprobó con cierta satisfacción.

No había razón alguna por la que Harry tuviera que serle presentado al príncipe, y nadie a quien se le ocurriría hacerlo, de modo que se quedó atrás intentando formarse una idea del hombre mientras se abría paso entre la muchedumbre.

Era arrogante, eso seguro. Como mínimo le presentaron a diez jóvenes damas y en cada ocasión ni tan siquiera saludó con la cabeza. Mantuvo el mentón elevado y se limitó a reconocer a cada una de ellas con una brusca mirada en su dirección.

A los caballeros los trató con semejante desdén y habló solamente con tres de ellos.

Harry se preguntó si habría *alguien* en la fiesta a quien el príncipe no considerara inferior a su condición.

—Está usted muy serio esta noche, sir Harry.

Él se volvió y sonrió sin pensarlo dos veces. No sabía cómo, pero lady Olivia se había acercado a él; estaba deslumbrante con un vestido de terciopelo azul noche.

—¿No se supone que las mujeres solteras deben vestir con colores pastel? —preguntó él.

Olivia arqueó las cejas ante esa impertinencia, pero sus ojos destilaban humor.

—Sí, pero mi presentación en sociedad no fue ayer; como sabrá, hace tres años de eso. A este paso me quedaré para vestir santos.

—No sé por qué, pero me cuesta creer que la culpa de eso sea de nadie más que de usted.

—¡Vaya!

Él le sonrió de oreja a oreja.

—¿Y qué tal lo está pasando esta noche?

—No lo sé todavía. Acabamos de llegar.

Harry lo sabía, desde luego. Pero no podía decir que la había estado observando, así que le dijo:

—Su príncipe está aquí.

—Lo sé —repuso ella, que parecía tener ganas de gruñir.

Él se inclinó hacia ella con sonrisa cómplice.

—¿Quiere que le ayude a esquivarlo?

A Olivia se le iluminaron los ojos.

—¿Cree que puede hacerlo?

—Soy un hombre de muchas virtudes, lady Olivia.

—¿A pesar de sus estrafalarios sombreros?

—A pesar de mis estrafalarios sombreros.

Y entonces, así sin más, ambos se echaron a reír. Los dos a la vez. El sonido salió de ellos como un acorde perfecto, claro y auténtico. Y, casi al mismo tiempo, ambos parecieron darse cuenta de lo significativo que era ese momento, aunque ninguno tuviese idea del porqué.

—¿Por qué viste con colores tan oscuros? —preguntó ella.

Harry echó un vistazo a su atuendo nocturno.

—¿No le gusta mi chaqueta?

—Me gusta —le aseguró ella—. Es muy elegante. Es solo que el tema ha dado que hablar.

—¿Mi gusto a la hora de vestir?

Olivia asintió.

—Esta semana no ha habido demasiados cotilleos. Además, usted ha hecho un comentario sobre mi vestido.

—Es verdad. Muy bien, me pongo colores oscuros porque eso me hace la vida más fácil.

Ella no dijo nada, se limitó a esperar con cara expectante, como diciendo: «Seguro que hay algo más».

—Le contaré un gran secreto, lady Olivia.

Harry se inclinó hacia delante, ella hizo lo propio, y ese fue otro de esos momentos de perfecta sintonía.

—Soy daltónico —le dijo él en voz baja y grave—. Soy negado para distinguir el rojo del verde.

—¿En serio? —preguntó Olivia en voz alta, y miró a su alrededor avergonzada antes de continuar en voz más baja—: Es la primera vez que oigo hablar de una cosa así.

—Tengo entendido que no soy el único caso, pero no conozco a nadie a quien le pase esto.

—Pero seguro que no es necesario vestir siempre de oscuro. —Olivia hablaba y parecía fascinada. Le chispeaban los ojos y su voz mostraba absoluto interés.

De haber sabido Harry que sus problemas para distinguir los colores le ayudarían tanto a la hora de conquistar, lo habría sacado a relucir hacía años.

—¿No le puede elegir la ropa su ayuda de cámara? —dijo Olivia.

—Sí, pero para eso tendría que fiarme de él.

—¿Y no se fía? —Parecía intrigada y divertida. Tal vez una combinación de ambas cosas.

—Tiene un sentido del humor bastante mordaz y sabe que no puedo despedirlo. —Harry se encogió de hombros—. En cierta ocasión me salvó la vida. Y, lo que es quizá más importante, la de mi caballo también.

—¡Oh! En ese caso está claro que no puede despedirlo, porque su caballo es una preciosidad.

—Le tengo mucho cariño —dijo Harry—. Al caballo. Y a mi ayudante, supongo.

Ella asintió con aprobación.

—Debería estar agradecido de que le sienten bien los colores oscuros. El negro no le favorece a todo el mundo.

—¡Caramba, lady Olivia! ¿Es eso un cumplido?

—No es tanto un cumplido hacia usted como un insulto para los demás —le aseguró ella.

—Pues menos mal, porque no creo que supiera manejarme en un mundo en el que usted hiciera cumplidos.

Olivia le tocó suavemente el hombro, coqueta y atrevida, y le dijo con absoluta ironía:

—Yo pienso *exactamente* lo mismo.

—Muy bien. Y ahora que estamos de acuerdo, ¿qué hacemos con su príncipe?

Ella le miró de soslayo.

—Sé que se muere de ganas de que diga que no es mi príncipe.

—Esperaba que lo dijera, sí —murmuró él.

—Con el fin de decepcionarlo, le diré que ese príncipe es tan mío como de cualquiera de los presentes. —Apretó los labios mientras barría la sala con la mirada—. Exceptuando a los rusos, me imagino.

En cualquier otro momento, Harry le habría dicho que era ruso o que por lo menos tenía un cuarto de sangre rusa. Habría hecho un comentario estelar, tal vez que no quería reconocer al príncipe como propio a pesar de todo o algo en esa línea, y luego la habría dejado boquiabierta con su dominio del idioma.

Pero no pudo. Y, a decir verdad, resultaba desconcertante porque se moría de ganas de hacerlo.

—¿Puede verlo? —le preguntó Olivia. Estaba de puntillas y estirando el cuello, pero aunque era un poco más alta que la media, le fue imposible ver entre la multitud.

Sin embargo, Harry sí que pudo.

—Está allí —contestó moviendo la cabeza hacia las puertas que conducían al jardín. El príncipe se encontraba en el centro de un pequeño corro. Parecía sumamente aburrido con las atenciones de la gente y, sin embargo, como si al mismo tiempo creyese que era su obligación.

—¿Qué hace? —preguntó ella.

—Le están presentando a... —¡Caray! No tenía ni idea de quién era— alguien.

—¿Hombre o mujer?

—Mujer.

—¿Joven o mayor?

—¿Es esto un interrogatorio?

—¿Joven o mayor? —repitió Olivia—. Conozco a todos los presentes. Conocer a toda la gente que va a estos eventos es mi *vocación.*

Harry ladeó la cabeza.

—¿Es algo de lo que se enorgullece especialmente?

—No mucho, no.

—Es de mediana edad —dijo él.

—¿Qué lleva puesto?

—Un vestido —contestó Harry.

—¿Me lo puede describir? —preguntó ella con impaciencia. Luego añadió—: Es usted tan desastroso como mi hermano.

—Pues su hermano me cae bastante bien —dijo él, más que nada para fastidiarla.

Olivia puso los ojos en blanco.

—No se preocupe, cuando le conozca mejor cambiará de idea.

Harry sonrió. No pudo evitarlo. No sabía muy bien cómo había podido pensar que Olivia era fría y distante; si acaso, rebosaba picardía y humor. Al parecer, lo único que necesitaba para ello era estar en compañía de un amigo.

—A ver, ¿qué clase de vestido lleva? —le pidió ella.

Él cambió el peso de un pie al otro para ver mejor.

—Algo abultado, con… —Llevó las manos hacia los hombros, como si abrigase la esperanza de saber describir un atuendo femenino. Sacudió la cabeza—. No sé de qué color es.

—Curioso. —Olivia arrugó el entrecejo—. ¿Significa eso que es rojo o verde?

—O de cualquiera de sus tonalidades.

Olivia cambió radicalmente de actitud.

—Lo de su daltonismo es fascinante, ¿sabe?

—Pues la verdad es que a mí me ha parecido siempre más bien una lata.

—Ya me imagino —coincidió ella. Entonces preguntó—: ¿La mujer con la que el príncipe está hablando…?

—No, el príncipe no está hablando con ella —repuso Harry con un poco más de sentimiento del que pretendía.

Ella volvió a ponerse de puntillas, aunque eso no le permitiera ver mejor.

—¿A qué se refiere?

—No habla con nadie. Con casi nadie, al menos. Lo que sobre todo hace es mirar con arrogancia.

—¡Qué raro! Conmigo habló muchísimo.

Harry se encogió de hombros. No sabía qué decir a eso, aparte de lo evidente: que el príncipe quería seducirla, lo cual no parecía adecuado en ese momento.

Aun así había que reconocer que el príncipe tenía buen gusto.

—Muy bien —dijo Olivia—. ¿La mujer con la que no está hablando lleva un diamante de bastante mal gusto?

—¿En el cuello?

—No, en la nariz. Por supuesto que en el cuello.

Él la escudriñó con la mirada.

—No es usted la persona que me había imaginado.

—Teniendo en cuenta la primera impresión que le causé, puede que eso sea algo positivo. ¿Lleva un diamante o no?

—Sí.

—Entonces es lady Mottram —dijo con rotundidad—. Nuestra anfitriona. Lo que significa que él le dedicará unos minutos; sería descortés ignorarla.

—Yo no confiaría en que hiciese una excepción para mostrarse educado.

—Descuide, que no tiene escapatoria. Lady Mottram está dotada de *tentáculos.* Y dos hijas por casar.

—¿Qué le parece si nos vamos en la dirección contraria?

Ella arqueó las cejas con picardía.

—¡Vamos!

Olivia empezó a andar, abriéndose paso con habilidad entre la multitud. Él siguió el sonido de sus carcajadas y la deslumbrante sonrisa que le dedicaba cada pocos segundos, cuando se giraba para asegurarse de que aún estaba ahí.

Por fin llegaron a un cenador, y ella se desplomó en un asiento, sin aliento y sintiendo que le daba vueltas la cabeza. Él se quedó a su lado, con el semblante mucho más sereno. No quería sentarse. Todavía no. Tenía que estar pendiente del príncipe.

—¡Aquí no nos encontrará! —exclamó Olivia con alegría.

Ni él ni nadie, no pudo evitar darse cuenta Harry. El cenador no tenía nada de indecente; estaba abierto al salón de baile de forma muy conveniente. Pero tal como estaba orientado (apartado de la esquina del edificio, con las paredes cóncavas formando una cavidad), uno tenía que estar justo en el ángulo adecuado para ver el interior.

Nunca podría constituir el escenario de un acto de seducción ni de ninguna clase de diablura, en realidad, pero daba una intimidad extraordinaria. Además, amortiguaba bien el ruido de la fiesta.

—Ha sido divertido —comentó Olivia.

A él le sorprendió coincidir con ella.

—Sí, ¿verdad?

Olivia soltó un leve suspiro de desánimo.

—Supongo que no podré esquivarlo toda la noche.

—Puede intentarlo.

Ella sacudió la cabeza.

—Mi madre me encontrará.

—¿Acaso pretende que se case con él? —preguntó Harry, sentándose a su lado en el banco curvo de madera.

—No, no le gustaría que me fuese a vivir tan lejos. Pero se trata de un príncipe. —Olivia levantó la vista hacia él con una expresión que rayaba en el fatalismo—. Es un honor. Sus atenciones, me refiero.

Harry asintió. No porque estuviera de acuerdo, sino por pura compasión.

—Y además... —Interrumpió la frase, luego abrió los labios como para volver a empezar. Pero no lo hizo.

—¿Y además? —la aguijoneó él con delicadeza.

—¿Puedo confiar en usted?

—Puede —le dijo él—, pero seguro que ya sabe que jamás debería confiar en un caballero que le diga que puede confiar en él.

Eso le arrancó a Olivia una sonrisa casi imperceptible.

—Estoy totalmente de acuerdo con usted, pero aun así...

—Adelante —le dijo él con dulzura.

—Está bien... —Olivia tenía la mirada perdida, como si estuviese buscando las palabras o quizá las hubiese encontrado, pero las frases le parecieran equivocadas. Y, cuando por fin habló, lo hizo sin mirarle. Aunque tampoco es que estuviera esquivándole exactamente—. He... rechazado los intentos de acercamiento de bastantes caballeros.

A Harry le extrañó su prudente empleo de la palabra «rechazado», pero no le interrumpió.

—No es que me considerase superior a ellos. Bueno, supongo que a algunos de ellos sí. —Se volvió y lo miró directamente a los ojos—. Algunos eran terribles.

—Comprendo.

—Pero la mayoría... No había nada *malo* en ellos, solo que no eran los adecuados. —Dejó escapar un suspiro con cierta tristeza.

A Harry eso le espantó.

—Por supuesto, nadie me ha dicho eso a la cara —continuó Olivia.

—Pero ¿se ha ganado la fama de ser demasiado exigente?

Ella le lanzó una mirada de tristeza.

—«Quisquillosa» es la palabra que ha llegado a mis oídos. Bueno, una de ellas. —Se le empañaron los ojos—. La única que me atrevo a repetir.

Harry descendió la mirada hacia su mano izquierda. Fruto de la rabia, la había estirado al máximo y ahora la tenía cerrada en un puño. Olivia estaba haciendo lo que podía para desdramatizar, pero estaba dolida por los rumores.

Se reclinó en la pared que había a sus espaldas; un suspiro melancólico flotó en el aire.

—Y esto..., bueno, esta es mi oportunidad para redimirme porque... —Sacudió la cabeza y levantó los ojos al cielo, como si buscase orientación o compasión, o quizá tan solo comprensión.

Alargó la vista hacia la multitud con una sonrisa, pero fue una sonrisa triste y de desconcierto. Y dijo:

—Algunos incluso dijeron: «¿Quién se cree que va a aparecer? ¿Un príncipe?».

—Ya veo.

Olivia se giró hacia él, con las cejas enarcadas y una expresión de absoluta franqueza.

—¿Entiende mi dilema?

—¡Claro que lo entiendo!

—Si ven que lo rechazo, seré... —Olivia se mordió el labio mientras buscaba la palabra adecuada— el hazmerreír... No sé lo que seré. Pero no sería agradable.

Harry no pareció mover un solo músculo y, sin embargo, su rostro mostró una ternura desgarradora cuando comentó:

—Digo yo que no es necesario que se case con él solo para demostrarle a la sociedad que es usted encantadora.

—No, claro que no, pero al menos tienen que verme dedicándole la debida atención. Si lo rechazo así sin más... —Olivia suspiró. Odiaba esto. Odiaba todo esto, y la verdad es que nunca le había hablado a nadie de ello, porque se limitarían a decirle algo horrible e insidioso como «¡Ojalá todos tuviéramos tus problemas!».

Y ella sabía que era una afortunada y sabía que era una privilegiada, y sabía que no tenía derecho a quejarse por la vida que le había tocado vivir y la verdad es que no se quejaba.

Salvo algunas veces.

Y algunas veces lo único que deseaba es que los hombres dejaran de fijarse en ella, que dejaran de decirle lo guapa, encantadora y elegante que era (porque no lo era). Quería que dejaran de ir a verla y que dejaran de pedirle permiso a su padre para cortejarla, porque ninguno de ellos era el hombre adecuado y, ¡maldita sea!, no quería conformarse con el menos malo de los malos.

—¿Siempre ha sido usted guapa? —le preguntó Harry en voz muy baja.

La pregunta era extraña. Extraña e impactante, y no la clase de cosa que se plantearía contestar, solo que en cierto modo...

—Sí.

En cierto modo, le pareció inofensivo viniendo de él.

Harry asintió.

—Me lo figuraba. Tiene usted unos rasgos muy bellos.

Ella se volvió hacia él con la curiosa sensación de haber renovado energías.

—¿Le he hablado de Miranda?

—Creo que no.

—De mi amiga. La que se casó con mi hermano.

—¡Ah, sí! A la que estaba escribiendo una carta esta tarde.

Olivia asintió.

—Era un poco el patito feo. Estaba muy delgada y tenía las piernas muy largas. Solíamos bromear diciendo que eran tan largas que le llegaban hasta el cuello. Pero a mí nunca me pareció que fuese un patito feo. Era simplemente mi amiga. Mi amiga más querida; divertida y maravillosa. Estudiábamos juntas. Todo lo hacíamos juntas.

Ella alargó la mirada hacia él, tratando de calcular su grado de interés. A estas alturas, la mayoría de los hombres habría huido a esconderse entre los árboles con tal de no aguantar a una mujer que aburría a su interlocutor hablando de sus amistades de la infancia. ¡Qué horror!

Pero él simplemente asintió con la cabeza. Y ella supo que él la entendía.

—A los once años, de hecho fue por mi cumpleaños, hice una fiesta (Winston también) y vinieron todos los niños del barrio. Supongo que la gente consideraba que era un prestigio asistir. En cualquier caso, había una niña allí, ni siquiera recuerdo su nombre, que le dijo a Miranda unas cosas horribles. Hasta ese día no creo que a Miranda se le hubiese pasado nunca por la cabeza que los demás no la consideraban guapa. Por lo menos yo no lo pensé nunca.

—Los niños pueden ser muy crueles —murmuró él.

—Sí, bueno, y los adultos también —dijo ella con energía—. Da igual, eso no viene al caso. Es solo uno de esos recuerdos que me ha acompañado siempre.

Permanecieron unos instantes en silencio y luego él dijo:

—No ha terminado la historia.

Ella se volvió, sorprendida.

—¿A qué se refiere?

—No ha terminado la historia —volvió a decir Harry—. ¿Qué hizo usted?

Olivia abrió la boca.

—No me puedo creer que no hiciera nada. Incluso con once años, *seguro* que hizo algo.

A ella se le fue dibujando una sonrisa en la cara, cada vez más ancha, hasta que la notó en las mejillas, luego en los labios y después en el corazón.

—Creo que tuve unas palabras con esa niña.

Sus miradas se encontraron en una especie de curiosa sintonía.

—¿Volvió a invitarle a alguna de sus fiestas de cumpleaños?

Ella seguía sonriendo. De oreja a oreja.

—Me parece que no.

—Apuesto a que ella no ha olvidado su nombre.

Olivia sintió que la alegría bullía en su interior.

—Creo que no.

—Y quien ríe el último, ríe mejor —dijo Harry—, porque su amiga Miranda se ha casado con el futuro conde de Rudland. ¿Había un partido mejor en el barrio?

—No, no lo había.

—A veces —declaró él meditabundo— tenemos lo que nos merecemos.

Olivia siguió sentada junto a él, en silencio, felizmente sumida en sus pensamientos. Entonces, de forma inesperada, se giró hacia Harry y le dijo:

—Estoy muy unida a mi sobrina.

—¿Su hermano y Miranda han tenido hijos?

—Una hija, Caroline. Es lo que más quiero en este mundo. A veces creo que me la comería. —Miró hacia él—. ¿Por qué sonríe?

—Por su tono de voz.

—¿Qué le pasa?

Harry sacudió la cabeza.

—No lo sé. Habla como... como..., no sé, casi como si estuviese pensando en un postre y se le hiciese la boca agua.

Ella soltó una carcajada.

—Tendré que aprender a dividirme, porque están esperando el segundo.

—Felicidades.

—No pensé que me gustaran los niños —dijo Olivia pensativa—, pero *adoro* a mi sobrina.

Volvió a permanecer en silencio, pensando en lo agradable que era estar con alguien sin tener que hablar en todo momento. Aunque, naturalmente, habló, porque nunca aguantaba mucho rato callada.

—Debería ir a ver a su hermana a Cornualles —le aconsejó a Harry—. Y conocer a sus sobrinos.

—Sí —convino él.

—La familia es importante.

Harry estuvo en silencio un rato más del que ella había esperado antes de decir:

—Sí, lo es.

Hubo algo raro. Su voz sonó un poco hueca, o tal vez no. Ella esperaba que no. Menudo chasco se llevaría si resultaba que no era un hombre familiar.

Pero Olivia no quería pensar en eso. No ahora mismo. La verdad es que si Harry tenía defectos, secretos o lo que fuera al margen de lo que percibía ella en este momento, no quería saberlo.

Esa noche, no.

¡Ni hablar!

9

No podían pasar toda la noche en el cenador, así que muy a su pesar Olivia se levantó, se enderezó y luego miró a Harry por encima de su hombro y dijo:

—Hay que seguir en la brecha, querido amigo.

Él también se puso de pie y la miró con una expresión cálida y burlona.

—Pensaba que no le gustaba leer.

—No me gusta, pero se trata de *Enrique V* de Shakespeare, ¡por Dios! Ni siquiera yo logré librarme de leerlo. —Olivia por poco sintió un escalofrío al recordar a su cuarta institutriz, la que insistió en que leyera a todos los Enriques, inexplicablemente en orden inverso—. Y lo intenté, créame, lo intenté.

—¿Por qué tengo la sensación de que no fue usted una estudiante modélica? —preguntó él.

—Tan solo intenté no hacer sombra a Miranda. —No era cierto exactamente, pero a Olivia no le había importado que ese fuese el resultado de su mal comportamiento. No es que no le gustara aprender, sino que no le gustaba que le dijeran lo que tenía que estudiar. Miranda, que siempre andaba enfrascada en algún libro, no tenía inconveniente en empaparse de cualquier conocimiento que la institutriz *du jour* decidiese impartir. A Olivia lo que más le gustaba eran las épocas de transición entre una institutriz y otra, cuando les dejaban hacer a las dos lo que les daba la gana. En lugar de aprender algo a fuerza de repetirlo y memorizarlo, como les obligaban a hacer, habían inventado toda clase de juegos y reglas mnemotécnicas. A Olivia nunca se le dieron tan bien las matemáticas como cuando no hubo nadie que se las enseñara.

—Estoy empezando a pensar que su Miranda debe de ser una santa —dijo Harry.

—Bueno, tiene sus cosas —repuso Olivia—. Es la persona más terca del mundo.

—¿Más que usted?

—Mucho más. —Miró a Harry sorprendida. Ella no era terca. Impulsiva, sí, y con cierta frecuencia temeraria, pero no terca. Siempre había sabido cuándo aflojar o ceder.

Ladeó la cabeza y observó a Harry, que estaba mirando hacia la multitud. Había resultado ser un hombre muy interesante. ¿Quién iba a decir que tendría un sentido del humor tan agudo o que sería tan perspicaz que la desarmaría? Hablar con él era como reencontrarse con un viejo amigo, lo cual no dejaba de ser sorprendente. ¿Quién habría creído posible trabar amistad con un caballero?

Trató de imaginarse a sí misma reconociendo delante de Mary, Anne o Philomena que sabía que era guapa. Imposible. Sería considerado el mayor de los engreimientos.

Con Miranda habría sido distinto. Miranda lo habría comprendido. Pero Miranda ya casi no iba por Londres y Olivia no se había dado cuenta hasta ahora del enorme vacío que esto había dejado en su vida.

—La veo muy seria —le dijo Harry, y ella cayó en la cuenta de que en algún momento se había sumido tanto en sus pensamientos que no había reparado en que él se había girado hacia ella. La estaba mirando fijamente con sus cálidos ojos.

Olivia se preguntó qué vería él en ellos.

Y se preguntó si estaría a la altura.

Y, sobre todo, se preguntó por qué le preocupaba tanto estarlo.

—No es nada —contestó Olivia, porque captó que él esperaba alguna clase de respuesta.

—Bien, pues. —Harry movió la cabeza, luego miró de nuevo hacia la multitud y la intensidad del momento se esfumó—. ¿Quiere que busquemos a su príncipe?

Ella lo miró animada, agradecida por la oportunidad de devolver sus pensamientos a zonas más seguras.

—¿Quiere que le dé finalmente el gusto de protestar diciéndole que no es *mi* príncipe?

—Le estaría muy agradecido.

—Muy bien, no es mi príncipe —recitó con obediencia.

Harry parecía casi decepcionado.

—¿Eso es todo?

—¿Esperaba quizás un gran drama?

—Eso como mínimo —murmuró él.

Olivia se rio entre dientes y entró en la sala de baile propiamente dicha con la mirada al frente. Hacía una noche preciosa; no sabía muy bien por qué no se había dado cuenta de eso antes. La sala de baile estaba como solían estar las salas de baile, abarrotada, pero se respiraba algo distinto en el ambiente. ¿Serían las velas tal vez? Quizás había más velas de lo normal o quizás ardían con más intensidad. Pero su favorecedor y cálido resplandor bañaba a todo el mundo. Olivia reparó en que esta noche todo el mundo estaba guapo.

¡Qué maravilla! ¡Y qué felices parecían todos!

—Está en la esquina de ahí al fondo —oyó que le decía Harry a sus espaldas—. A la derecha.

Su voz le llegó tibia y sedante al oído, y la recorrió por dentro como una curiosa y trémula caricia. Hizo que le entrasen ganas de reclinarse, de percibir el aire que rodeaba el cuerpo de Harry y entonces...

Caminó hacia delante. Esos pensamientos no eran seguros; no en el centro de una sala abarrotada. Seguro que no, si estaban relacionados con sir Harry Valentine.

—Creo que debería esperar aquí —le dijo Harry—. Deje que él venga a usted.

Ella asintió.

—No creo que me vea.

—Pronto lo hará.

De algún modo recibió sus palabras como un cumplido y quiso volverse y sonreír, pero no lo hizo, y no sabía por qué.

—Debería estar con mis padres —dijo ella—. Sería más adecuado que..., bueno, que todo lo que he hecho esta noche. —Olivia levantó la vista hacia él, hacia sir Harry Valentine, su nuevo vecino y, de forma increíble, su nuevo amigo—. Gracias por esta maravillosa aventura.

Él hizo una reverencia.

—Ha sido un placer.

Pero esa despedida sonó demasiado formal y Olivia no podía soportar marcharse de semejante modo. Así que le ofreció su sonrisa más sincera, no la que ofrecía para los cumplidos de rigor, y le preguntó:

—¿Le importaría que volviese a descorrer las cortinas en casa? Mi cuarto empieza a parecerse a una cueva.

Él lanzó una sonora carcajada que atrajo las miradas ajenas.

—¿Me espiará?

—Únicamente cuando lleve un sombrero estrafalario.

—Solo tengo uno y nada más me lo pongo los martes.

Y, por alguna razón, esa pareció la manera perfecta de finalizar su encuentro. Olivia le hizo una pequeña reverencia, se despidió y a continuación se mezcló entre la multitud, antes de que ninguno de los dos pudiera decir nada más.

Menos de cinco minutos después de que Olivia localizase a sus padres, el príncipe Alexei Gomarovsky de Rusia la localizó a ella.

Tenía que reconocer que era un hombre fascinante. De belleza fría, eslava, con unos gélidos ojos azules y el pelo del mismo color que ella. Lo cual era singular, en realidad; no era frecuente ver unos cabellos tan rubios en un hombre adulto. Hacían que destacase entre una muchedumbre.

Bueno, eso y el séquito enorme que lo seguía a todas partes. Los palacios europeos podían ser lugares peligrosos, le había dicho el príncipe. Un hombre célebre como él no podía viajar sin escolta.

Olivia se colocó entre sus padres y observó cómo la gente hacía un pasillo para dejar pasar al príncipe. Este se detuvo justo delante de ella, entrechocando los talones al curioso estilo de los militares. Se mantenía muy derecho, y Olivia tuvo la extraña idea de que dentro de muchos años, cuando no pudiese recordar los detalles de su cara, recordaría su postura erguida, arrogante y correcta.

Se preguntó si habría luchado en la guerra. Harry sí, pero lejos del ejército ruso, al otro lado de Europa, ¿no?

No es que tuviese importancia.

El príncipe ladeó unos milímetros la cabeza y sonrió con los labios cerrados, una sonrisa no exactamente antipática, sino condescendiente.

O quizá se tratase de una simple diferencia cultural. Olivia sabía que no debía emitir juicios precipitados. Tal vez la gente sonriese de otra manera en Rusia. Y, aun cuando no fuese así, él era un miembro de la realeza. Se imaginaba que un príncipe no podía desnudar su alma delante de muchas personas. Seguro que era un hombre sumamente simpático y un eterno incomprendido. ¡Qué vida tan solitaria debía de tener!

A ella le horrorizaría.

—Lady Olivia —le dijo él en un inglés que no tenía demasiado acento—, me alegro muchísimo de volverla a ver esta noche.

Ella le hizo una media reverencia, agachando el cuerpo más de lo que haría normalmente en un evento de estas características, pero no tanto como para parecer servil y fuera de lugar.

—Vuestra Alteza —le contestó en voz baja.

Cuando se incorporó, él le tomó de la mano y le depositó un suave beso en los nudillos. A su alrededor los susurros hacían crepitar el aire, y Olivia se sintió incómoda al comprender que era el mismísimo centro de atención. Tuvo la sensación de que todos los presentes habían retrocedido un paso, dejando un espacio libre a su alrededor; lo mejor para ver cómo se desarrollaba la escena.

El príncipe le soltó la mano despacio, y luego dijo reduciendo su voz a un grave susurro:

—Como sabrá, es usted la mujer más hermosa del baile.

—Gracias, Vuestra Alteza. Es un honor oír eso.

—Me limito a decir la verdad. Es usted la estampa de la belleza.

Olivia sonrió y trató de ser la preciosa estatua que él parecía querer que fuese. La verdad es que no estaba segura de cómo debía responder a sus continuos cumplidos. Procuró imaginarse a sir Harry empleando tan efusivo lenguaje. Lo más probable es que rompiera a reír solo para intentar pronunciar la primera frase.

—Me está sonriendo, lady Olivia —constató el príncipe.

Ella pensó deprisa, muy deprisa.

—Es simplemente por la dicha que me producen sus halagos, Vuestra Alteza.

¡Santo Dios! Si Winston pudiera oírla, ya estaría en el suelo revolcándose de risa. Como Miranda.

Pero saltaba a la vista que el príncipe aprobaba sus palabras, ya que la pasión encendió sus ojos y le ofreció su brazo.

—Venga a dar un paseo conmigo por la sala de baile, *milaya*. Tal vez bailemos.

Olivia no tuvo más remedio que colocar la mano sobre su brazo. El príncipe vestía un uniforme de gala de intenso color carmesí, con cuatro botones de oro en cada manga. La lana picaba y la lógica indicaba que el hombre debía de estar pasando un calor espantoso en la abarrotada sala de baile, pero no manifestó señal alguna de malestar; en todo caso, parecía irradiar cierta frialdad, como si estuviese ahí para ser admirado pero no tocado.

Sabía que todo el mundo lo observaba. Debía de estar habituado a semejante atención. Olivia se preguntó si se daría cuenta de lo incómoda que se sentía ella en este cuadro vivo. Y eso que estaba acostumbrada a que la miraran. Sabía que era popular, sabía que otras jóvenes damas la consideraban el árbitro de la moda y el estilo, pero esto... esto era algo completamente distinto.

—He estado disfrutando del clima que tienen en Inglaterra —dijo el príncipe mientras bordeaban una esquina. Olivia se dio cuenta de que tenía que concentrarse en su modo de andar para permanecer junto a él en la posición correcta. Cada paso era medido con cuidado, cada pisada absolutamente precisa, apoyando talón y luego punta con el mismo movimiento exacto cada vez.

—Dígame —añadió él—, ¿suele hacer tanto calor en esta época del año?

—Hemos tenido más sol de lo habitual —contestó ella—. ¿Hace mucho frío en Rusia?

—Sí. Hace... ¿Cómo se dice? —El príncipe hizo un alto y Olivia detectó su fugaz expresión de concentración mientras intentaba dar con las palabras correctas. Apretó los labios frustrado y luego le preguntó—: ¿Habla francés?

—Me temo que muy mal.

—Es una lástima. —Parecía algo contrariado por su deficiencia—. Yo lo hablo con más... Mmm...

—¿Fluidez? —ofreció ella.

—Sí. En Rusia se habla mucho. En muchos círculos incluso más que el ruso.

Olivia encontró eso muy curioso, pero le pareció poco educado hacer comentarios al respecto.

—¿Ha recibido esta tarde mi invitación?

—Sí, la he recibido —respondió ella—. Es para mí un honor aceptar.

No lo era. Bueno, quizá se sintiese honrada, pero desde luego contenta no estaba. Como era de esperar, su madre le había insistido en que aceptaran ir y Olivia se había pasado tres horas de pruebas para hacer con urgencia un nuevo vestido. Acabó siendo de seda azul clara, el color exacto de los ojos del príncipe Alexei, cayó ella de pronto en la cuenta.

Confiaba en que él no pensara que lo había hecho de forma intencionada.

—¿Cuánto tiempo pretende quedarse en Londres? —le preguntó Olivia esperando parecer más ilusionada que desesperada.

—No es seguro. Depende de... muchas cosas.

Como el príncipe no parecía dispuesto a desarrollar su críptico comentario, ella sonrió (no con su verdadera sonrisa; estaba demasiado nerviosa como para ser capaz de dedicársela). Pero él no la conocía lo bastante como para averiguarlo.

—Se quede el tiempo que decida quedarse, espero que disfrute de su estancia —dijo ella encantadora.

Él asintió majestuosamente, rehusando hacer comentario alguno.

Bordearon otra esquina. Olivia podía ahora ver a sus padres, que seguían al otro lado de la sala. La estaban mirando, como todos los demás. Habían dejado incluso de bailar. La gente estaba hablando, pero en voz baja. Parecían insectos zumbando alrededor.

¡Dios! ¡Cómo deseaba irse a casa! Puede que el príncipe fuese un hombre muy agradable. Es más, esperaba que lo fuese. La historia tendría más miga si él era una persona encantadora, encerrada en una cárcel de ceremonias y tradición. Y si tan simpático era, ella no tenía inconveniente en conocerlo y hablar con él, pero no así, ¡por Dios!, delante de *toda* esa gente, con cientos de ojos observándola en todo momento.

¿Qué pasaría si tropezaba? ¿Si daba un traspié mientras bordeaban la siguiente esquina? Podría arreglarlo discretamente con una pequeña reverencia o exagerarlo y caerse al suelo estrepitosamente.

Sería espectacular.

O terrible. Pero daba igual lo que fuera, porque en cualquier caso no tenía el valor de hacerlo.

«Solo unos minutos más», se dijo. Estaban en la recta final. El príncipe la devolvería con sus padres o quizá tendría que bailar, pero ni siquiera eso sería tan horrible, porque no estarían solos en la pista de baile. Sería demasiado descarado, incluso para esta gente.

Solo unos minutos más y luego todo habría acabado.

Harry observó a la bonita pareja acercándose todo lo que pudo, pero la decisión del príncipe de dar una vuelta a la sala le dificultó mucho el trabajo. No era imprescindible permanecer junto a ellos. Era poco probable que el príncipe hiciera o dijera nada que el Ministerio de Guerra encontrase relevante, pero él no estaba dispuesto a perder a Olivia de vista.

Puede que solo fuera porque sabía que Winthrop sospechaba de aquel personaje, pero a él le había caído mal nada más verlo. No le gustaba su postura arrogante; le daba igual que los años pasados en el ejército le hubieran dejado una espalda tan erguida. No le gustaba su mirada ni la forma en que sus ojos parecían entornarse cada vez que se topaba con alguien. Y no le gustaba la forma en que movía la boca al hablar, arqueando el labio superior en una perpetua mueca de disgusto.

Harry había conocido a gente como el príncipe. No a miembros de la realeza, es verdad, pero sí a grandes duques y demás que iban por Europa pavoneándose como si fueran los amos del lugar.

Y supuso que sí les pertenecía, pero en su opinión no por ello dejaban de ser una panda de burros.

—¡Oh, estás aquí! —Era Sebastian, quien sostenía en la mano una copa de champán casi vacía—. ¿Ya te has cansado?

Harry siguió pendiente de Olivia.

—No.

—¡Qué curioso! —murmuró Sebastian. Apuró su champán, dejó la copa en una mesa cercana y luego se inclinó hacia Harry para que este pudiera oírlo—. ¿A quién buscas?

—A nadie.

—No, espera, lo he dicho mal. ¿A quién estás *mirando?*

—A nadie —dijo Harry dando un pasito a la derecha para intentar esquivar al corpulento conde que acababa de bloquearle la vista.

—¡Vaya! Entonces me estás ignorando por... ¿Por qué motivo?

—No te ignoro.

—Pero sigues sin mirarme.

Harry tuvo que darse por vencido; su primo era terriblemente tenaz y el doble de pesado. Miró a Sebastian a los ojos.

—Ya te he visto otras veces.

—Y, sin embargo, nunca deja de ser una delicia mirarme. Peor para ti, si no me miras. —Sebastian le dedicó una sonrisa forzada—. ¿Quieres que nos vayamos ya?

—Aún no.

Sebastian arqueó las cejas.

—¿Hablas en serio?

—Me lo estoy pasando bien —contestó Harry.

—Te lo estás pasando bien. En un baile.

—Tú lo consigues.

—Sí, pero yo soy yo. Y tú eres tú. A ti no te gustan estas cosas.

Harry vislumbró a Olivia por el rabillo del ojo. Ella captó su mirada, el captó la suya y, entonces, ambos apartaron la vista a la vez. Ella estaba ocupada con el príncipe y él con Sebastian, que estaba resultando más pesado de lo habitual.

—¿Lady Olivia y tú acabáis de intercambiar miraditas? —preguntó Sebastian.

—No. —Harry no era el mejor de los mentirosos, pero si no pasaba de los monosílabos resultaba bastante creíble.

Sebastian se frotó las manos.

—La velada se pone interesante.

Harry lo ignoró. O lo intentó.

—Ya la llaman «princesa Olivia» —anunció Sebastian.

—¿Quiénes, si puede saberse? —preguntó Harry, volviéndose para mirar a Sebastian—. También *dicen* que maté a mi prometida.

Sebastian parpadeó asombrado.

—¿Cuándo te prometiste?

—Eso mismo me pregunto yo —le espetó Harry—. Y ella no se casará con ese idiota.

—Pareces celoso.

—No seas ridículo.

Sebastian sonrió con complicidad.

—Antes me ha parecido verte con ella.

Harry no se molestó en negarlo.

—Ha sido una conversación de cortesía. Es mi vecina. ¿No me dices siempre que sea más sociable?

—Dime, ¿ya habéis aclarado todo el asunto ese del espionaje desde su ventana?

—Ha sido un malentendido —declaró Harry.

—Mmm...

Harry se puso en alerta al instante. Cada vez que Sebastian parecía pensativo (pero con aspecto de estar tramando algún plan diabólico), había que ir con pies de plomo.

—Me gustaría conocer a ese príncipe —dijo Sebastian.

—¡Ah, no! —A Harry le agotaba su mera presencia—. ¿Qué pretendes hacer?

Sebastian se acarició la barbilla.

—No lo sé con seguridad, pero estoy convencido de que en el momento oportuno se me presentará la línea de actuación adecuada.

—¿Piensas improvisar sobre la marcha?

—Suele funcionarme bastante bien.

Harry sabía que era imposible detenerlo.

—Escúchame —le susurró, agarrando a su primo del brazo con la suficiente rapidez para obtener su atención inmediata. Harry no podía hablarle de su misión, pero era preciso que Sebastian supiese que aquí había algo más que un encaprichamiento de lady Olivia; de lo contrario, con una mera referencia a *Grandmère* Olga, podría echar por tierra todo el asunto.

Harry siguió hablando en voz baja:

—Esta noche, delante del príncipe, yo no sé hablar ruso. Y tú tampoco. —Sebastian no hablaba con soltura ni mucho menos, pero con dificultades podía mantener una conversación. Harry lo miró fijamente—. ¿Te ha quedado claro?

Los ojos de Sebastian se clavaron en los suyos y luego asintió, una vez, con una seriedad que raras veces exteriorizaba delante de los demás. Y entonces, en un abrir y cerrar de ojos, la seriedad desapareció y retomó su postura desgarbada junto con su sonrisa torcida.

Harry retrocedió y se puso a observar tranquilamente. Olivia y el príncipe habían completado tres cuartos de su majestuoso paseo y ahora se dirigían hacia ellos. Los numerosos asistentes a la fiesta les abrieron camino como gotas de aceite en el agua y Sebastian se quedó inmóvil; su único movimiento fue el de la mano izquierda frotando el pulgar distraídamente contra el resto de dedos.

Estaba pensando. Sebastian hacía eso siempre que pensaba.

Y entonces, con una sincronización tan perfecta que nadie podría creer nunca que no había sido un accidente, Sebastian tomó otra copa de champán de la bandeja de un lacayo que pasaba por ahí, echó la cabeza hacia atrás para tomar un sorbo y luego...

Harry no supo cómo consiguió hacerlo, pero todo acabó en el suelo con estrépito, los fragmentos de cristal y el champán que burbujeaba frenéticamente sobre el parqué.

Olivia dio un respingo; el líquido le había salpicado la orilla de su vestido.

El príncipe parecía furioso.

Harry no dijo nada.

Y entonces Sebastian sonrió.

10

¡Lady Olivia! —exclamó Sebastian—. ¡Cuánto lo siento! Le ruego que acepte mis disculpas. ¡Qué terrible torpeza la mía!

—No se preocupe —dijo ella, sacudiendo con discreción un pie y luego el otro—. No ha sido nada. Solo es una mancha de champán. —Le dedicó una sonrisa de esas de «No pasa absolutamente nada»—. Me han dicho que es bueno para la piel.

No le habían dicho nada semejante, pero ¿qué otra cosa podía decir? Tanta torpeza no era propia de Sebastian Grey y la verdad es que no le habían caído más que unas cuantas gotas en las chinelas. Sin embargo, el príncipe, que estaba a su lado, parecía furioso. Lo notaba por su postura. El champán le había salpicado más que a ella, aunque a decir verdad le había caído todo en las botas y, de todas formas ¿no le había dicho alguien que algunos hombres se limpiaban las botas con champán?

Aun así Olivia tenía la sensación de que los gruñidos que el príncipe Alexei soltó en ruso no eran elogiosos.

—¿Para la piel? ¿En serio? —preguntó Sebastian, aparentando un interés que ella estaba convencida de que no sentía—. No lo había oído nunca. ¡Fascinante!

—Lo decían en una revista para mujeres —mintió ella.

—Lo que explicaría por qué yo no lo sabía —repuso Sebastian con agudeza.

—Lady Olivia, ¿le importaría presentarme a su amigo? —pidió de sopetón el príncipe Alexei.

—Por-por supuesto —tartamudeó Olivia, sorprendida por su petición. No había mostrado mucho interés en conocer a demasiada gente en Londres, a excepción de duques, miembros de la familia real y, en fin, ella misma. Tal vez no fuese tan arrogante y altivo como pensaba—. Vuestra Alteza, permítame presentarle a Sebastian Grey. Señor Grey, el príncipe Alexei Gomarovsky de Rusia.

Los dos hombres hicieron una reverencia; la de Sebastian fue mucho más pronunciada que la del príncipe, que fue tan simbólica que rozó la mala educación.

—Lady Olivia —dijo Sebastian una vez acabada su reverencia al príncipe—, ¿conoce a mi primo, sir Harry Valentine?

Olivia se quedó boquiabierta. ¿Qué estaría tramando Sebastian? Sabía muy bien que...

—Lady Olivia —saludó Harry, colocándose de pronto frente a ella. Sus miradas se cruzaron y en los ojos de Harry hubo un brillo que ella no logró identificar del todo, pero que la despertó por dentro haciendo que le entraran ganas de estremecerse. Y al instante ese brillo desapareció, como si ellos dos no fueran más que meros conocidos. Él la saludó atentamente con un movimiento de cabeza y acto seguido le dijo a su primo:

—Ya nos conocemos.

—¡Ah, sí, claro! —repuso Sebastian—. Siempre olvido que sois vecinos.

—Vuestra Alteza —le dijo Olivia al príncipe—, permítame presentarle a sir Harry Valentine. Vive justo al sur de mi casa.

—¡No me diga! —replicó el príncipe y entonces, mientras Harry le hacía una reverencia, le dijo algo rápido en ruso a un miembro de su séquito, quien asintió con brusquedad—. Hace un rato estaban hablando —comentó el príncipe.

Olivia se puso tensa. No se había dado cuenta de que él la había estado observando y tampoco sabía muy bien por qué eso le molestaba tanto.

—Sí —confirmó ella, ya que no había ninguna buena razón para negarlo—. Sir Harry se cuenta entre mis numerosos conocidos.

—Por lo que estoy muy agradecido —dijo Harry en un tono que no concordaba con el dócil sentimentalismo de sus palabras. Pero más extraño aún fue que al hablar mirara todo el rato al príncipe.

—Sí —repuso el príncipe sin apartar en ningún momento la vista de Harry—, cómo no iba a estarlo, ¿verdad?

Olivia miró a Harry, luego al príncipe y luego otra vez a Harry, que sostuvo la mirada del príncipe al decirle:

—Verdad.

—¡Qué fiesta tan estupenda!, ¿no? —medió Sebastian—. Yo diría que lady Mottram se ha superado este año.

A Olivia estuvo a punto de escapársele una risita de lo más inapropiada. Había algo en el comportamiento de Sebastian, esa excesiva alegría, que podría haber cortado la tensión con un cuchillo. Pero no lo hizo. Harry estaba observando al príncipe con impasible recelo y el príncipe lo observaba a él con gélido desdén.

—¿No notan que hace frío aquí? —preguntó Olivia en general.

—Un poco —contestó Sebastian, puesto que ellos dos parecían ser los únicos que hablaban en realidad—. Siempre he pensado que tiene que resultar difícil ser mujer, con todas esas prendas finas y vaporosas que llevan.

El vestido de Olivia era de terciopelo, pero de manga corta, y tenía la piel de los brazos de gallina.

—Sí —repuso ella, porque nadie más habló. Entonces se dio cuenta de que no tenía nada más que añadir a eso, de modo que carraspeó y sonrió, primero a Harry y al príncipe, que seguían sin mirarla, y luego a la gente que tenía a sus espaldas, que en su totalidad la estaban mirando a ella, aunque fingían no hacerlo.

—¿Es usted uno de los muchos admiradores de lady Olivia? —le preguntó el príncipe Alexei.

Olivia se volvió hacia Harry con los ojos muy abiertos. ¿Qué demonios podía decir a una pregunta tan directa?

—Todo Londres admira a lady Olivia —respondió este con habilidad.

—Es una de nuestras damas más admiradas—añadió Sebastian.

Tras semejante halago, Olivia debería haber dicho algo sencillo y modesto, pero cualquier cosa que pudiera decir se le antojó demasiado extravagante.

No estaban hablando de ella. Estaban diciendo su nombre y dirigiéndole cumplidos, pero todo formaba parte de una extraña y estúpida danza entre machos para ver quién se hacía con el territorio.

De no haberla incomodado tanto, habría sido halagador.

—¿Es música eso que oigo? —dijo Sebastian—. Tal vez el baile vuelva a empezar pronto. ¿Bailan en Rusia?

El príncipe lo miró con frialdad.

—¿Cómo dice?

—Vuestra Alteza —rectificó Sebastian, aunque no pareció lamentar especialmente el desliz—, ¿bailan en Rusia?

—Por supuesto —le espetó el príncipe.

—No en todas las sociedades se baila —reflexionó Sebastian en voz alta.

Olivia desconocía si eso era cierto. Más bien sospechaba que no.

—¿Qué trae a Su Alteza por Londres? —preguntó Harry, entrando por primera vez en la conversación. Había contestado a preguntas, pero solo eso; por lo demás, se había dedicado a observar.

El príncipe lo miró con dureza, pero fue difícil percibir si la pregunta le había parecido impertinente.

—He venido a ver a mi primo —respondió—. Su embajador.

—¡Ah! No lo conozco —dijo Harry en un acto de gentileza.

—Claro que no.

Fue un insulto, claro y directo, pero Harry no parecía ofendido lo más mínimo.

—Cuando serví en el ejército de Su Majestad conocí a muchos rusos. Sus compatriotas son de lo más honorable.

El príncipe agradeció el cumplido con un escueto asentimiento de cabeza.

—No podríamos haber derrotado a Napoleón de no ser por el zar —continuó Harry—. Y por su orografía.

El príncipe Alexei lo miró a los ojos.

—Me pregunto si a Napoleón le habrían ido mejor las cosas si ese año el invierno no hubiese empezado tan pronto —prosiguió Harry—. Porque fue crudísimo.

—Para los más débiles, tal vez —repuso el príncipe.

—¿Cuántos franceses perecieron en la retirada? —se preguntó Harry en voz alta—. No logro recordarlo. —Se volvió a Sebastian—. ¿Tú te acuerdas?

—Más del noventa por ciento —dijo Olivia antes de que se le ocurriera que quizá no debería haberlo dicho.

Los tres hombres la miraron con el mismo grado de sorpresa; estaban todos prácticamente anonadados.

—Me gusta leer el periódico —se limitó a decir. El consiguiente silencio le indicó que esta explicación no bastaba, así que añadió—: Estoy convencida de que no se nos dieron la mayoría de los detalles, pero aun así fue fascinante. Y muy triste, la verdad. —Se volvió al príncipe Alexei y le preguntó—: ¿Estuvo usted ahí?

—No —soltó él—. La marcha fue sobre Moscú y mi casa está al este, en Nizhny. Y no tenía edad suficiente para servir en el ejército.

Olivia se dirigió a Harry:

—¿Usted ya estaba en el ejército?

Él asintió, ladeando la cabeza hacia Sebastian.

—Ambos acabábamos de obtener nuestros cargos de oficiales. Estuvimos en España, a las órdenes de Wellington.

—No sabía que habían servido juntos —dijo Olivia.

—En el decimoctavo regimiento de húsares —le explicó Sebastian con el orgullo contenido en la voz.

Hubo un incómodo silencio y entonces ella dijo:

—¡Qué gallardía la suya! —Parecía la clase de frase que ellos esperarían oír, y hacía tiempo que Olivia había aprendido que en ocasiones como esa lo más sensato era hacer lo que se esperaba de uno.

—¿No fue Napoleón el que dijo que no dejaba de producirle estupor que los húsares llegaran a vivir treinta años? —murmuró el príncipe. Se giró hacia Olivia y le dijo—: Tienen fama de... ¿Cómo lo dicen ustedes...? —Dibujó unos movimientos circulares con los dedos cerca de la cara, como si eso fuese a refrescarle la memoria—. Temerarios —dijo de pronto—. Sí, eso es.

»Y es una lástima —continuó—. Se los considera muy valientes, pero casi siempre... —simuló que se cortaba el cuello con la mano— los matan.

Levantó la vista hacia Harry y Sebastian (pero sobre todo hacia Harry) y les dedicó una sonrisa forzada.

—¿Cree que eso es cierto, sir Harry? —preguntó en voz baja con mordacidad.

—No —respondió Harry. Nada más, solo un «no».

Olivia fue alternando la mirada de un hombre al otro. Nada, ninguna objeción ni comentario sarcástico alguno podría haber irritado más al príncipe que ese «no» de Harry.

—¿Es música lo que oigo? —preguntó ella. Pero nadie le estaba prestando atención.

—¿Cuántos años tiene, sir Harry? —le preguntó el príncipe.

—¿Cuántos años tiene *Vuestra Alteza*?

Olivia tragó saliva nerviosa. No era pertinente hacerle esa pregunta a un príncipe. Y ella *sabía* que Harry no había empleado el tono de voz adecuado. Trató de lanzarle una mirada de alarma a Sebastian, pero este estaba contemplando a los otros dos hombres.

—No ha contestado a mi pregunta —dijo Alexei en tono amenazante y, de hecho, el escolta que estaba a su lado realizó un inquietante cambio de postura.

—Tengo veintiocho años —dijo Harry y, a continuación, haciendo una pausa lo bastante larga como para indicar que se le había ocurrido después, añadió—: Vuestra Alteza.

La boca del príncipe Alexei esbozó una sonrisa.

—Entonces faltan dos años para que se cumpla la predicción de Napoleón, ¿verdad?

—Solo si pretende declararle la guerra a Inglaterra —contestó Harry como si tal cosa—; de lo contrario, ya me he retirado de la caballería.

Los dos hombres se miraron fijamente durante lo que pareció una eternidad y entonces, de repente, el príncipe Alexei se echó a reír.

—Me divierte usted, sir Harry —le dijo, pero la ironía de su voz se contradecía con sus palabras—. Ya volveremos a intercambiar impresiones, usted y yo.

Harry asintió con cortesía.

El príncipe puso una mano encima de la de Olivia, que seguía descansando en el recodo de su brazo.

—Pero tendrá que ser más tarde —anunció, dedicándole una sonrisa triunfal—. Después de que haya bailado con lady Olivia.

Y entonces se giró, dándole la espalda a Harry y Sebastian, y se fue con ella.

Veinticuatro horas después Olivia estaba agotada. Del baile de los Mottram había llegado a casa cerca de las cuatro de la mañana, y encima su madre se había negado a dejarle dormir hasta tarde y se la había llevado a rastras a Bond Street para las últimas pruebas de su vestido de presentación ante el príncipe. Luego, naturalmente, los cansados no tuvieron derecho a siesta porque Olivia tenía que ir a presentarse ante el príncipe, lo cual le parecía un poco absurdo después de haber pasado gran parte de la noche anterior en su compañía.

¿Las *presentaciones* no se hacían entre gente que *no* se conocía aún?

Olivia y sus padres fueron a la residencia del príncipe Alexei, una serie de dependencias en casa del embajador. Fue terriblemente solemne, terriblemente formal y, con toda franqueza, terriblemente aburrido. Su vestido, que había requerido un corsé mucho más propio del siglo pasado, era incómodo y le daba calor (excepto en los brazos, que los llevaba desnudos y estaban helados).

Por lo visto los rusos no eran partidarios de calentar sus hogares.

Todo el suplicio duró tres horas, durante las cuales su padre bebió varias copas de un licor transparente que lo había dejado muy soñoliento. El príncipe le había ofrecido también una copa a ella, pero su padre, que ya lo había probado, se la quitó de las manos.

Se suponía que Olivia tenía que volver a salir esa noche (lady Bridgerton celebraba una pequeña *soirée*), pero alegó que estaba agotada y, para su gran sorpresa, su madre cedió. Olivia intuía que ella también estaba cansada y su padre no estaba en condiciones de ir a ningún sitio.

Cenó en su habitación (tras una siesta, un baño y otra siesta más corta). Tenía previsto leer el periódico en la cama, pero justo al ir a hacerlo vio encima de su mesilla de noche *La señorita Butterworth y el barón loco.*

Era rarísimo, pensó mientras tomaba el delgado volumen. ¿Por qué querría sir Harry darle semejante libro? ¿Qué contenían sus páginas como para que creyese que ella disfrutaría leyéndolo?

Lo hojeó, fijándose en algún que otro pasaje. Parecía un tanto frívolo. ¿Significaba esto que él la consideraba frívola?

Alargó la vista hacia la ventana, oculta por unas gruesas cortinas bien echadas para protegerse de la noche. Ahora que realmente la conocía, ¿seguía pensando Harry que era una frívola?

Se centró de nuevo en el libro que tenía en las manos. ¿Lo elegiría él ahora como regalo para ella? Era una novela gótica y escabrosa, así es como Harry la había definido.

¿Así la veía a ella?

Cerró el libro de golpe y a continuación lo colocó encima de su regazo sobre el lomo.

—Uno, dos y tres —contó en voz alta, retirando rápidamente las manos para dejar que *La señorita Butterworth* se abriera por la página que quisiera.

Cayó hacia un lado.

—¡Estúpido libro! —murmuró Olivia, volviendo a intentarlo. Porque lo cierto era que no le interesaba lo bastante como para elegir ella misma una página.

El libro volvió a caer hacia el mismo lado.

—¡Vaya! Esto es ridículo. —Pero más ridículo fue todavía que Olivia bajara de la cama, se sentase en el suelo y se dispusiera a repetir el experimento por tercera vez, porque seguro que le saldría bien si el volumen estaba sobre una superficie lisa.

—Uno, dos y tr... —Pegó de nuevo las manos a las tapas; el maldito libro volvía a caer hacia un lado.

Ahora sí que se sintió realmente idiota. Cosa impresionante, teniendo en cuenta el grado de idiotez requerido para bajar de la cama. Pero se negaba a dejar que el maldito libro ganara, así que para su cuarto intento dejó que las páginas se entreabrieran solo un poco antes de apartar las manos. Una pequeña ayuda, eso era lo que el libro necesitaba.

—¡Uno, dos y tres!

Y por fin el libro se abrió. Olivia miró hacia abajo; se había abierto exactamente por la página 193.

Se tumbó boca abajo, se apoyó en los codos y empezó a leer:

Podía oírlo a sus espaldas. Él estaba acortando la distancia que había entre ellos y pronto le daría alcance. Pero ¿con qué fin? ¿Bueno o malo?

—Voto por el malo —murmuró Olivia.

¿Cómo saberlo? ¿Cómo saberlo? ¿Cómo saberlo?

¡Oh, por el amor de Dios! Por eso se dedicaba a leer la prensa. Un ejemplo: «El Parlamento fue llamado al orden. Al orden. Al orden».

Olivia sacudió la cabeza y continuó leyendo:

Y entonces recordó el consejo que le había dado su madre, antes de que la buena mujer pasase a mejor vida tras ser picoteada por unas palomas...

—¡¿Qué?!

Miró por encima de su hombro hacia la puerta, consciente de que casi había gritado la palabra. Pero es que... *¿palomas?*

Se levantó con dificultad, agarrando *La señorita Butterworth* con la mano derecha y deslizando el dedo índice entre las páginas a modo de punto de lectura.

—Palomas —repitió—. ¿En serio?

Abrió de nuevo el libro. No pudo evitarlo.

Por aquel entonces ella tenía solo doce años, demasiado joven para semejante conversación, pero quizá su madre había...

—¡Qué aburrimiento! —Eligió otra página al azar, aunque la lógica sugería acercarse más al principio del libro.

Priscilla se agarró del alféizar de la ventana y sus manos desenguantadas se sujetaron a la piedra con todas sus fuerzas. Al oír que el barón movía el pomo de la puerta, había sabido que solo disponía de unos segundos para actuar. Si él la encontraba ahí, en su sanctasanctórum, ¿quién sabe de qué sería capaz? Era un hombre violento o eso le habían dicho.

Olivia deambuló hasta la cama y se medio apoyó o se medio sentó en esta sin parar de leer.

Nadie sabía cómo había muerto su prometida. Algunos decían que de una enfermedad, pero la mayoría aseguraba que envenenada. ¡Asesinada!

—¿De veras? —Olivia alzó la vista, parpadeando, luego se giró hacia la ventana. ¿Una prometida muerta? ¿Dimes y diretes? ¿Estaba sir Harry enterado de esto? El paralelismo era asombroso.

Pudo oír cómo entraba en la habitación. ¿Repararía en que la ventana estaba abierta? ¿Qué iba a hacer ella? ¿Qué podía hacer?

Olivia contuvo el aliento. Estaba en el aire (no en sentido literal, imposible, porque estaba *literalmente* sentada en el borde de la cama), lo que explicaba cualquier dificultad respiratoria.

Priscilla murmuró una oración y luego, cerrando con fuerza los ojos, se soltó.

Fin del capítulo. Olivia pasó la página con avidez.

El suelo frío y duro estaba a menos de dos metros de distancia.

¿Cómo? ¿Priscilla estaba en el primer piso? El entusiasmo de Olivia dio rápidamente paso a la irritación. ¿Qué clase de cerebro de mosquito se tiraba por la ventana de un primer piso? Contando con los cimientos del edificio, cierta altura tendría que haber, pero realmente, en una caída tan suave sería difícil hasta hacerse un esguince en el tobillo.

—A eso se le llama «manipular» —dijo Olivia entornando los ojos. En cualquier caso, ¿quién era este escritor que intentaba asustar a los lectores por nada? ¿Sabía Harry siquiera lo que le había dado o se había limitado a seguir a ciegas la recomendación de su hermana?

Alargó la vista hacia la ventana. Seguía teniendo el mismo tamaño, las mismas cortinas...; estaba intacta, aunque no sabía muy bien por qué eso le sorprendía.

De todas formas, ¿qué hora era? Las nueve y media casi. Era probable que Harry no estuviese en su despacho. Bueno, tal vez sí. Solía trabajar hasta tarde, aunque pensándolo bien, nunca le había dicho exactamente qué hacía allí con tanta diligencia.

Se levantó del borde de la cama y anduvo hacia la ventana; despacio, pisando con cuidado, lo cual era ridículo, ya que era imposible que Harry la viese a través de las cortinas.

Con *La señorita Butterworth* aún en la mano izquierda, alargó la mano derecha y descorrió las cortinas...

11

Bien mirado, Harry podía dar la jornada casi por finalizada.

En un día normal habría traducido el doble de lo que había logrado hacer hoy, puede que más, pero se había distraído.

De pronto se había encontrado mirando hacia la ventana de Olivia, aunque sabía que no estaba ahí. Hoy se suponía que tenía que ir a ver al príncipe. A las tres de la tarde. Lo que significaba que habría salido de casa poco antes de las dos. La residencia del embajador ruso no estaba muy lejos, pero el conde y la condesa no querrían correr el riesgo de llegar tarde. Siempre había tráfico, podía romperse una rueda o aparecer algún golfo en la calzada... Cualquier persona mínimamente prudente salía de casa con el tiempo suficiente por si había retrasos imprevistos.

Lo más probable es que Olivia estuviera allí encerrada dos horas, a lo mejor tres; nadie como los rusos para alargar estas cosas. Luego media hora para volver a casa y...

Bueno, ahora estaba en casa, eso seguro. A menos que se hubiese vuelto a ir, pero no había visto salir el carruaje de los Rudland.

No es que hubiese estado pendiente, pero tenía las cortinas descorridas. Y si se colocaba en un ángulo determinado, podía ver el resplandor de un pequeño haz de luz procedente de la calle. Y, por supuesto, cualquier carruaje que pasara casualmente por ahí.

Se levantó y se desperezó, alzando las manos por encima de la cabeza y dibujando círculos con esta. Tenía la intención de traducir una página más esta noche (según el reloj de la repisa de la chimenea eran solo las nueve y media), pero ahora mismo necesitaba mover un poco las piernas para activar la circulación sanguínea. Bordeó su escritorio y caminó hasta la ventana.

Y ahí estaba ella.

Durante unas décimas de segundo se quedaron los dos petrificados, como preguntándose si deberían fingir no haberse visto.

Y entonces Harry pensó que no, *por supuesto que no.*

Saludó a Olivia con la mano.

Ella sonrió y le devolvió el saludo, y luego...

Harry se quedó mirando atónito. Olivia estaba abriendo la ventana.

Así que, naturalmente, él hizo lo mismo.

—Sé que me dijo que no había leído esto —dijo ella sin preámbulos—, pero ¿le ha echado siquiera un vistazo?

—¡Buenas noches tenga usted! —le dijo él en voz alta—. ¿Qué tal con el príncipe?

Ella sacudió la cabeza con impaciencia.

—El libro, sir Harry, el libro. ¿Ha leído algún pasaje?

—Me temo que no. ¿Por qué?

Olivia lo levantó con las dos manos, sosteniéndolo justo delante de su cara, y luego lo movió hacia un lado para poder ver a Harry.

—¡Es absurdo!

Él asintió en señal de aprobación.

—Ya me lo suponía.

—¡La madre de la señorita Butterworth muere picoteada por unas palomas!

Harry reprimió la risa.

—¿Sabe? Para mí eso lo vuelve muchísimo más interesante.

—¡Palomas, sir Harry! ¡Hablamos de palomas!

Él levantó el rostro sonriendo de oreja a oreja. Se sentía un poco como Romeo y Julieta, quitando la enemistad de sus familias y el veneno.

Y añadiéndole las palomas.

—No me importaría escuchar esa parte —le dijo Harry—. Parece de lo más intrigante.

Ella lo miró con el ceño fruncido, apartándose de un manotazo un mechón de pelo que la brisa le había traído a la cara.

—Lo de la madre es anterior a la acción del libro. Con suerte, antes de que llegue al final la señorita Butterworth también será picoteada.

—Veo que ha estado leyéndolo.

—Algún que otro fragmento —confesó Olivia—. Eso es todo. El inicio del capítulo cuatro y... —bajó los ojos, pasando aprisa las páginas antes de volver a levantar la mirada— la página ciento noventa y tres.

—¿No se ha planteado empezar por el principio?

Hubo una pausa. Una pausa bastante larga. Y entonces dijo ella con desdén:

—No pretendía leerlo.

—Pero le ha llamado la atención, ¿eh?

—¡No, en absoluto! —Cruzó los brazos, lo que hizo que se le cayera el libro. Desapareció unos instantes y luego volvió a aparecer en escena con *La señorita Butterworth* en la mano—. Era tan irritante que no he podido parar.

Harry se apoyó en el alféizar con una amplia sonrisa.

—Parece apasionante.

—Absurdo, eso es lo que es. Entre la señorita Butterworth y el barón, me quedo con el barón.

—¡Oh, venga ya! Es una novela romántica, como mujer tiene que ponerse de parte de la dama.

—Es una idiota. —Volvió a bajar la mirada hacia el libro, pasando las páginas con extraordinaria rapidez—. Aún no sé si el barón además de estar loco es un asesino, pero de ser así espero que consiga sus propósitos.

—Imposible —le dijo Harry.

—¿Qué le hace pensar eso? —Olivia se dio otro manotazo en la cara, tratando de apartarse el pelo de la nariz. La brisa era más fuerte y Harry estaba disfrutando bastante con todo esto.

—¿Ha escrito el libro una mujer? —preguntó él.

Olivia asintió.

—Sarah Gorely. En mi vida he oído hablar de ella.

—¿Y es una novela romántica?

Ella volvió a asentir con la cabeza.

Harry sacudió la suya en señal de negación.

—No se cargará a la heroína.

Olivia lo miró fijamente durante un largo instante, luego no dudó en abrir el libro por el final.

—¡Oh, no haga eso! —la reprendió Harry—. ¡Así no tiene gracia!

—No pienso leerlo —replicó ella—. ¡Déjese de gracias!

—Créame —dijo él—, cuando un hombre escribe una novela de amor, la protagonista muere. Cuando la escribe una mujer, hay un final feliz.

Olivia abrió la boca, como sin saber muy bien si debía ofenderle la generalización. Harry reprimió una sonrisa burlona. Le gustaba desconcertarla.

—¿Cómo va a ser romántico si la protagonista muere? —preguntó ella recelosa.

Él se encogió de hombros.

Yo no he dicho que tenga sentido, solo que es así.

Olivia no parecía saber cómo interpretar eso, y Harry disfrutó de lo lindo estando simplemente ahí, apoyado en el alféizar y observando cómo ella miraba con rabia el libro que tenía en las manos. Olivia, de pie frente a su ventana, era absolutamente adorable, incluso enfundada en esa espantosa bata azul que llevaba. Sobre la espalda le colgaba una única y gruesa trenza, y Harry se preguntó por qué se le ocurría esto ahora, cuando la conversación entera era tan pintoresca. No conocía a sus padres, pero se imaginaba que no verían con buenos ojos que su hija charlase con un hombre soltero desde la ventana y en plena oscuridad.

Y en bata.

Pero se lo estaba pasando demasiado bien como para que ello le preocupara, así que decidió que si a Olivia no le importaba descuidar los modales, a él tampoco.

Ella puso cara de pilluela y, a continuación, miró de nuevo hacia el libro mientras sus dedos pasaban furtivamente las páginas hasta llegar a las últimas.

—No lo haga —le advirtió él.

—Solo quiero ver si tiene razón.

—En ese caso empiece por el principio —le dijo Harry, básicamente porque sabía que eso la sacaría de quicio.

Ella soltó un gruñido.

—No quiero leer el libro entero.

—¿Por qué no?

—Porque no me gustará y será una pérdida de tiempo.

—No sabe si le gustará o no —señaló él.

—Lo sé —repuso ella con absoluta convicción.

—¿Por qué no le gusta leer? —quiso saber Harry.

—¡Por esto! —exclamó Olivia, dando una pequeña sacudida a *La señorita Butterworth*—. Porque es un auténtico disparate. Si me diera usted un periódico, eso sí que lo leería. De hecho, leo la prensa de cabo a rabo, todos los días.

Harry estaba impresionado. No es que creyera que las mujeres no leían el periódico, era solo que no había pensado demasiado en el asunto. Desde luego su madre nunca había leído la prensa y, si su hermana lo hacía, nunca le había comentado nada al respecto en su correspondencia mensual.

—Lea la novela —le sugirió él—. Puede que se lleve una sorpresa y le guste.

—¿Por qué me insta a leer algo que a usted mismo no le interesa? —preguntó ella no con poco recelo.

—Porque... —Pero Harry se detuvo, porque no sabía por qué lo hacía. Solo sabía que le había dado el libro y que disfrutaba metiéndose con ella—. Hagamos un trato, lady Olivia.

Ella ladeó la cabeza con expectación.

—Si usted lo lee entero, de principio a fin, yo haré lo mismo.

—Leerá *La señorita Butterworth y el barón loco* —repuso ella con desconfianza.

—Lo haré. En cuanto usted acabe el libro.

Parecía como si Olivia fuese a mostrar su conformidad y, de hecho, abrió la boca para hablar, pero entonces se quedó inmóvil y mirando con los ojos entornados.

Esta mujer tenía dos hermanos, se recordó a sí mismo Harry. Lo más probable es que supiera pelear con astucia.

—Creo que debería leerlo *conmigo* —le dijo ella.

Eso desencadenó toda clase de pensamientos en Harry, la mayoría de ellos avivados por su habitual costumbre de leer novelas antes de acostarse.

Antes de dormirse.

—Cómprese otro ejemplar —le insistió Olivia.

Su fantasía llegó a su fin y se desintegró.

—Compararemos las notas que vayamos tomando. Será como en un club de lectura. Uno de esos salones literarios a los que siempre rehúso ir cuando me invitan.

—No se imagina la ilusión que me hace.

—¡Ya puede estar ilusionado! —replicó ella—. Nunca le he sugerido a nadie algo semejante.

—No sé si en la tienda habrá otro ejemplar —pretextó él.

—Le *encontraré* uno. —Olivia esbozó una sonrisa de satisfacción—. Confíe en mí, sé comprar.

—¿Por qué de pronto me ha entrado miedo? —murmuró Harry.

—¿Qué?

Él la miró fijamente y dijo en voz más alta:

—Me asusta usted.

Olivia pareció alegrarse de ello.

—Léame un pasaje —le pidió Harry.

—¿Ahora? ¿En serio?

Él se sentó de lado en el alféizar con la espalda apoyada en el marco de la ventana.

—El principio, si le parece bien.

Olivia lo miró durante unos instantes, luego se encogió de hombros y dijo:

—Muy bien, vamos allá. —Carraspeó—. *Era una noche oscura y ventosa.*

—Tengo la sensación de que eso ya lo he oído antes —comentó Harry.

—Me ha interrumpido.

—Lo siento mucho. Siga.

Ella le lanzó una mirada y luego continuó:

—Era una noche oscura y ventosa, y la señorita Priscilla Butterworth estaba convencida de que, de un momento a otro, empezaría a llover, y caería del cielo una incesante cortina de agua que mojaría cuanto había dentro de su ámbito. —Alzó la vista—. Esto es horrible. Y no estoy segura de que la autora haya usado correctamente la palabra «ámbito».

—Se ajusta bastante a la idea que quiere dar —dijo Harry, aunque estaba de acuerdo con ella—. Continúe.

Olivia cabeceó, pero aun así obedeció.

—Naturalmente, dentro de su diminuta habitación estaba guarecida de las inclemencias del tiempo, pero los marcos de las ventanas vibraban con tal estruendo que esa noche le sería imposible conciliar el sueño. Acurrucada en su estrecha y fría cama, bla, bla, bla. Espere un segundo, que me iré directamente a la parte donde se pone interesante.

—No puede hacer eso —la regañó él.

Olivia sostuvo *La señorita Butterworth* en alto.

—Soy yo la que tengo el libro.

—Pues tíremelo —dijo él de repente.

—¿Cómo?

Harry se apartó del alféizar y se puso de pie asomando el tronco por la ventana.

—Tírelo.

Ella estaba muy indecisa.

—¿Lo atrapará?

Él le arrojó el guante.

—Si usted se atreve a tirarlo, yo lo atraparé.

—¡Pues claro que me atrevo a tirárselo! —replicó ella, muy ofendida.

Harry sonrió satisfecho.

—No conozco a ninguna muchacha que se atreva.

En ese momento Olivia se lo lanzó y fue solo gracias a sus rápidos reflejos, afilados tras años en el campo de batalla, que consiguió atraparlo a tiempo.

Gracias a Dios lo hizo, porque de lo contrario no estaba seguro de haber podido sobrevivir a semejante humillación.

—La próxima vez procure tirarlo con más suavidad —se quejó Harry.

—¿Qué gracia tendría eso?

Nada de *Romeo y Julieta*. Esto se parecía mucho más a *La fierecilla domada*. Harry alzó la vista. Olivia se había acercado una silla y ahora estaba sentada junto a su ventana abierta, esperando con expresión de exagerada paciencia.

—Vamos allá —dijo él tras encontrar el punto en el que ella había interrumpido la lectura—. *Acurrucada en su estrecha y fría cama, no pudo evitar recordar todos los acontecimientos que la habían conducido a este desolador momento, en esta desoladora noche. Pero no es aquí, queridos lectores, donde empieza nuestra historia.*

—Detesto que los escritores hagan eso —anunció Olivia.

—¡Chis! *Tenemos que empezar por el principio, que no es cuando la señorita Butterworth llegó a Thimmerwell Hall, ni siquiera cuando llegó a Fitzgerald Place, su casa frente a Thimmerwell Hall. No, tenemos que empezar por el día en que nació, en un pesebre...*

—¡Un pesebre! —gritó Olivia.

Él levantó la vista sonriendo de oreja a oreja.

—Solo quería asegurarme de que me escuchaba.

—¡Miserable!

Harry se rio entre dientes y continuó leyendo:

—*... el día en que nació, en una casita de campo de Hampshire, rodeada de rosas y mariposas, el día antes de que la viruela causase estragos en la ciudad.*

Levantó la mirada.

—No pare, no —dijo ella—. Ahora empieza a ponerse interesante. ¿Qué clase de viruela cree que es?

—¿Sabe que es usted una sanguinaria?

Ella ladeó la cabeza en un gesto de conformidad.

—Me fascinan las epidemias. Siempre me han fascinado.

Harry echó un vistazo a las últimas líneas de la página.

—Me temo que se llevará usted un chasco. La escritora no da ninguna descripción médica en absoluto.

—¿Tal vez en la página siguiente? —preguntó ella esperanzada.

—Continúo leyendo —anunció él—. *La epidemia se llevó a su querido padre, pero el bebé y su madre salvaron milagrosamente la vida. Entre los que murieron se encontraban su abuela paterna, ambos abuelos, tres tías abuelas, dos tíos, una hermana y un primo segundo.*

—Me está tomando el pelo otra vez —le acusó ella.

—¡No! —insistió Harry—. Se lo juro, aquí lo pone todo. En Hampshire hubo una gran epidemia. Si no me hubiera lanzado el libro, podría verlo por sí misma.

—Nadie escribe tan mal.

—Por lo visto hay alguien que sí.

—No sé quién es peor, si la escritora por haber escrito esta tontería o nosotros por leerla.

—Yo me lo estoy pasando en grande —declaró él. Y así era. Resultaba insólito estar sentado en esta ventana leyéndole una novela pésima a lady Olivia Bevelstoke, la joven más solicitada de la escena social. Pero la brisa era sumamente agradable y Harry había pasado el día entero encerrado, y cuando ahora él levantaba la vista, ella a veces sonreía. No le sonreía a él, aunque eso también lo hacía. No, las sonrisas que al parecer le llegaban a Harry al alma eran las que aparecían en su cara cuando no se daba cuenta de que él la miraba, cuando ella estaba simplemente disfrutando del momento, sonriéndole a la noche.

No solo era guapa, era hermosa, tenía esa clase de rostro que hacía suspirar a los hombres: con forma de corazón y una piel de porcelana perfecta. Y sus ojos... Las mujeres matarían por tener los ojos de ese color, ese impresionante azul aciano.

Era hermosa y ella lo sabía, pero no utilizaba su belleza como un arma. Simplemente formaba parte de ella, era tan natural como tener dos manos y dos pies de cinco dedos cada uno.

Era hermosa y él la deseaba.

12

—¿Sir Harry? —dijo Olivia con voz potente mientras se ponía de pie. Se apoyó en el alféizar y aguzó la vista en plena oscuridad tratando de ver mejor su ventana, donde Harry estaba sentado y su silueta recortada por un titilante rectángulo de luz. Se había quedado tan inmóvil y, además, tan de repente...

Harry dio un respingo al oír su voz y levantó la vista hacia la ventana de Olivia, pero no exactamente hacia ella.

—Lo siento —murmuró él y devolvió rápidamente la atención al libro, repasando el texto para encontrar dónde se había quedado.

—No, no se disculpe —le tranquilizó ella. La verdad es que estaba un poco raro, como si acabase de comerse algo en mal estado—. ¿Se encuentra usted bien?

Harry alzó la vista hacia ella, y entonces fue imposible describir o siquiera entender lo que pasó. Sus miradas se encontraron y, aunque estaba oscuro, y ella no podía ver el color de sus ojos, de ese tono chocolate intenso y cálido, fue consciente de ello. Y en ese momento, sencillamente, se quedó sin aliento. Sin más. Perdió también el equilibrio. Tropezó con su silla y se sentó unos instantes, preguntándose por qué tenía el pulso acelerado.

Lo único que él había hecho era mirarla.

Y ella... ella...

Ella casi se había desmayado.

¡Oh, Dios! Harry pensaría que era una auténtica idiota. No se había desmayado en toda su vida y... y, bueno, en realidad no se había desmayado, pero tenía esa extraña sensación de estar flotando, toda aturdida y mareada, y ahora él pensaría que ella era una de esas mujeres que necesitaba llevarse dondequiera que fuese un frasco con un preparado aromático.

Lo que de por sí ya era espantoso, solo que encima ella se había pasado media vida criticando a esas mujeres. ¡Oh, Dios! ¡Oh, Dios! Se volvió a levantar con dificultad y asomó la cabeza por la ventana.

—Estoy bien —dijo en voz alta—. He perdido el equilibrio, eso es todo.

Él asintió despacio y Olivia comprendió que no estaba totalmente presente. Tenía la mente lejos, muy lejos. Y entonces, como si hubiese regresado discretamente, Harry levantó la vista y se disculpó.

—Estaba en las nubes —le ofreció a modo de explicación—. Es tarde.

—Lo es —murmuró ella con aprobación, aunque no creía que fuese mucho más tarde de las diez. Y de pronto se dio cuenta de que no podría soportar que Harry le diera las buenas noches, que tendría que hacerlo ella primero. Porque... porque..., bueno, no sabía por qué, solo sabía que era así—. Estaba a punto de decirle que debería irme ya —dijo Olivia hablando a borbotones—. Bueno, *irme* no, supongo, puesto que en realidad no tengo que ir a ningún sitio, dado que ya estoy aquí, en mi habitación, y no me voy sino a la cama, que está a menos de dos metros de distancia.

Le sonrió a Harry, como si eso pudiese compensar las bobadas que salían por su boca.

—Como bien ha dicho —continuó—, se hace tarde.

Él asintió de nuevo.

Y como él no dijo nada, ella quiso añadir algo más:

—En fin, buenas noches.

Él también se despidió, pero habló en voz tan baja que Olivia no lo oyó, más bien vio sus labios formando las palabras.

Y volvió a sentir lo mismo, como cuando sus ojos la miraban. Empezó en las yemas de los dedos y ascendió por sus brazos hasta que sintió escalofríos y exhaló, como si con la respiración pudiese librarse de aquella extraña sensación.

Pero permaneció en ella, produciéndole un hormigueo en los pulmones, danzando por su piel.

Se estaba volviendo loca. Tenía que ser eso. O estaba agotada, demasiado tensa tras haber pasado la tarde con un príncipe.

Retrocedió y alargó los brazos para cerrar la ventana cuando...

—¡Ah! —Sacó de nuevo la cabeza—. ¡Sir Harry!

Este levantó la mirada. No se había movido del sitio.

—El libro —dijo ella—. Se ha quedado con el libro.

Ambos contemplaron al unísono el vacío que mediaba entre los edificios.

—Lanzarlo hacia arriba no será tan fácil —comentó ella—, ¿verdad?

Él negó con la cabeza y sonrió, un poco nada más, como si supiese que no debería hacerlo.

—Tendré que ir mañana a verla para devolvérselo.

Y Olivia volvió a experimentar esa extraña sensación de ahogo, de burbujeo interno.

—Lo esperaré impaciente —contestó ella, y cerró la ventana.

Y corrió las cortinas.

Y acto seguido soltó un leve chillido y se abrazó la parte superior del cuerpo.

La velada había acabado siendo perfecta.

A la tarde siguiente, Harry se puso el libro de *La señorita Butterworth y el barón loco* bajo el brazo y se dispuso a realizar el cortísimo trayecto que había hasta el salón de lady Olivia. Había prácticamente la misma distancia en sentido vertical que horizontal, pensó mientras se dirigía hacia allí. Tenía que bajar doce peldaños hasta el piso de abajo, otros seis hasta la calle, subir ocho hasta la puerta principal de Olivia...

La próxima vez contaría también los pasos en sentido horizontal. Sería interesante comparar unos con otros.

Casi se había recuperado por completo de la locura pasajera de la noche anterior. Lady Olivia Bevelstoke era realmente hermosa; no era solo una opinión personal, sino un hecho aceptado por todo el mundo. Todos los hombres la deseaban, sobre todo si habían llevado una vida monacal como la suya en los últimos meses.

Cada vez estaba más convencido de que la clave para mantener la cordura pasaba por recordar *por qué* subía la escalera de acceso a la casa de Olivia. El Ministerio de Guerra. El príncipe. La seguridad nacional... Ella formaba parte de la misión que le habían asignado. Winthrop casi le había ordenado que se infiltrara en su vida.

No, Winthrop le había *ordenado* que se infiltrara en su vida, sin el «casi». Sin ambigüedad al respecto.

Harry obedecía órdenes, se dijo mientras levantaba la aldaba de la puerta. Una tarde con Olivia, ¡por la patria y el rey!

Y la verdad es que, en comparación con la condesa rusa y todo su vodka, a Olivia daba gusto verla.

Sin embargo, con la atención puesta en cumplir con su obligación, cabría pensar que se había alegrado aún más al entrar en el salón y ver que lady Olivia no estaba sola. Su otra misión asignada, Alexei de Rusia, el príncipe de movimientos afectados, estaba también ahí, con sus aires petulantes, sentado frente a ella.

En lugar de pensar que así mataba dos pájaros de un tiro, le molestó.

—Sir Harry —saludó Olivia, dedicándole una radiante sonrisa cuando entró en el salón—. Recuerda al príncipe Alexei, ¿verdad?

¡Claro que sí! Casi tan bien como recordaba a su gigante guardaespaldas, de pie en un rincón con una postura engañosamente relajada.

Harry se preguntó si el tipo entraría también en la habitación del príncipe; eso debía de ser incómodo para las mujeres.

—¿Qué lleva en la mano? —le preguntó el príncipe.

—Un libro —contestó Harry mientras dejaba *La señorita Butterworth* encima de una mesa auxiliar—. Un libro que prometí prestarle a lady Olivia.

—¿De qué trata? —quiso saber el príncipe.

—No es más que una novelucha —intervino Olivia—. No creo que me guste, pero me la ha recomendado una amiga. —El príncipe no pareció inmutarse y ella le preguntó—: ¿A Su Alteza qué le gusta leer?

—No creo que esté familiarizada con la literatura que yo leo —dijo él con desdén.

Harry observó a Olivia con atención. Se dio cuenta de que se le daba bien esta farsa de la llamada «alta sociedad». Hubo en sus ojos un imperceptible destello de irritación que disimuló y cambió por una expresión tan amable y alegre que *parecía* auténtica.

Solo que él sabía que no lo era.

—Aun así me gustaría saber cuáles son sus preferencias literarias —insistió ella con cordialidad—. Me gusta aprender cosas de otras culturas.

El príncipe se volvió hacia ella y, al hacerlo, le dio la espalda a Harry.

—Uno de mis antepasados fue un gran poeta y filósofo. El príncipe Antiokh Dmitrievich Kantemir.

A Harry le pareció muy curioso; era bien sabido (entre los conocedores de la cultura rusa) que Kantemir murió sin descendencia.

—Además, leí hace poco todas las fábulas de Ivan Krylov —continuó Alexei—. Es lectura obligada de todo ruso culto.

—Nosotros también tenemos escritores así —comentó Olivia—. Shakespeare. Todo el mundo lee a Shakespeare. Creo que sería casi antipatriótico no hacerlo.

El príncipe se encogió de hombros; esa era al parecer su opinión sobre Shakespeare.

—¿Ha leído a Shakespeare? —preguntó Olivia.

—He leído alguna cosa en francés —contestó él—, pero prefiero leer en ruso. Nuestra literatura es mucho más profunda que la suya.

—Yo he leído *Poor Liza* —dijo Harry, aun sabiendo que debería haber mantenido la boca cerrada. Pero el príncipe era tan imbécil y pretencioso que resultaba difícil no intentar bajarle los humos.

El príncipe Alexei se volvió a él sin disimular su sorpresa.

—No sabía que *Bednaya Liza* había sido traducido al inglés.

Tampoco Harry lo sabía, él lo había leído en ruso años atrás, pero esta tarde ya había cometido un error por imprudente y no estaba dispuesto a cometer otro, de modo que dijo:

—Creo que no me estoy equivocando de libro. El autor es... ¡Vaya, ahora no lo recuerdo! Creo que empieza por «K». ¿Karmazanon?

—Karamzin —le espetó el príncipe—. Nikolai Karamzin.

—Sí, eso es —repuso Harry en un tono intencionadamente alegre—. Va de una campesina pobre a la que un aristócrata seduce y luego abandona, ¿verdad?

El príncipe asintió secamente.

Harry se encogió de hombros.

—Pues alguien lo habrá traducido.

—Tal vez intente encontrar un ejemplar —dijo el príncipe—. Quizás eso mejore mi inglés.

—¿Es muy conocido? —intervino Olivia—. Si logramos encontrar un ejemplar en inglés, me encantaría leerlo.

Harry la miró con desconfianza. Era la misma mujer que había asegurado que no le gustaban ni *Enrique V* ni *La señorita Butterworth y el barón loco.*

Pasó un ángel fugaz antes de que Olivia dijera:

—He pedido que nos traigan el té justo antes de que usted llegara, sir Harry. ¿Se quedará a tomarlo con nosotros?

—Será un placer. —Harry tomó asiento frente al príncipe y le dedicó una sonrisa forzada.

—Confieso que se me dan fatal los idiomas —dijo Olivia—. Mis institutrices perdieron la esperanza de que algún día dominase el francés. Siento una gran admiración por aquellos que hablan más de una lengua. Su inglés es realmente magnífico, Vuestra Alteza.

El príncipe agradeció el cumplido asintiendo con la cabeza.

—El príncipe Alexei también habla francés —le explicó Olivia a Harry.

—Como yo —respondió él, ya que no parecía que hubiese razón alguna para ocultarlo. Puede que al príncipe se le escapase algo en ruso, pero jamás haría eso en francés; había demasiados hablantes de francés en Londres. Además, después de pasar tantos años en Europa lo raro habría sido que Harry no aprendiese un poco el idioma.

—Eso no lo sabía —dijo Olivia—. Tal vez los dos puedan conversar, o mejor no. —Soltó una carcajada—. Tiemblo de horror solo pensar en lo que podrían decir de mí.

—Únicamente los mayores cumplidos —repuso el príncipe, zalamero.

—Dudo que mis conocimientos puedan equipararse con los de Vuestra Alteza —mintió Harry—. Estoy convencido de que sería una conversación frustrante para ambos.

De nuevo pasó un ángel, y de nuevo Olivia llenó el silencio.

—Tal vez nos pueda decir algo en ruso —le pidió al príncipe—. Creo que nunca he oído hablar esta lengua en voz alta. ¿Y usted, sir Harry?

—Creo que sí —murmuró.

—¡Claro! Durante el tiempo que pasó en Europa. Me imagino que habrá oído hablar un montón de idiomas.

Harry asintió con educación, pero Olivia ya se había vuelto a girar hacia Alexei.

—¿Le importaría decirnos algo? El francés lo reconozco, aunque a duras penas entiendo una palabra, pero el ruso... ¡Vaya! Que no tengo ni idea de cómo suena. ¿Se parece un poco al alemán?

—*Nyet* —contestó el príncipe.

Ny... ¡Oh! —Olivia sonrió—. Eso debe de ser «no».

—*Da* —dijo el príncipe.

—¡Y eso debe de ser «sí»!

Harry no sabía muy bien si le resultaba gracioso o nauseabundo.

—Diga algo más —le instó ella—. No puedo percibir bien el ritmo del idioma con palabras monosílabas.

—Muy bien —concedió el príncipe—, veamos...

Harry y Olivia esperaron con paciencia mientras él pensaba en algo que decir. Al cabo de unos instantes habló. Y Harry decidió que jamás había odiado tanto a otro ser humano como odiaba al príncipe Alexei Gomarovsky de Rusia.

—¿Qué ha dicho? —preguntó Olivia sonriendo con expectación.

—Tan solo que es usted más hermosa que los océanos, el cielo y la niebla.

O en función de la traducción: «La penetraré hasta que grite».

—¡Qué poético! —susurró Olivia.

Harry no se atrevió a hablar.

—¿Puede decir algo más? —suplicó Olivia.

El príncipe se mostró reticente.

—No se me ocurre nada tan... ¿Cómo se dice?

«Ofensivo.»

—Delicado —concluyó el príncipe con cara de suma satisfacción por su elección de palabra—. Lo bastante delicado para usted.

Harry tosió. O eso o vomitaba. A lo mejor pareció un poco las dos cosas, porque Olivia lo miró con cara de pánico. Él, a su vez, no pudo evitar poner los ojos en blanco. Ningún hombre sensato podía escuchar tales bobadas sin reaccionar de algún modo.

—¡Oh! Ya llega el té —dijo Olivia, que parecía bastante aliviada—. Mary, nos hará falta otro servicio. Sir Harry ha decidido unirse a nosotros.

Después de que Mary dejara la bandeja y se fuera a buscar otra taza, Olivia levantó la vista hacia Harry y dijo:

—No le importa si empiezo a servir, ¿verdad?

—Por supuesto que no —contestó él y miró casualmente hacia el príncipe, que lo estaba observando nada menos que con una sonrisa de satisfacción.

Harry le pagó con una expresión igual de juvenil. No pudo evitarlo. Y razonó que serviría para mantener la farsa de que no era más que otro pretendiente celoso. Pero ¿en serio creía Alexei que Olivia, sirviéndole el té antes de que a Harry le trajesen una taza, había dado a entender quién era su favorito?

—¿Le gusta a Su Alteza el té inglés? —preguntó Olivia—. Aunque supongo que en realidad no es inglés, más bien creo que nos lo hemos apropiado.

—Me parece una tradición de lo más agradable —dijo el príncipe.

—¿Lo toma con leche?

—Por favor.

—¿Azúcar?

—Sí.

Le preparó su té, sin dejar de hablar mientras le servía una cucharadita de azúcar.

—Sir Harry me comentaba el otro día que lo que más echó de menos durante su servicio en el ejército fue el té.

—¿Es eso cierto? —preguntó el príncipe Alexei.

Harry no sabía con seguridad a quién se había dirigido el príncipe, pero aun así decidió contestar.

—Hubo muchas noches en las que habría matado por beber algo caliente.

—Sea como fuere, me imagino que hubo muchas noches en las que sí mató —replicó el príncipe.

Harry lo miró con frialdad.

—Hubo muchos momentos en los que fui armado con un sable, un fusil y una bayoneta. Maté con frecuencia.

El príncipe lo miró con la misma frialdad.

—Habla como si hubiese disfrutado haciéndolo.

—En absoluto —le espetó Harry.

Las comisuras de un lado de la boca del príncipe se curvaron muy ligeramente.

—En muchas ocasiones es necesario el mal para que florezca el bien, *¿da?*

Harry contestó a eso con un único asentimiento de cabeza.

El príncipe tomó un sorbo de té, si bien aún no habían servido a Harry.

—¿Practica usted esgrima, sir Harry?

—Solo medianamente bien. —Lo cual era cierto. En Hesslewhite no habían tenido un profesor de esgrima como Dios manda. A consecuencia de ello, la habilidad de Harry en el manejo de la espada era mucho más militar que competitiva. Se le daba regular esquivar los golpes, pero sabía cómo dar la estocada final.

—Aquí está la taza que faltaba —anunció Olivia y la tomó de manos de la doncella, que acababa de regresar—. Sir Harry, usted lo toma sin azúcar, ¿verdad?

—Veo que se acuerda —murmuró él.

Ella le sonrió, fue una sonrisa alegre y sincera que flotó hasta él como una suave brisa. Él sintió el impulso de devolverle la sonrisa, espontánea y también sincera. Olivia le miró, y él la miró a ella, y durante unos asombrosos instantes fue como si estuvieran solos en la sala.

Pero entonces ella apartó la vista y murmuró algo sobre el té. Se entretuvo preparándole una taza a Harry y él descubrió que estaba embelesado con sus manos, preciosas y elegantes, pero por algún motivo no muy gráciles. Lo cual le gustó. Toda diosa tenía sus imperfecciones.

Olivia levantó de nuevo los ojos y detectó que él la había estado observando. Le volvió a sonreír y entonces él hizo lo propio, y...

Y entonces el maldito príncipe tuvo que abrir la boca.

13

Cinco cosas que me encantan de sir Harry Valentine.
Por Olivia Bevelstoke.

Su sonrisa.
Su agudeza.
Sus ojos.
Que habla conmigo desde la ventana.

—¡Vladimir! —vociferó de pronto el príncipe, dejando la enumeración de Olivia incompleta a falta de un elemento.

Vladimir cruzó al instante la sala hasta el príncipe Alexei, quien impartió en ruso lo que sin duda sonó como una orden. Vladimir gruñó su conformidad y luego añadió su propia sarta incomprensible de palabras.

Olivia alargó la vista hacia Harry, que tenía el entrecejo fruncido. Se imaginó que ella también lo habría arrugado.

Vladimir emitió otro sonido ronco y regresó a su rincón, y Harry, testigo de toda la conversación, miró al príncipe y le dijo:

—Es muy cómodo contar con Vladimir.

El príncipe Alexei lo miró hastiado.

—No entiendo qué quiere decir.

—Viene, va, hace cualquier cosa que usted diga...

—Para eso está.

—Sí, claro. —Harry dejó que su cabeza se inclinara un poco hacia un lado. Fue como si se hubiese encogido de hombros sin encogerlos, pero la falta de consideración era la misma—. Yo no he dicho lo contrario.

—Los que gozan de estatus de realeza necesitan viajar con un séquito.

—Estoy totalmente de acuerdo —repuso Harry, pero su tono simpático al parecer no hizo más que echar leña al fuego.

—Aquí tiene su té —interrumpió Olivia mientras le ofrecía una taza a Harry. Este la aceptó y le dio en voz baja las gracias antes de tomar un sorbo—. Yo tomaré el mío como sir Harry —comentó sin dirigirse a nadie en particular—. Antes me ponía azúcar, pero me he dado cuenta de que ya no me gusta el té dulce.

Harry la miró con expresión de curiosidad, lo que no sorprendió a Olivia, que no recordaba cuándo había mantenido una conversación tan soporífera por última vez. Aunque seguro que él entendería que no tenía otra alternativa.

Olivia inspiró hondo. ¡Qué difícil era intentar navegar contra la corriente! Esos dos hombres se detestaban, eso era evidente, pero no era la primera vez que estaba en un salón con gente que se odiaba entre sí. Aunque no solía ser tan palpable.

Y si bien quería pensar que todo era debido a que tenían celos por ella, no pudo evitar la sensación de que se traían algo más entre manos.

—Hoy todavía no he salido a la calle —comentó Olivia, pues el tiempo era siempre un tema de conversación infalible—. ¿Hace calor?

—Yo creo que lloverá —dijo el príncipe.

—¿Es eso lo que piensa de Inglaterra? Que cuando no llueve, diluvia. Y cuando no diluvia...

Pero el príncipe ya había trasladado la atención a su oponente.

—¿Dónde vive usted, sir Harry?

—Desde hace poco, en la puerta de al lado —contestó Harry con alegría.

—Creía que los aristócratas ingleses tenían imponentes mansiones en el campo.

—Así es —repuso Harry con afabilidad—, pero yo no soy un aristócrata.

—¿Qué tal está el té? —preguntó Olivia un tanto desesperada.

Los dos hombres contestaron con un gruñido. Ninguno de más de una sílaba. Y ninguna sílaba particularmente inteligible.

—Pero le llaman «sir» —constató el príncipe Alexei.

—Cierto —respondió Harry, al que no parecía preocuparle en absoluto su falta de estatus—. Pero eso no me convierte en aristócrata.

Los labios del príncipe se curvaron un poco.

—A los baronets no se les considera parte de la aristocracia —explicó Olivia, que le lanzó una mirada de disculpa a Harry. Era muy grosero por parte del príncipe seguir insistiendo en el bajo nivel social de Harry, pero había que tener en cuenta las diferencias culturales.

—¿Qué es un «baronet»? —preguntó el príncipe.

—No estamos ni en un lado ni en el otro —contestó Harry con un suspiro—. En realidad, es un poco como el purgatorio.

Alexei se volvió hacia Olivia.

—No le entiendo.

—Se refiere, o por lo menos eso creo... —Olivia miró a Harry indignada, le parecía increíble que estuviese llevándole a propósito la contraria al príncipe—, a que los baronets no forman parte de la aristocracia, pero tampoco carecen de título. Por eso se los llama «sir».

Parecía que el príncipe Alexei seguía confuso, de modo que Olivia explicó:

—Por orden de rango, después de la realeza, naturalmente, están los duques, los marqueses, los condes, los vizcondes y por último los barones. —Hizo una pausa—. Luego vienen los baronets y sus esposas, pero se considera que forman parte de la pequeña nobleza.

—Estamos muy abajo —murmuró Harry divertido—. A años luz de alguien como Vuestra Alteza.

El príncipe lo miró durante apenas un segundo, pero bastó para que Olivia detectara la aversión en sus ojos.

—En Rusia la aristocracia es el eje de la sociedad. Sin nuestras distinguidas familias, nos desmoronaríamos.

—Aquí muchos piensan lo mismo —dijo Olivia con cortesía.

—Se produciría... ¿Cómo se dice?

—¿Una revolución? —ofreció Harry.

—¿El caos? —intuyó Olivia.

—El caos —prefirió Alexei—. Sí, eso es. La revolución no me da miedo.

—Sería conveniente que todos aprendiésemos de la experiencia de los franceses —dijo Harry.

El príncipe Alexei se giró hacia él con la mirada encendida.

—Los franceses fueron unos estúpidos. Concedieron demasiadas libertades a la burguesía. En Rusia no cometeremos ese error.

—En Inglaterra tampoco tememos la revolución —replicó Harry en voz baja—, aunque me imagino que es por otros motivos.

Olivia contuvo el aliento. Harry había hablado con una convicción rotunda que contrastaba con su frivolidad anterior. Su tono serio acaparó inevitablemente toda la atención del momento. Hasta el príncipe Alexei se sobresaltó y se volvió hacia él con una expresión de..., en fin, no de respeto exactamente, puesto que saltaba a la vista que no entendía el comentario; pero quizá sí de cierta admiración, reconociendo a Harry como un digno adversario.

—La conversación está tomando un cariz muy serio —declaró Olivia—. A esta hora del día no se puede hablar de estos temas. —Y como con eso no logró obtener una respuesta inmediata, añadió—: No soporto discutir de política cuando brilla el sol.

En realidad, lo que no podía soportar era quedar como una auténtica boba. Le encantaban las discusiones políticas, a cualquier hora del día.

Y, además, no brillaba el sol.

—Hemos sido muy groseros —dijo el príncipe mientras se levantaba de su asiento. Se puso delante de ella y clavó una rodilla en el suelo, dejando a Olivia sin habla. ¿Qué estaba haciendo?

—¿Podrá perdonarnos? —susurró al tiempo que le tomaba de la mano.

—Eh... Mmm...

Él se acercó los nudillos a los labios.

—Por favor.

—Por supuesto —consiguió decir ella al fin—. No es...

—Nada —intervino Harry—. Creo que esa es la palabra que buscaba.

Lo habría fulminado con la mirada, de haber podido verlo, pero en ese momento Alexei llenaba por completo su campo de visión.

—Por supuesto que los perdono, Vuestra Alteza —dijo ella—. Lo que he dicho es una tontería.

—Las mujeres hermosas tienen derecho a decir todas las tonterías que deseen.

Entonces el príncipe se movió y Olivia vislumbró la cara de Harry. Parecía que fuese a vomitar.

—Seguramente tendrá que prodigarse mucho aquí en Londres —dijo Harry en cuanto Alexei volvió a su asiento.

—Me van a dar varios premios —contestó el príncipe, confuso y molesto por el cambio de tema.

Olivia se apresuró a traducirle.

—Creo que lo que sir Harry quiere decir es que seguramente tendrá muchos compromisos, mucha gente a la que conocer.

—Sí —dijo Alexei.

—Tendrá la agenda muy llena —añadió Harry con voz algo afectada y aduladora.

Olivia frunció las cejas. Intuyó lo que Harry estaba tramando, y no acabaría bien.

—Debe de llevar una vida muy emocionante —se apresuró a decir Olivia, intentando cambiar de tercio.

Pero con Harry no se podía jugar al despiste.

—Hoy, por ejemplo —reflexionó Harry en voz alta—. Seguro que tiene un programa apretado. ¡Qué honrada se siente lady Olivia de que haya sacado tiempo para verla!

—Para lady Olivia siempre tengo tiempo.

—¡Cómo se prodiga siempre Su Alteza! —exclamó Harry—. ¿A qué se debe que nos haya visitado esta tarde?

—No he venido a visitarlo a *usted.*

Harry le dedicó una fugaz sonrisa cómplice, únicamente para demostrarle que el insulto, si bien lo había captado, no le había ofendido.

—¿En qué otro sito podría estar Su Alteza esta tarde? ¿Con el embajador? ¿Con el rey?

—Podría estar en cualquier lugar que deseara.

—Ese es el privilegio de la realeza —concluyó Harry.

Olivia se mordió el labio. Vladimir había empezado a acercarse poco a poco; si había pelea, Harry no saldría victorioso.

—¡Me honra tanto su presencia! —dijo Olivia. Fue la única frase entera que se le ocurrió en cuestión de segundos.

—¡Vaya, gracias! —bromeó Harry.

«Basta», le dijo Olivia moviendo los labios.

«¿Por qué?», repuso él.

—Creo que me están excluyendo de la conversación —dijo Alexei enfadado.

Vladimir estaba cada vez más cerca.

—¡Pues claro que no! —le aseguró Olivia—. Tan solo intentaba recordarle a sir Harry que su primo está... mmm... esperándolo para... eh... una reunión.

Alexei parecía dubitativo.

—¿Todo esto se han dicho?

Olivia notó que se ruborizaba.

—Más o menos —masculló.

—La verdad es que tengo que irme —anunció de pronto Harry poniéndose de pie.

Olivia también se levantó.

—Le ruego que me permita acompañarlo hasta la puerta —dijo ella, intentando que no pareciera que hablaba entre dientes.

—No se moleste, por favor —repuso Harry—. Por nada del mundo se me ocurriría pedirle a una dama tan hermosa que se levante.

Olivia palideció. ¿Se habría dado cuenta Alexei de que Harry se estaba burlando de él? Desvió la vista hacia el príncipe, procurando hacerlo sin mucho descaro. No parecía ofendido, sino más bien encantado. Bueno, encantado dentro de lo tenso y reservado que era siempre. Tal vez la palabra «satisfecho» fuese más acertada.

Harry salió solo del salón, privando a Olivia de la oportunidad de decirle lo que pensaba de su comportamiento infantil. Ella, furiosa, hundió los dedos en el borde del almohadón del sofá sobre el que estaba sentada. No se le escaparía tan fácilmente. Harry no tenía ni idea de lo que era capaz una mujer cuando hervía de rabia. Lo que sea que tuviera que decirle, sería mucho menos agradable esta noche de lo que habría sido por la tarde.

Entretanto, sin embargo, había que seguir atendiendo al príncipe. Estaba sentado frente a ella, con una expresión a caballo entre la satisfacción y la suficiencia. Se alegraba de que Harry se hubiese ido, y probablemente aún más de que Olivia estuviese ahora a solas con él.

Y con Vladimir. Era realmente imposible olvidarse de Vladimir.

—Me pregunto dónde estará mi madre —dijo Olivia, porque era extraño que no se hubiese dejado ver. La puerta del salón había estado debidamente abierta durante todo el rato, de modo que su presencia como carabina no era necesaria, pero Olivia se había imaginado que su madre querría saludar al príncipe.

—¿Es necesario que esté aquí?

—Bueno, en realidad, no. —Olivia alargó la vista hacia la puerta abierta—. Huntley está ahí mismo, en el recibidor...

—Me alegro de que estemos solos.

Olivia tragó saliva; no sabía muy bien qué decir a eso.

El príncipe esbozó una sonrisa, pero su mirada se volvió penetrante.

—¿Le inquieta estar a solas conmigo?

«Hasta ahora, no.»

—Por supuesto que no —contestó ella—. Sé que es usted un caballero. Y, además, no estamos solos.

Alexei parpadeó varias veces seguidas y luego rompió a reír.

—¿No lo dirá por Vladimir?

Olivia notó que sus ojos miraban varias veces hacia un lado y otro de la sala, hacia el príncipe y su criado respectivamente, y viceversa.

—Bueno, sí —respondió ella con voz entrecortada—. Está justo... ahí. Y...

Alexei hizo un gesto con la mano para quitarle importancia.

—Vladimir es invisible.

La inquietud de Olivia fue en aumento.

—No lo entiendo.

—Es como si no estuviese aquí. —Alexei le sonrió de un modo que a ella le incomodó—. Si eso es lo que yo quiero.

Olivia abrió la boca, pero no tenía nada que decir.

—Por ejemplo —continuó Alexei—, si quisiera besarla... —Olivia ahogó un grito de asombro— sería igual que si estuviéramos solos. Él no se lo diría a nadie y usted tampoco se sentiría más, ¿cómo se dice?, incómoda.

—Creo que Su Alteza debería irse.

—Antes me gustaría darle un beso.

Olivia se levantó, golpeando la mesa con las espinillas.

—Eso no será necesario.

—Sí —repuso él, levantándose también—, creo que sí es necesario. Para demostrárselo.

—¿Para demostrarme qué? —repitió ella, sin dar crédito a la pregunta que acababa de hacer.

El príncipe señaló a Vladimir.

—Que es como si no estuviera aquí. Debo tener escolta a todas horas. Vladimir está siempre conmigo. Incluso cuando... No debería decir esto delante de una dama.

Había bastantes cosas ya que no debería haber dicho delante de una dama. Olivia trató de escabullirse bordeando la mesa para llegar hasta la puerta, pero el príncipe le bloqueó el paso.

—Le besaré la mano —dijo él.

—¿Qué?

—Para demostrarle que soy un caballero. Usted está pensando en otra cosa, pero le besaré la mano.

Olivia notó que se le anudaba la garganta. Tenía la boca abierta, pero no parecía estar respirando. Alexei la había dejado anonadada.

Le tomó una mano. Olivia seguía demasiado perpleja como para retirarla. Él se la besó y antes de soltarle la mano le acarició los dedos con los suyos.

—La próxima vez —anunció el príncipe— le daré un beso en la boca.

¡Oh, Dios!

—¡Vladimir! —Alexei soltó una retahíla de palabras en ruso y su criado apareció en el acto junto a él. Olivia se dio cuenta con horror de que se había olvidado de que estuviese ahí, aunque estaba convencida de que era únicamente por lo mucho que le habían sorprendido las escandalosas palabras del príncipe.

—Nos vemos esta noche —le dijo Alexei.

—¿Esta noche? —repitió ella.

—Irá a la ópera, ¿verdad? Interpretan *La flauta mágica*. Es la primera representación de la temporada.

—Yo… Eh… —¿Iría a la ópera? No podía pensar con claridad. Un príncipe de la realeza había intentado seducirla en su propio salón o, por lo menos, lo había intentado. En presencia del grandullón de su criado.

No era de extrañar que estuviese un poco aturdida.

—Hasta entonces, lady Olivia. —El príncipe Alexei salió majestuosamente de la sala y Vladimir siguió sus pasos. Lo único que se le ocurrió a Olivia fue que necesitaba contarle esto a sir Harry.

Solo que estaba indignada con él.

¿Verdad?

14

Harry estaba de mal humor. El día había empezado de maravilla, augurando toda clase de alegrías, hasta que al entrar tranquilamente en el salón de casa de los Rudland se había topado con el príncipe Alexei Gomarovsky, presunto descendiente del poeta soltero más famoso de Rusia.

O, si no el más famoso, bastante famoso entonces.

Y, *luego,* había tenido que ver a Olivia adulando a ese grandísimo patán.

Además, había tenido que sentarse ahí y fingir no entender nada cuando el malnacido había dicho que quería seducirla, y encima había intentado hacer pasar la maldita frase por no sé qué cursilada sobre el cielo y la niebla.

Después (ya en casa mientras trataba de averiguar qué hacer con respecto a la segunda intervención del príncipe en ruso; una orden dada a Vladimir, siempre atento, de que investigaran a Harry) había recibido instrucciones por escrito del Ministerio de Guerra para asistir esa noche a la representación inaugural de *La flauta mágica,* que habría sido una delicia de haber podido mirar hacia el escenario en lugar de a la persona que más detestaba ahora mismo, el susodicho Alexei de Rusia.

Luego el maldito príncipe se había marchado pronto de la ópera. Se había largado, sin más, justo cuando la Reina de la Noche empezaba su aria llamada «La venganza del infierno hierve en mi corazón». ¡Por Dios! ¿Quién podía irse al comienzo de semejante aria?

Harry decidió que la venganza del infierno hervía también en su corazón.

Había seguido al príncipe (y a Vladimir, siempre presente y cada vez más amenazador) hasta el burdel de madame Leroux, donde era de suponer que disfrutó de los favores de alguna que otra señorita.

Fue en ese momento cuando Harry decidió que estaba en su derecho de irse a casa.

Cosa que hizo, pero no antes de calarse hasta los huesos por el inusitado chaparrón que cayó.

Razón por la que, cuando llegó a casa y se deshizo del abrigo y los guantes empapados, solo pensaba en tomar un baño caliente. Soñaba con el vapor saliendo de la superficie del agua. El calor haría que le escociera la piel, que le doliese casi, hasta que su cuerpo se habituara a la temperatura.

Estaría en la gloria. La gloria herviría en la bañera.

Pero lo cierto es que no alcanzó la gloria, por lo menos, no esa noche. Aún no había sacado los dos brazos del abrigo cuando el mayordomo entró en el recibidor y le informó de que un mensajero le había traído una carta que estaba encima de su escritorio.

Así que se fue a su despacho, sus pies haciendo chof-chof dentro de las botas, y resultó que el mensaje no contenía nada de urgencia, únicamente unas cuantas nimiedades para completar las lagunas que había en el historial del príncipe. Harry soltó un gruñido y, cuando le recorrió un escalofrío, deseó que hubiese una chimenea encendida a la que arrojar la misiva culpable de que se hubiera quedado sin su baño; así podría además entrar en calor frente al fuego. Tenía mucho frío y estaba empapado, y enfadadísimo con el mundo entero.

Y entonces alzó la vista.

Olivia estaba junto a su ventana, mirándolo fijamente.

En realidad, todo esto era culpa suya. O por lo menos la mitad de ello.

Harry caminó con resolución hasta su ventana de guillotina y la subió de un tirón. Ella hizo lo mismo.

—Lo estaba esperando —dijo ella antes de que él pudiese hablar—. ¿Dónde esta...? ¿Qué le ha pasado?

Del conjunto de preguntas estúpidas, Harry decidió que esta quedaría entre las primeras. Pero aún tendría los labios morados por el frío y era incapaz de decirle todo eso.

—Que ha llovido —dijo él entre dientes.

—¿Y se le ha ocurrido salir a dar un paseo bajo la lluvia?

Harry se preguntó si, haciendo un esfuerzo sobrehumano, podría quizás estrangular a Olivia desde donde estaba.

—Tengo que hablar con usted —anunció ella.

Él se dio cuenta de que no sentía los dedos de los pies.

—¿Tiene que ser ahora precisamente?

Olivia retrocedió con aspecto de estar muy ofendida.

Lo cual no sirvió de mucho para mejorar el mal humor de Harry. Aun así debieron de inculcarle de pequeño los modales propios de un caballero, porque pese a que debería haber cerrado la ventana de golpe, se explicó a modo telegráfico:

—Tengo frío. Estoy empapado. Y de muy mal humor.

—¡Pues ya somos dos!

—Muy bien —repuso él entre dientes—. ¿Cuál es el motivo de su desazón?

—¿De mi desazón? —repitió ella con sarcasmo.

Harry levantó una mano. Si Olivia pretendía discutirle su elección de vocabulario, se negaba a seguir con esta conversación.

Pero debió de decidir un cambio de táctica, porque se puso en jarras y dijo:

—Muy bien, pues ya que me lo pregunta, *usted* es la causa de mi desazón.

Más valía que esto mejorara. Harry aguardó unos instantes y luego dijo, destilando tanto sarcasmo como agua chorreaba de su ropa:

—¿Y?

—Y su comportamiento esta tarde... ¿En qué estaba pensando?

—¿En qué estaba...?

Olivia se asomó a la ventana y agitó un dedo en el aire.

—Se ha dedicado a provocar al príncipe Alexei a propósito. ¿Tiene idea del aprieto en el que me ha puesto?

Él la miró fijamente unos segundos, y acto seguido se limitó a decir:

—Es un idiota.

—No es un idiota —replicó ella con exasperación.

—Sí que lo es —insistió Harry—. No merece ni lamer sus pies. Algún día me lo agradecerá.

—No tengo ninguna intención de dejar que ni él ni nadie me lama en sitio alguno —repuso ella, que se puso toda roja al caer en la cuenta de lo que había dicho.

Harry empezaba a entrar en calor.

—No tengo ninguna intención de dejar que me corteje —declaró Olivia susurrando, aunque en voz lo bastante alta como para que a Harry le llegasen todas las sílabas con claridad—. Pero eso no significa que en mi casa se le pueda tratar con desconsideración.

—Muy bien, lo siento. ¿Satisfecha?

Sus disculpas dejaron a Olivia sin habla, pero a Harry le duró poco la victoria. Tras abrir y cerrar la boca repetidas veces durante no más de cinco segundos, ella dijo:

—No lo ha dicho de corazón.

—¡Oh, por Dios! —saltó él. No se podía creer que Olivia estuviese actuando como si él hubiese hecho algo malo. Tan solo seguía las malditas órdenes del maldito Ministerio de Guerra. Y aun teniendo en cuenta el hecho de que ella ignoraba que él tuviese que cumplir unas órdenes, era *ella* la que se había pasado la tarde agasajando a un hombre que la había insultado de forma tan visceral.

Claro que Olivia tampoco sabía eso.

Aun así cualquiera con una pizca de sentido común podría apreciar que el príncipe Alexei era un sapo baboso. Un sapo guapísimo, es verdad, pero sapo a pesar de todo.

—¿Por qué está tan enfadado? —preguntó Olivia.

Era estupendo que no estuviesen cara a cara, porque habría hecho *algo.*

—¿Por qué estoy tan enfadado? —casi le espetó él—. ¿Por qué estoy *tan enfadado*? Porque... —Pero se dio cuenta de que no podía decirle que le habían obligado a dejar la ópera a mitad de actuación, o que había seguido al príncipe hasta un burdel, o que...

Bueno, esa parte sí podía contársela.

—Estoy calado hasta los huesos, tengo todo el cuerpo tiritando y estoy discutiendo con usted desde una ventana cuando podría estar en una bañera de agua caliente.

La última parte más bien pareció un rugido, lo cual no fue lo más sensato, teniendo en cuenta que, en teoría, estaban en público.

Ella permaneció callada (al fin) y luego dijo en voz baja:

—Muy bien.

¿Muy bien? ¿Eso era todo? ¿Zanjaba el tema con un «muy bien»?

Y entonces Harry se quedó ahí plantado como un idiota. Ella le había dado la oportunidad perfecta para decirle adiós, cerrar la ventana y subir con resolución a la bañera del piso de arriba, pero se limitó a quedarse ahí de pie.

Mirándola fijamente.

Observando cómo Olivia se rodeaba la parte superior del cuerpo con los brazos, como si tuviese frío. Observando su boca, que con la poca luz que había no podía ver con absoluta claridad, pero que de algún modo supo cuándo la cerraba apretando las comisuras con contenida emoción.

—¿Dónde ha estado? —preguntó ella.

Él no podía dejar de mirarla.

—Esta noche —aclaró Olivia—. ¿Adónde ha ido para mojarse tanto?

Harry bajó la vista, como si de pronto hubiese recordado que estaba empapado.

¡Qué barbaridad!

—He ido a la ópera —le explicó.

—¿Ah, sí? —Olivia se abrazó el tronco con más fuerza y, aun sin estar seguro, a Harry le pareció que se acercaba un poco más a la ventana—. Yo tendría que haber ido —dijo—. Quería ir.

Harry también se acercó más a su ventana.

—¿Y por qué no ha ido?

Olivia titubeó, y apartó por un momento la vista de la cara de Harry antes de volver a mirarlo mientras le decía:

—Porque sabía que el príncipe estaría allí y no tenía ganas de verlo. Por eso.

¡Qué curioso! Harry se pegó más a la ventana y entonces...

Llamaron a la puerta del despacho.

—No se mueva —le ordenó a Olivia señalándola con un dedo. Cerró la ventana y luego fue hasta la puerta a paso largo y la abrió.

—Su baño está listo, señor —anunció el mayordomo.

—Gracias. ¿Podría ordenar que lo mantengan bien caliente? Aún tardaré unos minutos en subir.

—Ordenaré a los criados que sigan calentando agua. ¿Necesitará una manta, señor?

Harry se miró las manos. Era curioso porque no las sentía del todo.

—Mmm... Sí. Eso sería maravilloso. Gracias.

—Se la iré a buscar ahora mismo.

Mientras el mayordomo iba en busca de una manta, Harry se apresuró hasta la ventana y la abrió. Olivia se encontraba ahora de espaldas a él. Estaba sentada en el borde del alféizar, ligeramente apoyada en el marco de la ventana. Reparó en que también se había hecho con una manta; una manta suave de color azul pastel y...

Harry sacudió la cabeza. ¿Qué importaba su manta?

—¡Un minuto más! —gritó él—. No se vaya.

Al oír su voz Olivia miró hacia abajo, justo a tiempo de ver que la ventana de enfrente volvía a cerrarse. Esperó medio minuto más y entonces Harry regresó y la madera crujió cuando volvió a subir la ventana de guillotina.

—Veo que usted también tiene una manta —le dijo Olivia como si eso fuese importante.

—Bueno, es que tenía frío —se justificó él, como si eso también importara.

Permanecieron en silencio largo rato, y entonces él preguntó:

—¿Por qué no quería ver al príncipe?

Olivia se limitó a sacudir la cabeza. No porque no fuese cierto, sino porque no creía que pudiese hablar con él del tema. Cosa curiosa, porque esa tarde su primer pensamiento fue que tenía que hablarle del extraño comportamiento del príncipe Alexei. Pero ahora, de ventana a ventana y con los ojos negros e insondables de Harry clavados en ella, no supo qué decir.

Ni cómo decirlo.

—No es nada importante —decidió ella por fin.

Harry no habló de inmediato. Pero cuando lo hizo fue en voz baja y con un tono que a Olivia la dejó muda.

—Si le ha hecho sentir incómoda, para mí es muy importante.

—Él... Él... —No paraba de sacudir la cabeza mientras hablaba, hasta que finalmente consiguió quedarse quieta y decir—: Simplemente dijo algo acerca de besarme. No es nada, en realidad.

Olivia había estado evitando mirar a Harry, pero ahora lo hizo. Estaba petrificado.

—No es la primera vez que un caballero hace algo así —añadió ella. Decidió omitir la parte sobre Vladimir; francamente, solo de pensar en ello ya sentía asco.

—¡¿Harry?! —gritó ella hacia la ventana de abajo.

—No quiero que usted vuelva a verlo —dijo él en voz baja.

Lo primero que se le pasó por la cabeza a Olivia fue decirle que no tenía ninguna autoridad sobre ella. Y, de hecho, su boca se abrió con las palabras en la punta de la lengua, pero entonces recordó algo que él le había dicho, en broma o tal vez en serio. Tal vez ella había creído que bromeaba cuando la acusó de no pensar antes de hablar.

Esta vez se pararía a pensar.

Ella tampoco quería ver al príncipe. ¿Para qué iba a llevarle la contraria a Harry cuando ambos querían lo mismo?

—No sé si esa decisión me corresponde a mí —dijo Olivia. Era verdad. A menos que se atrincherara en su habitación, no tenía forma de esquivarlo.

Harry alzó la vista; su mirada era muy seria.

—Olivia, no es trigo limpio.

—¿Cómo lo sabe?

—Es que... —Harry se pasó la mano por el pelo y exhaló con aparente frustración—. No puedo decirle por qué lo sé. Me refiero a que no sé por qué lo sé. Es una especie de intuición masculina. Simplemente lo intuyo.

Ella lo miró mientras trataba de descifrar sus palabras.

Harry cerró los ojos un instante y se frotó la frente con ambas manos. Al fin, levantó la mirada y dijo:

—¿No sabe usted cosas de otras mujeres que los hombres son demasiado cortos para captar?

Ella asintió. La había convencido y con un buen argumento, la verdad.

—Manténgase alejada de él. Prométamelo.

—No puedo prometerle eso —dijo ella, aunque deseaba poder hacerlo.

—Olivia...

—Le puedo prometer intentarlo. Sabe que es lo máximo que puedo hacer.

Harry asintió.

—Muy bien.

Se produjo un silencio vacilante y tenso, y entonces ella dijo:

—Debería irse a tomar ese baño. Está tiritando.

—Usted también —repuso él en voz baja.

Era verdad. Olivia no se había dado cuenta, no había notado el tembleque, pero ahora... ahora que lo sabía... le pareció que se intensificaba más y más... y pensó que iba a gritar, aunque desconocía el motivo. Simplemente tenía ganas de desahogarse. Demasiados sentimientos. Demasiados... Aquello la superaba.

Olivia asintió con brusquedad.

—Buenas noches —dijo deprisa. Las lágrimas estaban a punto de brotar y no quería que él las viera.

—Buenas noches —repuso Harry, pero ella había logrado bajar la ventana de guillotina antes de que él terminara de hablar. Y Olivia corrió entonces hasta la cama y hundió el rostro en la almohada.

No lloró, aunque ahora quería hacerlo.

Y seguía sin saber el porqué.

Harry se arrebujó con la manta mientras salía a duras penas de su despacho. Ya no tenía tanto frío, pero se encontraba fatal. Tenía una inquietante sensación de vacío en el pecho, que al parecer se intensificaba con cada respiración, extendiéndose hasta su garganta y encogiéndole los hombros con rigidez.

Comprendió que no era frío, sino miedo.

Hoy el príncipe Alexei había asustado a Olivia, y él no estaba muy seguro de lo que este había hecho o dicho, y sabía que ella restaría importancia a sus sentimientos si la aguijoneaba, pero algo había pasado. Y volvería a pasar, si le daban rienda suelta al príncipe.

Harry se arrastró por el recibidor, sujetando la manta con la mano izquierda mientras utilizaba la derecha para masajearse la nuca. Necesitaba tranquilizarse. Necesitaba recobrar el aliento y pensar con claridad. Subiría a bañarse y luego se metería en la cama, donde podría analizar con calma el problema y...

Empezaron a aporrear la puerta principal.

El corazón le dio un vuelco y se le despertaron los músculos de golpe, todos sus nervios preparados de pronto para la acción. Era tarde y había estado persiguiendo a rusos misteriosos por las calles, y...

Y era un idiota. Si alguien quisiera irrumpir en su casa, no lo haría por la maldita puerta principal. Harry se acercó a ella contrariado, descorrió el cerrojo y la abrió.

Edward se desplomó al entrar.

Harry se quedó mirando a su hermano pequeño con indignación.

—¡Oh, por el amor de Dios!

—¿Harry? —Edward alzó la vista con los ojos entornados y Harry se preguntó a quién demonios más esperaba encontrarse.

—¿Cuánto has bebido? —le preguntó.

Edward procuró levantarse, pero al cabo de un momento se rindió y se sentó en el mismo centro del recibidor, parpadeando como si no estuviese seguro de cómo había adquirido esa postura.

—¿Qué?

Harry habló en voz más baja, si cabe. Y más seria.

—¿Cuánto has bebido?

—Mmm... Eh... —Edward movió la boca como si estuviese dándole vueltas al tema. Y puede que fuese así, pensó Harry asqueado.

—Déjalo —le espetó a su hermano. ¿Qué más daba el número de copas que se hubiese tomado Edward? Las suficientes para dejarlo en ese estado. A saber cómo había llegado a casa. Desde luego no era mejor que su padre. La única diferencia era que sir Lionel había limitado gran parte de sus borracheras al ámbito doméstico; Edward, en cambio, se estaba poniendo en evidencia por todo Londres.

—Levántate —le ordenó Harry.

Edward lo miró atónito.

—Levántate.

—¿Por qué estás tan enfadado? —murmuró este al tiempo que alargaba un brazo. Pero Harry no le dio la mano, de modo que se puso de pie él solo con dificultad, agarrándose a una mesa cercana para no perder el equilibrio.

Harry trató de controlar su mal humor. Tenía ganas de agarrar a Edward y zarandearlo una y otra vez, y decirle a voz en grito que se estaba matando, que cualquier día de estos moriría como había muerto sir Lionel, solo y estúpidamente.

Su padre se había caído por una ventana. Se asomó demasiado y en la caída se desnucó. En la mesita cercana habían encontrado una copa de vino y una botella vacía.

O eso es lo que le habían dicho, porque él estaba por entonces en Bélgica. El abogado de su padre le había escrito una carta con los detalles.

Su madre nunca le habló del asunto.

—Vete a la cama —ordenó Harry en voz baja.

Edward se tambaleó y sonrió desafiante.

—No tengo por qué hacer lo que tú digas.

—Muy bien, pues —lo soltó. Ya estaba harto. Era como revivir lo de su padre, solo que ahora podía hacer algo al respecto. Podía decir algo. No tenía que quedarse ahí, indefenso, y recoger la vomitona ajena—. Haz lo que te dé la gana —le dijo en voz baja y temblorosa—. Pero no vomites dentro de mi casa.

—¡Claro! ¡Eso te gustaría!, ¿verdad? —gritó Edward, dando bandazos hacia delante y apoyándose luego en la pared cuando tropezó—. Te gustaría que me fuera para que todo pudiera estar limpio y ordenado. Nunca me has querido.

—¿De qué demonios hablas? Eres mi hermano.

—Me abandonaste. ¡Me abandonaste! —dijo Edward casi a gritos.

Harry lo miró fijamente.

—Me dejaste solo. Con él. Y con ella. Y sin nadie más. Tú sabías que Anne se casaría y se iría. Sabías que no se quedaría nadie más conmigo.

Harry sacudió la cabeza.

—Estabas a punto de irte al colegio. Nada más te faltaban unos meses para irte. Me aseguré de ello.

—¡Oh, eso fue...! —Edward torció el gesto y su cabeza se movió sin control, y por un instante Harry creyó que su hermano iba a vomitar. Pero únicamente intentaba dar con la palabra adecuada, una palabra cargada de rabia y sarcasmo.

Solo que estaba tan borracho que no pudo.

—Ni siquiera... Ni siquiera te paraste a pensar. —Edward agitó un dedo repetidamente frente a Harry—. ¿Qué pensaste que pasaría cuando me dejase en el colegio?

—¡No deberías haber dejado que él te llevase!

—¡Y yo qué sabía! Tenía doce años. ¡Doce! —gritó Edward.

Harry hizo memoria rápidamente, intentando recordar la despedida, pero no recordaba casi nada. Había tenido tantas ganas de largarse, de alejarse de todo... Aunque antes había hablado con Edward, ¿verdad? Le había dicho que todo iría bien, que se iría a Hesslewhite y no tendría que tratar con sus padres. Y le había dicho que no dejase que su padre se acercara por el colegio, ¿verdad?

—Se meó en los pantalones —declaró Edward—. El primer día. Se quedó dormido en mi cama y se meó en los pantalones. Le ayudé a levantarse y le cambié de ropa. Pero no tenía sábanas de recambio y todos... —Se le anudó la voz y Harry pudo ver en su rostro a ese muchacho aterrorizado, confuso y solo—. Todos creyeron que había sido yo —dijo Edward—. Un comienzo estelar, ¿no crees? —Entonces se bamboleó un poco, animado por su ímpetu—. Después de aquello me convertí en el muchacho más popular de todos. Todos querían ser mis amigos.

—Lo siento —dijo Harry.

Edward se encogió de hombros y luego dio un traspié. Harry alargó los brazos y esta vez lo sujetó. Y entonces (no supo con seguridad cómo sucedió ni por qué lo hizo) estrechó con fuerza a su hermano. Le dio un abrazo. Uno breve nada más. Solo durante el tiempo que tardó en reprimir las lágrimas de sus ojos.

—Deberías irte a la cama —dijo Harry con voz ronca.

Edward asintió y se apoyó en Harry, quien le ayudó a llegar a la escalera. Los dos primeros escalones los subió bien, pero en el tercero tropezó.

—Lo *ciento* —masculló Edward mientras se esforzaba por enderezarse.

Pronunciaba las «eses» como «zetas», igual que su padre.

Harry sintió que se mareaba.

No fue rápido ni agradable, pero al fin logró tumbar a Edward en su cama, con las botas puestas. Lo tumbó de costado con cuidado y con la boca cerca del borde del colchón, por si acaso vomitaba. Y entonces hizo algo que no había hecho nunca en todos los años que había colocado a su padre en una posición similar.

Esperó.

Se quedó en la puerta hasta que Edward respiró suave y regularmente, y luego permaneció allí unos minutos más.

Porque las personas no debían estar solas. Y no debían tener miedo ni sentirse indefensas. Y no deberían tener que llevar la cuenta del número de veces que ocurría una desgracia ni debería preocuparles que pudiera repetirse.

Y estando ahí, en la oscuridad, entendió lo que tenía que hacer. No solo por Edward, sino por Olivia. Y quizá también por sí mismo.

15

A la mañana siguiente Olivia ya no se encontraba tan mal. Al parecer, la luz del día y un sueño reparador podían levantar mucho los ánimos, aun cuando no hubiese llegado a ninguna gran conclusión.

Por qué lloré anoche.
Por Olivia Bevelstoke.

En realidad no lloré,
pero lo parecía.

Decidió enfocarlo desde otro punto de vista:

Por qué no lloré anoche.
Por Olivia Bevelstoke.

Suspiró. No tenía ni idea.

Claro que puede que se engañase a sí misma. De modo que decidió no pensar en ello, por lo menos, hasta que lograse desayunar algo. Con el estómago lleno pensaba con más criterio.

Estaba en pleno proceso de la rutina matinal, procurando quedarse quieta mientras su doncella le recogía el pelo, cuando llamaron a la puerta.

—¡Adelante! —gritó, y a continuación le susurró a Sally—: ¿Has pedido que me suban chocolate?

Sally cabeceó y ambas levantaron la vista cuando entró una criada anunciándole a Olivia que sir Harry la esperaba en el salón.

—¿A estas horas de la mañana? —Eran casi las diez, no es que rayase el alba precisamente, pero aun así era demasiado temprano para recibir la visita de un caballero.

—¿Quiere que le pida a Huntley que le diga a sir Harry que está usted ocupada?

—No —contestó Olivia. Harry no vendría a verla tan temprano sin una razón de peso—. Dígale que enseguida bajo, por favor.

—Pero no ha desayunado, milady —dijo Sally.

—Estoy convencida de que no moriré de inanición por saltarme un desayuno. —Olivia levantó el mentón y observó su reflejo en el espejo. Sally le estaba haciendo un peinado bastante sofisticado, con trenzas, pasadores y al menos una docena de horquillas—. ¿Qué tal si me haces algo más sencillo esta mañana?

Sally se desinfló.

—Ya llevamos más de la mitad del peinado, se lo aseguro.

Pero Olivia ya se estaba sacando horquillas.

—Creo que bastará con un sencillo moño.

Sally suspiró y empezó a rehacerle el peinado. Al cabo de diez minutos Olivia estuvo lista y se dirigió escaleras abajo, intentando ignorar el mechón de pelo que se le había soltado con las prisas y había que esconder detrás de la oreja. Cuando llegó al salón, sir Harry estaba sentado en el otro extremo, frente al pequeño escritorio que había junto a la ventana.

Daba la impresión de que estaba... ¿trabajando?

—Sir Harry —dijo ella mirándolo con cierta perplejidad—. Es muy pronto.

—He llegado a una conclusión —le dijo él poniéndose de pie.

Olivia lo miró con expectación. Parecía tan... *categórico*...

Harry juntó las manos frente al cuerpo, en una postura relajada.

—No puedo consentir que esté usted a solas con el príncipe.

Eso mismo había dicho la noche anterior, pero ¡qué se le iba a hacer!

—Tan solo hay una solución —continuó—. Seré su guardaespaldas.

Ella lo miró atónita.

—Él tiene a Vladimir y usted me tendrá a mí.

Ella seguía mirándolo, todavía atónita.

—Hoy me quedaré aquí con usted —explicó.

Olivia parpadeó varias veces y por fin fue capaz de hablar.

—¿En mi salón?

—Sí, pero no piense que tiene que darme conversación —dijo Harry señalando los diversos papeles que había esparcido sobre el pequeño escritorio—. Me he traído cosas para hacer.

¡Santo cielo! ¿Acaso pretendía mudarse a su casa?

—¿Se ha traído trabajo?

—Lo lamento, pero de verdad que no puedo perder todo un día.

Ella abrió la boca, pero tardó varios segundos en exclamar:

—¡Oh!

Porque ¿qué más podía haber dicho ante aquello?

Harry le dedicó lo que ella supuso que él consideraba una sonrisa alentadora.

—¿Por qué no se va a buscar un libro y me hace compañía? —preguntó él, señalando la zona de estar del centro de la habitación—. ¡Vaya, si no le gusta leer! Bueno, el periódico también vale. Siéntese.

De nuevo tardó unos instantes en conseguir hablar.

—¿Me está invitando a hacerle compañía en *mi* salón?

Harry la miró fijamente y luego dijo:

—Preferiría que estuviéramos en el mío, pero no creo que eso fuera aceptable.

Olivia asintió despacio, no porque estuviese de acuerdo con él, aunque se imaginaba que sí lo estaba, por lo menos en la última frase.

—Estamos de acuerdo, entonces —confirmó él.

—¿Qué?

—Está asintiendo con la cabeza.

Olivia dejó de asentir.

—¿Le importa si me siento? —le preguntó Harry.

—¿Sentarse?

—Lo cierto es que debo seguir trabajando —le explicó él.

—Trabajando —repitió ella, que esa mañana estaba de lo más locuaz.

Harry la miró con las cejas arqueadas, y solo entonces ella se dio cuenta de que lo que él *quería decir* era que no se podía sentar hasta que ella lo hiciera.

—Por favor... —Así empezó la frase Olivia para decirle: «Por favor, como si estuviese usted en su casa», porque tras más de veinte años tenía grabadas a fuego las fórmulas de cortesía. Pero el sentido común (y tal vez en buena medida el instinto de supervivencia) se impuso y optó por decir—: No debería sentirse en la obligación de pasar aquí el día entero, en serio.

Harry apretó los labios con fuerza y de las comisuras de la boca se desplegaron unas diminutas arrugas. Había cierta firmeza en su oscura mirada, fija y penetrante.

Olivia comprendió que no estaba pidiéndole permiso. Le estaba diciendo lo que tenía que hacer.

Eso debería haberla enfurecido. Era lo que más detestaba en un hombre. Pero lo único que hizo fue quedarse ahí, toda turbada. Cayó en la cuenta de que sus pies empezaban a retorcerse en las chinelas, querían ponerse de puntillas, y de pronto sintió que su cuerpo era demasiado ligero para seguir en contacto con el suelo.

Se agarró del respaldo de una silla. Tenía la sensación de que iba a flotar en el aire. Tal vez debería haber desayunado.

Aunque en realidad eso no explicaba la extraña sensación que se había apoderado de ella un poco por debajo de su estómago.

Miró a Harry. Estaba diciendo algo, pero ella no lo escuchaba. Ni siquiera le oía, no oía nada más que una perversa vocecilla interior que le decía que mirase la boca de Harry, que mirase esos labios y...

—¿Olivia? ¿Olivia?

—Lo siento —dijo ella. Apretó una pierna contra otra, pensando que mover un poco los músculos la sacaría de su trance. Además, tampoco se le ocurrió ninguna otra parte del cuerpo que quedase fuera del alcance de la vista de Harry.

Pero al parecer lo único que eso hizo fue... inquietarla más.

Él ladeó un poco la cabeza; parecía... ¿preocupado? ¿Divertido? Difícil saberlo.

Olivia tenía que controlarse. Ya. Se aclaró la garganta.

—Me decía que...

—¿Se encuentra usted bien?

—Perfectamente —respondió ella en tono seco. Le gustó su forma de decirlo, contundente y seria, pronunciando con claridad cada consonante.

Harry la observó unos instantes, pero Olivia no pudo llegar a descifrar su expresión. O quizá simplemente no *quisiese* descifrarla porque, de hacerlo, intuía que descubriría que él la estaba mirando como si de repente ella fuese a ladrar como un perro.

Le dedicó a Harry una sonrisa forzada y dijo de nuevo:

—Me decía que...

—Le decía —dijo él con lentitud— que lo siento, pero no puedo consentir que esté usted a solas con ese hombre. Y no me diga que Vladimir estaría presente, porque él apenas cuenta.

—No —replicó ella y se puso a pensar en su última e inquietante conversación con el príncipe—, no iba a decir eso.

—Bien. Entonces, ¿estamos de acuerdo?

—Pues sí —contestó Olivia— en lo de no querer estar a solas con el príncipe Alexei, pero... —Carraspeó con la esperanza de que eso pudiera ayudarle a centrarse de nuevo. Necesitaba mantener mejor la calma delante de este hombre. Era muy inteligente y conseguiría de ella lo que se propusiera, si no permanecía con los pies en la tierra. Y eso quería decir *en* la tierra, no despegándose de esta. Volvió a carraspear. Y luego una vez más, porque de tanto carraspear le estaba empezando a picar la garganta.

—¿Necesita beber algo? —le preguntó Harry solícito.

—No, gracias. Lo que intentaba decir era que... seguramente entenderá que no estoy sola aquí. Tengo unos padres.

—Sí —replicó él, que no pareció demasiado impresionado por su razonamiento—, eso tengo entendido, aunque yo no los he visto nunca; en todo caso, no aquí.

Ella frunció las cejas y miró hacia el recibidor por encima de su hombro.

—Creo que mi madre aún duerme.

—A eso me refería precisamente —dijo Harry.

—Le agradezco el gesto —dijo ella—, pero debo decir que es bastante improbable que el príncipe, ni nadie más en realidad, venga a verme tan temprano por la mañana.

—Estoy de acuerdo —le dijo Harry—, pero es un riesgo que no estoy dispuesto a correr. Aunque... —reflexionó unos instantes— si su hermano está dispuesto a bajar aquí y prometerme que no la perderá de vista en todo el día, yo me iré encantado.

—Eso presupone que *yo* quiera tenerlo cerca de *mí* durante todo el día —repuso Olivia con brusquedad.

—Entonces me temo que tendrá que conformarse conmigo.

Olivia miró a Harry.

Él la miró a ella.

Ella abrió la boca para hablar.

Él sonrió.

Olivia empezó a preguntarse por qué oponía tanta resistencia.

—Muy bien —dijo, apartándose al fin del umbral de la puerta y entrando en la sala—. Supongo que no tengo nada que perder.

—Ni siquiera notará que estoy aquí —le aseguró él.

Eso lo dudaba mucho.

—Pero solo porque no tengo ningún otro plan para esta mañana —le informó ella.

—Entendido.

Olivia lo fulminó con la mirada. Resultaba desconcertante no saber cuándo Harry hablaba en tono sarcástico.

—¡Esto es totalmente inadmisible! —murmuró ella, pero fiel a su palabra Harry ya se había vuelto a sentar frente al escritorio y estaba leyendo detenidamente los papeles que se había traído consigo. ¿Serían los mismos documentos en los que había trabajado con tanta diligencia cuando ella lo espiaba?

Olivia se acercó a él despacio y tomó un libro de una mesa. Necesitaba tener algo en las manos, algo en lo que escudarse si él reparaba en la atención con que ella lo observaba.

—Veo que ha decidido leer *La señorita Butterworth* —comentó Harry sin levantar la vista hacia ella.

Olivia se quedó boquiabierta. ¿Cómo sabía Harry que había alcanzado un libro? ¿Cómo sabía siquiera que lo estaba observando? No había apartado los ojos de los papeles de la mesa.

¿Y en serio había sido *La señorita Butterworth*? Indignada, Olivia descendió la mirada hacia el libro que tenía en las manos. Desde luego, podría haber alcanzado cualquier otro objeto al azar que no fuera ese.

—Estoy intentando abrir más la mente —dijo ella, arrellanándose en el primer asiento con el que topó.

—Una noble causa —repuso él sin alzar la vista.

Olivia abrió el libro y se concentró en él, pasando con fuerza las páginas hasta que dio con el punto en que se habían quedado dos días atrás.

—Palomas... Palomas... —murmuró.

—¿Qué?

—Nada, busco lo de las palomas —dijo ella con dulzura.

Harry sacudió la cabeza y a ella le pareció verlo sonreír, pero seguía sin levantar la vista.

Olivia suspiró con fuerza, luego lo miró de reojo.

Harry ni se inmutó.

Entonces ella se convenció de que la intención inicial del suspiro no había sido intentar atraer su atención. Había suspirado porque necesitaba sacar el aire, y si lo había hecho con fuerza, en fin, solía hacerlo así. Y como había hecho ruido, le había parecido *lógico* desviar la vista hacia él...

Volvió a suspirar. No a propósito, por supuesto.

Él siguió trabajando.

Posible contenido de los papeles de sir Harry.
Por Olivia Bevelstoke.

Continuación de La señorita Butterworth.
(¿Acaso no sería una maravilla que él resultara ser el autor?)
Continuación no autorizada de La señorita Butterworth,
porque es muy improbable que él escribiera el original,
por magnífico que eso fuese.
Un diario secreto... ¡con todos sus secretos!
Algo totalmente distinto.
El pedido de un sombrero nuevo.

Olivia soltó una risita.

—¿Qué es lo que encuentra tan divertido? —preguntó Harry, alzando por fin la mirada.

—Me es imposible explicárselo —contestó ella, procurando que no se le escapara la risa.

—¿Se está riendo de mí?

—Solo un poco.

Él enarcó una ceja.

—Vale, está bien, me estoy riendo a su costa, pero lo tiene merecido. —Olivia le sonrió esperando que él hiciese algún comentario, pero no hizo ninguno.

Lo cual fue decepcionante.

Retomó la lectura de *La señorita Butterworth,* pero aunque la pobre muchacha acababa de partirse ambas piernas en un terrible accidente en carruaje, la novela no era nada emocionante.

Olivia empezó a tamborilear sobre una de las páginas abiertas con los dedos. El ruido aumentó más... y más... hasta que pareció reverberar por toda la sala.

Al menos eso le pareció a ella, porque Harry ni se inmutó.

Entonces exhaló con fuerza y se concentró de nuevo en la señorita Butterworth y sus piernas rotas.

Volvió la página.

Y leyó. Y pasó otra. Y leyó. Y volvió la siguiente y...

—Ya va por el capítulo cuatro.

Olivia dio un respingo en el asiento, sobresaltada por el sonido de la voz de Harry tan cerca de su oreja. ¿Cómo era posible que se hubiese levantado sin darse ella cuenta?

—Tiene que ser bueno el libro —declaró.

Ella se encogió de hombros.

—No está mal.

—¿Se ha recuperado la señorita Butterworth de la viruela?

—¡Oh! Han pasado siglos desde eso. Acaba de romperse las dos piernas, le ha picado una avispa y por poco la venden como esclava.

—¿Todo eso en cuatro capítulos?

—Más bien tres —le dijo ella, señalando la cabecera visible en la página abierta—. Acabo de empezar el cuarto.

—Ya he acabado lo que tenía que hacer —anunció él bordeando el escritorio hasta plantarse frente al sofá.

¡Vaya! Ahora, *por fin*, podía preguntárselo.

—¿Qué estaba haciendo?

—Nada especialmente interesante. Un informe sobre la contabilidad de la producción de cereales en mi finca de Hampshire.

Al lado de lo que se había imaginado Olivia, esto fue un tanto decepcionante.

Harry tomó asiento en el otro extremo del sofá y cruzó un tobillo sobre la rodilla contraria. Era una postura muy informal, que reflejaba comodidad y familiaridad, y algo más...; algo que hizo que Olivia se sintiera a gusto, pero que la aturdía. Procuró pensar en otro hombre que pudiera sentarse junto a ella en tan relajada postura. Ninguno. Únicamente sus hermanos.

Y desde luego sir Harry Valentine no era su hermano.

—¿En qué piensa? —preguntó él con picardía.

Ella debió de poner cara de sorpresa, porque Harry añadió:

—Se ha sonrojado.

Olivia enderezó los hombros.

—No me he sonrojado.

—¡Claro que no! —exclamó él sin titubeos—. Es que hace mucho calor aquí dentro.

No era verdad.

—Pensaba en mis hermanos —comentó ella. En parte era cierto y eso debería poner fin a las imaginaciones de Harry acerca de su supuesto rubor.

—Me cae bien su hermano gemelo —dijo Harry.

—¿Winston? —¡Cielos! Podría haberle dicho que le gustaba colgarse de los árboles con los monos o comerse sus cagarrutas.

—Cualquiera que sea capaz de exasperarla no puede sino merecer mi admiración.

Ella lo miró ceñuda.

—¿Y me tengo que creer que usted era cariñoso e inofensivo con su hermana?

—En absoluto —repuso él sin vergüenza alguna—. Fui muy cruel. Pero... —Harry se inclinó hacia delante; su mirada era pura malicia— siempre lo hice con discreción.

—¡Venga, por favor! —Olivia tenía suficiente experiencia con sus hermanos varones como para saber que Harry no tenía ni idea de lo que hablaba—. Si lo que intenta es decirme que su hermana no estaba al tanto de sus trastadas...

—¡Oh, sí! Seguro que ella estaba enterada. Pero mi abuela, no —susurró Harry.

—¿Su abuela?

—Vino a vivir con nosotros cuando yo era pequeño. Sin duda, estaba más unido a ella que a mis padres.

Olivia se sorprendió a sí misma asintiendo con la cabeza, aunque no sabía muy bien por qué.

—Debía de ser adorable.

Harry soltó una carcajada.

—Mi abuela era muchas cosas, pero adorable, no.

Olivia no pudo evitar sonreír al preguntar:

—¿A qué se refiere?

—A que era muy... —agitó una mano en el aire mientras elegía las palabras— estricta. Y debería decir que de férreas convicciones.

Olivia pensó unos segundos en eso, y luego dijo:

—Me gustan las mujeres de convicciones férreas.

—Me lo puedo imaginar.

Ella notó que sonreía e inclinó el tronco hacia delante con una sensación de afinidad maravillosa, casi eufórica.

—¿Le habría caído bien yo?

Al parecer, la pregunta tomó desprevenido a Harry, que estuvo unos instantes con la boca abierta antes de decir, por fin, casi divertido por la pregunta:

—No, no creo que le hubiese caído bien.

Olivia notó que era ella la que se quedaba boquiabierta por la sorpresa.

—¿Hubiese preferido que le mintiera?

—No, pero...

Él rechazó su protesta con un gesto de la mano.

—Mi abuela tenía muy poca paciencia con todo el mundo. Despidió a seis de mis profesores particulares.

—¿Seis?

Harry asintió.

—¡Dios mío! —Olivia estaba asombrada—. Pues a mí me habría caído bien —murmuró—. Yo solo conseguí zafarme de cinco institutrices.

En el rostro de Harry se fue dibujando una sonrisa.

—¿Por qué será que no me sorprende?

Ella lo miró con el ceño fruncido, o eso intentó, porque le salió algo más parecido a una sonrisa.

—¿Cómo es posible —replicó Olivia— que no me haya hablado de su abuela?

—No me lo ha preguntado.

¿Qué se creía Harry, que ella iba por ahí preguntándole a la gente por sus abuelos? Pero entonces se paró a pensar... ¿Qué *sabía* de él en realidad?

Muy poco. La verdad es que muy poca cosa.

Y era curioso, porque conocía a Harry. Estaba convencida de que lo conocía. Y entonces comprendió que conocía al hombre, pero no las circunstancias que lo habían hecho ser como era.

—¿Cómo eran sus padres? —preguntó ella de pronto.

Él la miró un tanto sorprendido.

—Es cierto, no le he preguntado si tuvo usted abuela —dijo ella a modo de explicación—. ¡Debería darme vergüenza no haber pensado en ello!

—Muy bien. —Pero Harry no contestó en el acto. Se le movieron los músculos de la cara, no lo bastante como para desvelar lo que pensaba, pero más que suficiente para darle a entender a Olivia que estaba pensando y que no acababa de saber muy bien cómo responder. Y entonces dijo—: Mi padre era un borracho.

El libro de *La señorita Butterworth*, que Olivia ni siquiera había sido consciente de estar sujetando todavía, se le escurrió de los dedos y cayó sobre su regazo.

—Era un borracho bastante afable, pero curiosamente eso no mejora mucho el asunto. —El rostro de Harry no revelaba emoción alguna. Incluso sonreía, como si todo fuese una broma.

Era más fácil así.

—Lo siento —le dijo ella.

Harry se encogió de hombros.

—No sabía controlarse.

—Es que es muy difícil —dijo Olivia en voz baja.

Harry se giró, bruscamente, porque hubo un no sé qué en su voz, cierta humildad, quizás hasta cierta... comprensión.

Pero no podía ser. Imposible viniendo de Olivia. Tenía una familia unida y feliz, un hermano que se había casado con su mejor amiga y unos padres que se preocupaban sinceramente por ella.

—Mi hermano —dijo ella—. El que se casó con mi amiga Miranda, no creo habérselo contado, pero estuvo casado con anterioridad. Su primera esposa era aborrecible. Y luego falleció. Y entonces..., no sé, creímos que a él le alegraría librarse de ella, pero se le veía cada vez más hundido. —Hubo un silencio y a continuación dijo—: Bebió muchísimo.

«No es lo mismo», quiso decir Harry, porque a ella no le había pasado con su padre, con la persona que se supone que tiene que amarte y protegerte, y hacer que tu mundo sea un lugar justo y estable. No era lo mismo porque seguro que Olivia no había limpiado las vomitonas de su hermano ciento veintisiete veces. Ni había tenido una madre que nunca parecía tener nada que decir, y no... No era lo mismo, ¡maldita sea! No era...

—No es lo mismo —dijo Olivia en voz baja—. De ninguna manera.

Y con esas palabras, con esas dos breves frases, todo su mundo interior, todos esos sentimientos que habían estado atormentándolo se apaciguaron. Encontraron la paz.

Ella le dedicó una tímida sonrisa. Un esbozo de sonrisa, pero auténtico.

—Aunque creo que puedo hacerme una idea. Por alguna razón, él miró hacia abajo, hacia las manos de Olivia, que descansaban sobre el libro que tenía en el regazo, y a continuación hacia el sofá, de rayas de color verde claro. No es que Olivia y él estuvieran sentados justo el uno al lado del otro; entre ellos aún hubiese cabido tranquilamente otra persona. Pero estaban en el mismo sofá, y si él alargaba la mano y ella alargaba la suya...

Harry contuvo el aliento.

Porque ella acababa de alargar la mano.

16

Harry no pensó en lo que hizo. Le habría sido imposible pensarlo, porque de ser así, jamás lo habría hecho. Pero cuando ella alargó la mano...

Él la agarró.

Solo en ese momento se dio cuenta de lo que había hecho, y quizá solo en ese momento ella también se dio cuenta de lo que había iniciado, pero para entonces ya era demasiado tarde.

Harry se acercó los dedos de Olivia a los labios y los besó uno a uno, justo en la base junto a los nudillos, donde ella llevaría un anillo. Donde en la actualidad no llevaba ninguno. Donde, en un ataque de imaginación que ponía los pelos de punta, la vio llevando un anillo que *él* le regalase.

Eso debería haber servido de aviso. Debería haberle provocado el miedo suficiente para hacer que le soltara la mano y huyese despavorido de la sala, de la casa y de su compañía para siempre.

Pero no le amedrentó. Harry no apartó la mano de Olivia de sus labios, incapaz de despegarse del tacto de su piel.

Olivia era afectuosa y dulce.

Temblaba.

Al fin, él la miró a los ojos. Los tenía muy abiertos, miraban a Harry con inquietud... y confianza... y... ¿deseo tal vez? No podía estar seguro, porque sabía que *ella* no podía estarlo. No conocía el deseo, no entendería la dulce tortura que suponía, lo que era desear físicamente a otro ser humano.

Él sí lo conocía, y cayó en la cuenta de que lo había sentido casi constantemente desde que la conoció. Se había producido ese primer momento de atracción química, era cierto, pero eso no era trascendental. En aquel entonces no la conocía, ni siquiera le caía bien.

Pero ahora... era distinto. No era solo su belleza lo que él deseaba, ni la curva de su pecho o el sabor de su piel. La deseaba a *ella*. A todo su ser. Deseaba lo que fuese que la impulsaba a leer periódicos en lugar de novelas, y deseaba ese ligero espíritu transgresor que le hacía abrir una ventana y leerle a Harry noveluchas de un edificio a otro.

Deseaba su afilado ingenio, la expresión triunfal de su rostro cuando le arponeaba con una respuesta especialmente acertada. Y deseaba su cara de absoluto desconcierto cuando él se apuntaba un tanto.

Deseaba la pasión que escondía su mirada y deseaba el sabor de sus labios, y sí, deseaba tenerla bajo su cuerpo, encima de este, rodeándolo en todas las posturas posibles, de todas y cada una de las formas.

Se tenía que casar con ella, así de sencillo.

—¿Harry? —susurró Olivia, y la mirada de este se posó en sus labios.

—Voy a besarla —le dijo él en voz baja, sin pensar, sin ni siquiera contemplar la posibilidad de que pudiera ser algo que debiera preguntarle.

Se inclinó hacia delante y, en ese último segundo antes de que sus labios tocaran los de Olivia, se redimió. Sintió que volvía a nacer.

Entonces la besó, el primer contacto fue dolorosamente ligero, no pasó de un roce de sus labios contra los de ella, pero saltaron chispas. Fue impresionante en el sentido más amplio de la palabra. Harry echó el cuerpo hacia atrás, lo suficiente para ver la expresión de Olivia. Esta lo miraba fijamente con asombro y con sus ojos azul aciano engulléndolo.

Olivia susurró su nombre.

Y él perdió el control. La estrechó de nuevo contra su cuerpo, esta vez con la pasión corriendo por sus venas. La besó con avidez, perdiendo todo comedimiento, y antes de darse cuenta tenía las manos en el pelo de Olivia, del que empezaron a caer las horquillas, y lo único en lo que podía pensar era que quería volver a verla con el pelo suelto.

Con el pelo suelto cubriendo su piel. Y sin nada más.

El cuerpo de Harry, ya en tensión por el deseo, se puso increíblemente duro, y en un condenado arrebato de cordura comprendió que si no la apartaba de sí de inmediato, le arrancaría la ropa que llevaba puesta y la poseería allí mismo, en el salón de sus padres.

Con la puerta abierta.

¡Santo Dios!

Le puso las manos en los hombros, no tanto para empujarla a ella hacia atrás como para apartarse él.

Durante unos instantes no pudieron hacer otra cosa más que mirarse fijamente el uno al otro. A ella se le estaba deshaciendo el recogido y estaba divina y maravillosamente despeinada. Olivia se llevó una mano a la boca, sus dedos índice, corazón y anular tocando sus labios con asombro.

—Me ha besado —susurró ella.

Él asintió.

Los labios de Olivia esbozaron una sonrisa.

—Creo que le he devuelto el beso.

Harry asintió de nuevo.

—Así es.

Parecía que ella iba a decir algo más, pero entonces se giró hacia la puerta. Y desplazó la mano, que tenía aún cerca del rostro, hasta su pelo.

—Supongo que querrá rehacerse eso —dijo él, sus propios labios dibujando una temblorosa sonrisa.

Olivia asintió. Y de nuevo dio la impresión de que iba a hablar, pero no lo hizo. Reunió todo su pelo en la nuca formando con la mano una cola de caballo y entonces se levantó.

—¿Estará aquí cuando vuelva? —le preguntó a Harry.

—¿Quiere que esté?

Ella asintió.

—Entonces, aquí estaré —dijo él, aunque habría contestado lo mismo de haber dicho ella que no.

Olivia volvió a asentir y se apresuró hacia la puerta. Sin embargo, antes de marcharse, se giró por última vez y miró hacia Harry.

—Yo… —balbució, pero se limitó a sacudir la cabeza.

—¿Usted, qué? —preguntó él, incapaz de ocultar la tierna alegría de su voz.

Ella se encogió de hombros con impotencia.

—No lo sé.

Harry se echó a reír. Y ella se rio. Y mientras escuchaba el sonido cada vez más lejano de los pasos de Olivia, decidió que era un momento perfecto.

En todos los sentidos posibles.

Harry estaba sentado aún en el sofá cuando, minutos más tarde, el mayordomo entró en el salón.

—El príncipe Alexei Gomarovsky solicita ver a lady Olivia —anunció. Hizo un alto y se asomó para echar un vistazo a la sala—. ¿Lady Olivia?

Harry empezó a decirle que volvería enseguida, pero el príncipe ya había entrado en la habitación con paso airado.

—Seguro que me recibirá —le estaba diciendo al mayordomo.

«Pero me ha besado a mí», quiso cacarear Harry. Era una sensación absolutamente maravillosa la suya. Había ganado y el príncipe había perdido. Y si bien un caballero no debía presumir de sus conquistas, Harry estaba convencido de que para cuando Alexei saliera de casa de los Rudland, sabría quién se había ganado el favor de Olivia.

Entonces se sintió un poco culpable por lo mucho que ansiaba eso.

Nunca había dicho que no fuera un hombre competitivo.

—¡Usted! —dijo el príncipe Alexei. De hecho, sonó un poco acusatorio.

Harry sonrió con desgana al tiempo que se levantaba para saludarle.

—Yo.

—¿Qué está haciendo aquí?

—He venido a ver a lady Olivia, claro. ¿Qué hace *usted* aquí?

El príncipe decidió responder a eso con una mueca de desdén.

—¡Vladimir! —bramó.

Vlad el Empalador (como había empezado a llamarlo Harry) entró en la sala aporreando el suelo con los pies y le dedicó a Harry una hosca mirada antes de volverse hacia su señor, que estaba preguntándole (en ruso, por supuesto) qué había averiguado hasta el momento sobre Harry.

—*Poka nitchevo.* (Aún nada.)

Por lo que Harry estuvo muy agradecido. No era *vox populi* que hablaba ruso, pero tampoco era un secreto. No haría falta indagar mucho para descubrir que su abuela descendía de una familia rusa de abolengo.

Lo que no implicaba *necesariamente* que él hubiese aprendido el idioma, pero el príncipe tendría que ser idiota para no hacerse esa pregunta. Y si bien Alexei era un grosero y un lujurioso, no era idiota, al margen de lo que Harry pudiese haber dicho de él hasta el momento.

—¿Ha tenido Vuestra Alteza una mañana agradable? —le preguntó Harry con su voz más amable.

El príncipe Alexei le clavó una mirada con la clara intención de que esa fuera toda su respuesta.

—Mi mañana está siendo estupenda —continuó Harry volviéndose a sentar.

—¿Dónde está lady Olivia?

—Creo que ha subido arriba. Tenía algo que... mmm... hacer. —Harry hizo un pequeño movimiento junto a su pelo, que decidió dejar que el príncipe interpretase como quisiera.

—La esperaré —dijo Alexei en su tono entrecortado habitual.

—¡Claro! —repuso Harry con afabilidad mientras señalaba el sillón de enfrente. Esto le valió otra mirada iracunda, seguramente merecida, ya que no le correspondía a él hacer de anfitrión.

Aun así la situación era divertidísima.

Alexei se dio un ligero golpe en el faldón de la levita y tomó asiento, sus labios sellados en una firme y tensa línea. Miró al frente con la clara intención de ignorar a Harry por completo.

Lo cual no habría supuesto ningún problema para Harry, puesto que no tenía especiales ganas de interactuar con el príncipe en cuestión, solo que se sentía un poco superior a este, ya que era a *él* a quien Olivia había decidido besar y *no* a Su Alteza, a pesar de que Harry no pertenecía a la realeza, ni a la aristocracia, ni a todo eso que el príncipe Alexei tanto valoraba.

Y esto mezclado con las actuales instrucciones de Harry procedentes del Ministerio de Guerra, de las que podía inferirse que debía hacer lo posible para ser la peor pesadilla del príncipe ruso, en fin...

Nada más lejos de su intención que rehuir sus deberes patrióticos.

Harry se incorporó lo justo para alcanzar *La señorita Butterworth* de la mesa y a continuación se volvió a sentar, canturreando mientras daba con la página en la que Olivia y él se habían quedado dos días antes, cuando la pobre Priscilla perdía a su familia a causa de la viruela.

—Hmm hmm hmmm hmmmmmm hmm hmm...

Alexei le lanzó una brusca mirada de fastidio.

—Estoy cantando *Dios salve al Rey* —le dijo Harry—. Por si se lo estaba preguntando.

—No me lo estaba preguntando.

—*Dios salve a nuestro gracioso Rey, larga vida a nuestro noble Rey. ¡Dios salve al Rey!*

El príncipe movió los labios, pero entre dientes dijo:

—Conozco la melodía.

Harry dejó que el volumen de su voz aumentara un poco:

—*Que le haga victorioso, feliz y glorioso. Que tenga un largo reinado sobre nosotros. ¡Dios salve al Rey!*

—Acabe con su canto infernal.

—Solo estaba siendo patriótico —dijo Harry, volviendo a la carga—: *¡Oh, Señor, nuestro Dios, dispersa a sus enemigos y hazlos caer!*

—Si estuviésemos en Rusia, habría ordenado que lo arrestaran.

—¿Por cantar el himno de mi país? —murmuró Harry.

—No necesitaría razón alguna aparte de mi propia complacencia.

Harry pensó en ello, se encogió de hombros y prosiguió:

—*Confunde sus políticas, frustra sus viles tretas, en ti depositamos nuestras esperanzas, ¡que Dios nos salve a todos!*

Hizo una pausa porque decidió que el último verso no era necesario. Prefería terminar con las «viles tretas».

—Somos un pueblo muy justo —le dijo al príncipe—. Lo digo por si se ha sentido aludido por el «todos».

Alexei no respondió, pero Harry reparó en que tenía las dos manos cerradas en un puño.

Harry devolvió la atención a *La señorita Butterworth* tras decidir que esta parte del espionaje no le disgustaba. No se había divertido tanto fastidiando a alguien desde...

Nunca.

Al pensar eso sonrió para sus adentros. Ni siquiera atormentando a su hermana había disfrutado tanto. Y Sebastian nunca se tomaba nada en serio, así que era imposible hacerle enfadar.

Harry canturreó los primeros compases de *La Marsellesa,* únicamente para observar la reacción del príncipe (su cara se encendió por la ira), y luego se puso a leer. Fue pasando páginas porque de pronto consideró que no tenía ningún interés en los años de formación de Priscilla Butterworth, y por fin se decidió por la página 1 44, en la que por lo visto se hablaba de locura y desfiguración, y había insultos y lágrimas; todos los requisitos de una novela extraordinaria.

—¿Qué lee? —preguntó el príncipe Alexei.

Harry alzó la vista de forma distraída.

—¿Cómo dice?

—¿Qué lee? —le espetó el príncipe.

Harry desvió los ojos hacia el libro y luego los levantó de nuevo hacia Alexei.

—Me ha parecido intuir que no deseaba usted hablar conmigo.

—Cierto, pero siento curiosidad. ¿Qué libro es?

Harry sostuvo el libro en el aire para que el príncipe pudiese ver la cubierta.

—*La señorita Butterworth y el barón loco.*

—¿Eso es lo que lee todo el mundo en Inglaterra? —se burló el príncipe.

Harry pensó en ello.

—No lo sé. Lady Olivia lo está leyendo. Y creo que yo también lo haré.

—¿No es este el libro que ella dijo que no le gustaría?

—Sí, creo que sí —murmuró Harry—. Y no la culpo.

—Léame un poco.

Primer tanto para el príncipe. Harry estaba casi tan sorprendido como si el príncipe se hubiese acercado hasta él y le hubiera besado en los labios.

—No creo que le guste —dijo Harry.

—¿Le gusta a usted?

—No mucho —contestó él sacudiendo la cabeza. No era cierto del todo, porque le encantaba escuchar a Olivia cuando le leía en voz alta o leerle en voz alta a ella. Pero por alguna razón dudaba que las palabras tuviesen la misma magia compartidas con el príncipe Alexei Gomarovsky de Rusia.

El príncipe levantó el mentón e inclinó un poco la cabeza. Fue como si estuviese posando para un retrato, observó Harry. Ese hombre se pasaba la vida actuando como si posara para un retrato.

Si no fuera tan imbécil, se habría compadecido de él.

—Si lady Olivia lo está leyendo —dijo el príncipe—, yo también quiero leerlo.

Harry hizo una pausa para asimilar eso. Supuso que por el bien de las relaciones anglo-rusas podía renunciar a *La señorita Butterworth.* Cerró el libro y se lo ofreció.

—No. Léamelo usted.

Harry decidió obedecer. Era una petición tan estrafalaria que no se atrevió a decir que no. Además, Vladimir había dado dos pasos hacia él y empezaba a gruñir.

—Como Su Alteza desee —dijo Harry, arrellanándose una vez más con el libro—. Me imagino que le gustaría empezar por el principio.

Alexei contestó con un simple y regio asentimiento de cabeza.

Harry volvió al principio.

—Era una noche oscura y ventosa, y la señorita Priscilla Butterworth estaba convencida de que, de un momento a otro, empezaría a llover, y caería del cielo una incesante cortina de agua que mojaría cuanto había dentro de su ámbito. —Alzó la vista—. Por cierto que la palabra «ámbito» no se ha empleado correctamente.

—¿Qué es esa «cortina»?

Harry repasó el texto.

—Mmm... No es más que una forma de hablar. Parecida a la de «llover a cántaros».

—Eso sí que me parece una estupidez.

Harry se encogió de hombros. La verdad es que nunca le había gustado mucho su idioma.

—¿Continúo?

De nuevo un asentimiento de cabeza.

—Naturalmente, dentro de su diminuta habitación estaba guarecida de las inclemencias del tiempo, pero los marcos de las ventanas...

—El señor Sebastian Grey —anunció la voz del mayordomo.

Con cierta sorpresa, Harry levantó la mirada del libro.

—¿Ha venido a ver a lady Olivia? —preguntó.

—Ha venido a verlo a usted —le informó el mayordomo, que parecía desconcertado con todo el asunto.

—¡Ah! En ese caso hágalo pasar.

Sebastian entró instantes después y ya iba por la mitad de la frase:

—... me ha dicho que te encontraría aquí. Debo decir que me ha venido muy bien. —Frenó en seco y parpadeó unas cuantas veces mirando atónito al príncipe—. Alteza —saludó con una reverencia.

—Es mi primo —dijo Harry.

—Lo recuerdo —repuso Alexei con mucha frialdad—. Es un poco torpe con el champán.

—¡Qué vergüenza me dio! —dijo Sebastian, sentándose en un sillón—. Verá, soy un verdadero zopenco. La semana pasada, sin ir más lejos, manché de vino al ministro de Hacienda.

Harry estaba bastante seguro de que Sebastian no había tenido nunca ocasión de estar con el ministro de Hacienda en una misma sala, y mucho menos lo bastante cerca como para echarle vino en las botas.

Pero esto se lo guardó para sí.

—¿Qué harán sus excelsas señorías esta tarde? —preguntó Sebastian.

—¿Ya es por la tarde? —preguntó Harry.

—Casi.

—Sir Harry me está leyendo en voz alta —dijo el príncipe.

Sebastian miró a Harry con declarado interés.

—Dice la verdad —confirmó Harry mientras levantaba el libro de *La señorita Butterworth.*

—*La señorita Butterworth y el barón loco* —leyó Sebastian con aprobación—. Magnífica elección.

—¿Lo ha leído? —preguntó Alexei.

—No es tan bueno como *La señorita Davenport y el enigmático marqués,* por supuesto, pero es infinitamente mejor que *La señorita Sainsbury y el misterioso coronel.*

Harry se quedó sin habla.

—En este momento estoy leyendo *La señorita Truesdale y el caballero mudo.*

—¿Mudo? —repitió Harry.

—Es que hay una falta de diálogo considerable —confirmó Sebastian.

—¿A qué ha venido? —le preguntó el príncipe sin rodeos.

Sebastian se volvió hacia él con expresión risueña, como si no percibiera que el príncipe sentía hacia él una aversión palpable.

—Necesito hablar con mi primo, claro. —Se arrellanó en su asiento y cualquiera hubiera dicho que pretendía pasarse allí el día entero—. Pero puedo esperar.

Harry no tenía una respuesta preparada para eso. Al parecer, el príncipe tampoco.

—Sigue —le instó Sebastian.

Harry no tenía ni idea de lo que hablaba.

—Leyendo. Creo que estaría bien escucharte. Hace siglos que no lo leo.

—¿Te vas a quedar aquí sentado mientras te leo en voz alta? —preguntó Harry con recelo.

—A mí y al príncipe Alexei —le recordó Sebastian, y cerró los ojos—. No te preocupes por mí. Así visualizo mejor la escena.

Harry había creído que nada podría hacerle sentir cierta complicidad con el príncipe, pero cuando intercambiaron miradas quedó claro que ambos pensaban que Sebastian estaba loco.

Harry se aclaró la garganta, retrocedió al principio de la frase y leyó:

—Naturalmente, dentro de su diminuta habitación estaba guarecida de las inclemencias del tiempo, pero los marcos de las ventanas vibraban con tal estruendo que esa noche le sería imposible conciliar el sueño.

Harry levantó la vista. El príncipe escuchaba con atención pese a la expresión aburrida de su cara. Sebastian estaba absolutamente embelesado.

O eso o se había quedado dormido.

—Acurrucada en su estrecha y fría cama, no pudo evitar recordar todos los acontecimientos que la habían conducido a este desolador momento, en esta desoladora noche. Pero no es aquí, queridos lectores, donde empieza nuestra historia.

Los ojos de Sebastian se abrieron de golpe.

—¿Aún vas por la primera página?

Harry arqueó una ceja.

—¿Acaso esperabas que Su Alteza y yo hubiéramos estado reuniéndonos cada tarde para llevar a cabo sesiones secretas de lectura?

—Dame el libro —le dijo Sebastian mientras alargaba el brazo y le arrancaba a Harry la novela de las manos—. Declamas fatal.

Harry se dirigió al príncipe:

—Es que tengo poca práctica.

—Era una noche oscura y ventosa —empezó a leer Sebastian, y Harry tuvo que reconocer que su tono era muy teatral. Hasta Vladimir había inclinado el cuerpo hacia delante para escuchar, y eso que no hablaba inglés—, *y la señorita Priscilla Butterworth estaba convencida de que, de un momento a otro, empezaría a llover, y caería del cielo una incesante cortina de agua que mojaría cuanto había dentro de su ámbito.*

¡Santo Dios! Parecía casi un sermón. Estaba claro que Sebastian se había equivocado de profesión.

—La palabra «ámbito» no se ha empleado correctamente —comentó el príncipe Alexei.

Sebastian levantó la mirada; en sus ojos había destellos de irritación.

—Por supuesto que sí.

Alexei señaló con un dedo a Harry.

—Él me ha dicho que no.

—Y así es —replicó Harry encogiéndose de hombros.

—¿Qué tiene de incorrecta? —quiso saber Sebastian.

—Da a entender que lo que la protagonista ve está bajo su poder o control.

—¿Y cómo sabes que no lo está?

—No lo sé —confesó Harry—, pero no da la impresión de que controle gran cosa. —Alargó la mirada hacia el príncipe—. Su madre muere picoteada por unas palomas.

—Cosas que pasan —dijo Alexei asintiendo.

Alarmados, tanto Harry como Sebastian desviaron la vista hacia él.

—No es fortuito —aclaró Alexei.

—Quizá convenga que revise mi deseo de viajar a Rusia —dijo Sebastian.

—Justicia rápida —declaró Alexei—. Es la única manera.

Harry no se podía creer lo que iba a preguntar, pero tenía que decirlo.

—¿Las palomas son rápidas?

Alexei encogió los hombros, muy posiblemente el gesto menos conciso y exacto que Harry le había visto hacer.

—La justicia es rápida. El castigo, no tanto.

La frase fue acogida en silencio y con miradas de perplejidad, luego Sebastian se giró hacia Harry y le dijo:

—¿Cómo sabías lo de las palomas?

—Me lo ha dicho Olivia. Lleva leídas más páginas que yo.

Sebastian apretó los labios con desaprobación. Harry, por su parte, se sorprendió. Era muy extraño ver esa expresión en el rostro de su primo. No recordaba la última vez que Sebastian había estado en contra de algo.

—¿Puedo continuar? —preguntó este, con su voz llena de amabilidad.

El príncipe asintió y Harry murmuró:

—Continúa, por favor. —Y todos se arrellanaron en sus asientos para escuchar.

Hasta Vladimir.

17

La segunda vez que Olivia se arregló el pelo tardó bastante más tiempo que la primera. Sally, aún molesta por haber tenido que dejar una trenza a mitad, echó un vistazo a sus cabellos y dijo con severidad:

—Se lo advertí.

Y aunque no era propio de Olivia sentarse sumisamente y tolerar semejante falta de respeto, sí se sentó con sumisión, puesto que no sabía cómo explicarle a Sally que la única razón por la que se le estaba deshaciendo el moño por momentos era que sir Harry Valentine había metido las manos en él.

—Ya está —declaró Sally, poniendo la última horquilla con una fuerza que ella consideró innecesaria—. Esto no se le caerá en toda la semana, si así lo desea.

A Olivia no le habría sorprendido que Sally le aplicase una capa de cola únicamente para mantener cada pelo en su sitio.

—No salga si llueve —le advirtió Sally.

Olivia se levantó y se dirigió hacia la puerta.

—No llueve.

—Podría hacerlo.

—Pero no... —Olivia no terminó la frase. ¡Cielos! ¿Qué hacía ahí de pie discutiendo con su doncella? Sir Harry estaba aún en el piso de abajo, esperándola.

Solo pensar en él le hizo sentir mariposas en el estómago.

—¿Por qué salta? —preguntó Sally recelosa.

Olivia se detuvo con la mano en el pomo de la puerta.

—No he saltado.

—Estaba usted haciendo... —Sally dio un pequeño y gracioso salto— esto.

—Estoy saliendo tranquilamente de la habitación —comentó Olivia. Salió al pasillo—. ¡Muy tranquilamente! Soy como el portador de un féretro... —Se giró para asegurarse de que Sally estaba lo bastante lejos como para no oírla, y salió disparada escaleras abajo.

Al llegar a la planta baja sí que optó por un paso tranquilo al estilo de los portadores de féretros, y tal vez por eso sus pisadas fueron tan silenciosas que llegó al salón sin que nadie se hubiese dado cuenta de que se acercaba.

Lo que vio...

Realmente no había palabras para describirlo.

Se quedó en el umbral de la puerta, pensando que este sería un momento estupendo para elaborar una lista titulada *Cosas que no espero ver en mi salón,* pero no estaba segura de que se le fuera a ocurrir nada que superara lo que *sí* estaba viendo en su salón: a Sebastian Grey, de pie, encima de una mesa, leyendo (con gran emoción) *La señorita Butterworth y el barón loco.*

Y, por si eso no fuera suficiente (y la verdad es que debería haber bastado, porque ¿qué hacía Sebastian Grey en casa de los Rudland?), Harry y el príncipe estaban sentados uno al lado del otro en el sofá, y ninguno parecía haber sufrido daños físicos a manos del otro.

Fue entonces cuando Olivia reparó en las tres criadas, que, sentadas en un sofá de un rincón, miraban a Sebastian embobadas.

Puede que una de ellas hasta tuviera los ojos llorosos.

Y estaba Huntley, de pie en un lateral, boquiabierto y embargado por la emoción.

—*¡Abuela! ¡Abuela!* —decía Sebastian en un tono de voz más agudo de lo habitual—. *No te vayas. Te lo suplico. Por favor, por favor, no me dejes aquí sola.*

Una de las criadas empezó a llorar discretamente.

—*Priscilla permaneció frente a la mansión durante varios minutos; una pequeña y solitaria figura que observó el carruaje alquilado por su abuela recorriendo a toda velocidad el sendero y desapareciendo de su vista. Había sido abandonada en la puerta de Fitzgerald Place, desechada como ese paquete que uno ya no quiere.*

Otra de las criadas empezó a gimotear. Estaban todas agarradas de la mano.

—*Y nadie* —la voz de Sebastian adoptó un registro entrecortado y dramático— *sabía que estaba allí. Su abuela ni siquiera había llamado a la puerta para alertar a sus primos de su llegada.*

Huntley sacudía la cabeza, con sus ojos muy abiertos por el susto y la pena. Era la mayor emoción que Olivia había visto exteriorizar nunca al mayordomo.

Sebastian cerró los ojos y se llevó una mano al pecho.

—*No tenía más que ocho años.*

Cerró el libro.

Silencio. Silencio total. Olivia recorrió la sala con la mirada, cayendo en la cuenta de que nadie sabía que estaba ahí.

Y entonces...

—¡Bravo! —Huntley fue el primero en mostrar su entusiasmo, aplaudiendo con gran fervor. Las criadas fueron las siguientes en unirse a él, gimoteando entre aplauso y aplauso. Hasta Harry y el príncipe aplaudieron, si bien la cara del primero reflejaba más diversión que cualquier otra cosa.

Sebastian abrió los ojos y fue el primero en ver a Olivia.

—Lady Olivia —dijo con una sonrisa—, ¿cuánto tiempo lleva ahí de pie?

—Desde que Priscilla le suplicaba a su abuela que no se fuera.

—Era una mujer despiadada —dijo Huntley.

—Hizo lo que había que hacer —defendió el príncipe.

—Con el debido respeto, Vuestra Alteza...

Olivia se quedó boquiabierta. ¿Estaba su mayordomo discutiendo con la realeza?

—... si se hubiese esforzado un poco más...

—No habría podido dar de comer a la niña —interrumpió el príncipe—. Cualquier idiota entendería eso.

—Ha sido desgarrador —dijo una de las criadas.

—Yo he llorado —dijo otra.

La tercera asintió, al parecer incapaz de hablar.

—Es usted un magnífico orador —continuó la primera.

Sebastian les dedicó a las tres una sonrisa arrebatadora.

—Gracias a ustedes por escuchar —murmuró.

Ellas suspiraron.

Olivia se frotó los ojos, intentando todavía entender la escena. Se volvió a Harry con mirada escrutadora. Seguro que él tenía una explicación.

—La verdad es que leída por Sebastian la novela mejora bastante —le dijo a Olivia.

—Tampoco era difícil mejorarlo —susurró ella.

—Debería traducirse al ruso —dijo el príncipe—. Sería un gran éxito.

—Creía que había dicho que tenían ustedes una literatura muy profunda —comentó Olivia.

—Esto es muy profundo —replicó él—. Como una zanja.

—¿Quieren que empiece el siguiente capítulo? —preguntó Sebastian.

—¡Sí! —La respuesta fue sonora.

—¡Sí, por favor! —suplicó una de las criadas.

Olivia aún seguía petrificada, mirando frenéticamente de un lado al otro. Por espléndida que fuese la actuación de Sebastian, no estaba segura de poder aguantar sentada escuchando un capítulo entero sin reírse. Con lo que no se ganaría la simpatía de..., bueno, de nadie. Lo que desde luego no quería era caer en desgracia ante Huntley. Todo el mundo sabía que era él quien dirigía la casa.

Tal vez eso significara que podía escabullirse. Aún no había desayunado y tampoco había acabado de leer el periódico. Si Sebastian se ocupaba de entretener a todos los invitados (y también al personal de la casa, aunque Olivia estaba dispuesta a pasar eso por alto), podría escaparse al salón de desayunos y leer.

O quizás irse de tiendas. Necesitaba un sombrero nuevo.

Estaba meditando sobre sus opciones cuando de pronto habló Vladimir. En ruso, por supuesto.

—Dice que usted debería haber sido actor —le dijo Alexei a Sebastian.

Sebastian sonrió complacido e hizo una reverencia en dirección a Vladimir.

—*Spasibo* —dijo, dándole las gracias.

—¿Habla usted ruso? —preguntó el príncipe, girándose bruscamente hacia Sebastian.

—Sé solo cuatro cosas básicas —contestó al punto Sebastian—. Sé decir «Gracias» en catorce idiomas. Y «Por favor» solo en doce, por desgracia.

—¿De veras? —preguntó Olivia, mucho más interesada en eso que en la declamación de *La señorita Butterworth*—. ¿En qué idiomas?

—También me sería útil saber cómo se dice «Necesito una copa» —le comentó Sebastian al príncipe.

—*Da* —le dijo este con aprobación—. En ruso se dice: *Ya nuzhdayus v napitkyeh.*

—*Spasibo* —contestó Sebastian.

—No, en serio —dijo Olivia, aunque nadie le prestaba atención—. Quiero saber en qué idiomas.

—¿Alguien sabe qué hora es? —preguntó Harry.

—Hay un reloj en la repisa de la chimenea —contestó Olivia sin mirarle—. Señor Grey —insistió.

—Un momento —le dijo él antes de dirigirse al príncipe—: Su criado ha despertado mi curiosidad —comentó—, porque no habla inglés, ¿verdad? ¿Cómo ha seguido la declamación?

El príncipe y Vladimir mantuvieron una breve conversación en ruso y entonces el primero se volvió hacia Sebastian y dijo:

—Me ha comentado que puede percibir la emoción de su voz.

Sebastian parecía encantado.

—Y que además sabe unas cuantas palabras —añadió el príncipe.

—Aun así… —murmuró Sebastian.

—Portugués —dijo Olivia mientras se preguntaba si alguien tenía la intención de hacerle un poco de caso esa tarde—. Quizás aprendió algo de portugués en el ejército. ¿Cómo se dice «Gracias» en portugués?

—*Obrigado* —intervino Harry.

Ella se giró hacia él un tanto sorprendida.

Harry se encogió ligeramente de hombros.

—Yo también aprendí un poco.

—*Obrigado* —repitió Olivia.

—Usted tiene que decir *obrigada* —dijo él—. No es muy probable que la confundan con un hombre.

No era el más halagador de los cumplidos, pero a pesar de eso decidió aceptarlo.

—¿Cuál es la lengua más rara en la que sabe dar las gracias? —le preguntó Olivia a Sebastian.

Este pensó en ello unos instantes y luego dijo:

—*Köszönöm.*

Olivia lo miró con expectación.

—Es magyar —dijo él, y al ver su cara de perplejidad añadió—: Lo hablan en algunas zonas de Hungría.

—¿Cómo sabe eso?

—No tengo ni idea —contestó Sebastian.

—Se lo enseñó una mujer —dijo el príncipe con picardía—. Por si no lo recuerda, se lo enseñó una mujer.

Olivia decidió que no valía la pena gastar energías en ofenderse por eso.

—*Kiitos* —dijo el príncipe Alexei, lanzándole a Sebastian una mirada de esas de «A ver si me ganas» antes de añadir—: Es finlandés.

—Mi agradecimiento más sincero —repuso Sebastian—. Mi repertorio es ahora de quince idiomas.

Olivia pensó en decir *merci*, pero decidió que solo haría el ridículo.

—¿Qué idiomas habla usted? —le preguntó el príncipe a Harry.

—Sí, Harry —dijo Sebastian—. ¿Qué idiomas sabes?

Harry miró a su primo con frialdad y después respondió:

—Me temo que no tengo ningún talento especial.

A Olivia le dio la impresión de que entre los dos primos había fluido cierta clase de diálogo no hablado, pero no tuvo ocasión de darle más vueltas porque Sebastian se giró hacia el príncipe y le preguntó:

—¿Cómo se dice «Por favor» en finlandés?

—*Ole hyvä.*

—Magnífico. —Asintió una sola vez, aparentemente archivando esa información en algún rincón de su mente—. Uno nunca sabe cuándo se puede topar con una preciosidad finlandesa.

Olivia se preguntaba cómo podría recuperar el control de su salón cuando oyó que llamaban a la puerta principal. Huntley se retiró en el acto para ir a abrir.

Regresó instantes después con un joven al que ella no conocía. Aunque... de estatura un poco superior a la media, pelo castaño oscuro... Casi con toda seguridad sería...

—Es Edward Valentine —anunció Huntley arqueando las cejas—. Ha venido a ver a sir Harry Valentine.

—¡Edward! —dijo al instante Harry, levantándose—. ¿Va todo bien?

—Sí, claro que sí —contestó Edward mientras echaba un vistazo a la sala abochornado. Era evidente que no se había imaginado tanta concurrencia. Le entregó un sobre a Harry—. Ha llegado esto para ti. Me han dicho que era urgente.

Harry tomó el sobre y se lo introdujo en el bolsillo de la chaqueta, y a continuación presentó a su hermano a todos los asistentes, incluyendo las tres criadas, que seguían sentadas en el sofá formando una ordenada fila.

—¿Qué hace Sebastian subido a una mesa? —preguntó Edward.

—Estoy entreteniendo a la tropa —contestó él mismo saludándole a lo militar.

—Sebastian nos estaba leyendo *La señorita Butterworth y el barón loco* —explicó Harry.

—¡Ah! —exclamó Edward, y se le iluminó la cara de entusiasmo por primera vez desde que había entrado en la sala—. Ya lo he leído.

—¿Te gustó? —le preguntó Sebastian.

—Es brillante. Divertidísimo. El lenguaje es un poco caprichoso en algunos pasajes, pero la historia es fantástica.

Al parecer, a Sebastian eso le pareció muy interesante.

—¿Fantástica por buena o fantástica porque es imaginaria?

—Un poco ambas cosas, supongo —contestó Edward. Recorrió la habitación con la mirada—. ¿Les importa que me quede?

Olivia abrió la boca para decir: «Claro que no», pero Sebastian, Harry y el príncipe se le adelantaron.

Pero, ¡bueno!, ¿de quién era esta casa?

Edward alargó la mirada hacia ella (era curioso, porque no guardaba ningún parecido con Harry salvo por el colorido, que era idéntico) y dijo:

—Mmm... ¿Piensa entrar, lady Olivia?

Olivia se dio cuenta de que aún estaba de pie cerca de la puerta. El resto de caballeros estaban sentados, pero era poco probable que Edward, que acababa de conocerla, se sentara si ella permanecía de pie.

—De hecho, había pensado en salir quizás al jardín —dijo, pero su voz se fue apagando cuando se dio cuenta de que nadie protestaba por su marcha—. Pero me sentaré.

Encontró un sitio en un lateral, no muy lejos de las tres criadas, quienes la miraban con inquietud.

—Por favor —les dijo—, quedaos. Soy incapaz de pediros que os perdáis el resto de la representación.

Ellas se lo agradecieron con tal efusividad que Olivia no pudo sino preguntarse cómo se lo explicaría a su madre. Si Sebastian venía cada tarde a leer (ya que no creía que intentara ventilarse la novela entera de un tirón) y las criadas se acercaban a escuchar, eso implicaría que dejarían de limpiarse bastantes chimeneas.

—Capítulo dos —anunció Sebastian. Se apoderó de la sala un reverencial silencio que le arrancó a Olivia una risita de lo más irreverente.

El príncipe le lanzó una mirada asesina, al igual que hicieron Vladimir y Huntley.

—Lo siento —masculló ella, y colocó las manos recatadamente sobre el regazo. Por lo visto el momento requería un comportamiento impecable.

Finales aceptables para La señorita Butterworth.
Por Olivia Bevelstoke.

El barón está totalmente cuerdo, pero ¡Priscilla se ha vuelto loca!
Reaparece la viruela. Es una cepa nueva más virulenta.

Priscilla deja al barón y consagra su vida al cuidado
y la alimentación de palomas mensajeras.
El barón se come las palomas.
El barón se come a Priscilla.

El último final sería un tanto forzado, pero no había ninguna razón por la que el barón no hubiera podido volverse loco explorando la selva más recóndita, donde se relacionaría con una tribu de caníbales.

Podría pasar.

Olivia desvió la mirada hacia Harry, intentando adivinar qué opinaba de la actuación, pero parecía distraído. Aunque tenía los ojos entornados, estaba absorto en sus pensamientos y no concentrado en lo que decía Sebastian. Y con los dedos tamborileaba sobre el brazo del sofá; signo evidente de que tenía la mente en otra parte.

¿Estaría pensando en el beso que se habían dado? Ella esperaba que no. Harry no parecía ni mucho menos extasiado por el recuerdo.

¡Cielos! Estaba empezando a hablar como Priscilla Butterworth.

¡Por Dios!

Tras escuchar varias páginas del segundo capítulo, Harry decidió que no sería descortés retirarse sigilosamente para poder leer la carta que le había traído Edward, era de suponer que del Ministerio de Guerra. Le dirigió una mirada a Olivia antes de abandonar la sala, pero ella parecía sumida en sus propios pensamientos, con la mirada al frente clavada en algún punto de la pared.

Además movía los labios. No mucho, pero él tendía a reparar en los detalles más sutiles de su boca.

También Edward parecía bien situado. Estaba en sentido diagonal al príncipe, contemplando a Sebastian con una enorme sonrisa bobalicona en la cara. Harry no había visto nunca a su hermano sonreír de esta manera. Incluso se rio cuando Sebastian imitó a un personaje especialmente insoportable, y eso que Harry *nunca* le había oído reír.

Ya en el recibidor abrió rápidamente el sobre y extrajo una única hoja de papel. Por lo visto el príncipe Alexei ya no era sospechoso de ninguna maldad. Harry debía abandonar su misión de inmediato. No había ninguna explicación acerca del motivo por el que el príncipe había dejado de estar en el punto de mira del Ministerio de Guerra. No ponía nada sobre cómo habían llegado a esta conclusión, únicamente le daban la orden de detener la investigación. Sin un «Por favor» ni un «Gracias».

En ningún idioma.

Harry sacudió la cabeza. ¿No podían haberse asegurado antes de asignarle tan ridícula misión? Por eso se limitaba a traducir; este tipo de cosas lo sacaban de sus casillas.

—¿Harry?

Alzó la vista. Olivia se había escabullido del salón y caminaba ahora hacia él; su dulce mirada destilaba preocupación.

—Espero que no sean malas noticias —le dijo.

Él negó con la cabeza.

—Son solo inesperadas. —Dobló el papel y se lo metió de nuevo en el bolsillo. Lo tiraría más tarde, cuando volviese a casa.

—Ya no aguantaba más —comentó ella, y apretó los labios en lo que él interpretó como un intento para no sonreír. Olivia movió la cabeza hacia la puerta abierta del salón, de la que les llegaban retazos de *La señorita Butterworth*.

—¿Tan mal lo hace Sebastian?

—No —contestó ella, que parecía asombrada—. Él es realmente bueno. Ese es el problema. El libro es malísimo, pero nadie parece darse cuenta. Todos están mirando a Sebastian como si fuese Edmund Kean interpretando a Hamlet, pero yo ya no podía mantener la compostura.

—Me sorprende que haya aguantado tanto rato.

—¿Y el príncipe? —añadió Olivia, cabeceando con incredulidad—. Está realmente embelesado. No doy crédito. Jamás me habría imaginado que le gustasen este tipo de cosas.

«El príncipe», pensó Harry. Se sintió aliviado. No tendría que volver a tratar jamás con ese malnacido. No tendría que seguirle, no tendría que hablar con él... Su vida volvería a la normalidad. Sería fabuloso.

Solo que...

Olivia.

La observó mientras regresaba de puntillas hasta el umbral de la puerta y espiaba. Sus movimientos eran un poco rígidos y por un momento creyó que tropezaría. No es que fuese patosa, no exactamente, pero tenía unos ademanes inimitables, y Harry comprendió que podía pasarse horas contemplándola, sin hacer nada más que observar la forma en que sus manos llevaban a cabo tareas cotidianas. Podía observar su rostro y disfrutar de cada manifestación emocional, cada movimiento de su frente, de sus labios.

Era tan hermosa que le dolían hasta las muelas.

Tomó nota mentalmente para no dedicarse a la poesía.

Olivia soltó un simple «¡Ohhh!» y se asomó un poco más al salón.

Él se acercó hasta ella y le susurró al oído:

—Para no interesarle la novela, está usted arrebatada.

Ella lo mandó callar y luego le dio un pequeño empujón para que dejase de agobiarla.

—¿Qué está pasando? —preguntó Harry.

Olivia miraba con asombro y tenía cara de estar disfrutando.

—Su primo está interpretando una escena mortal. Su hermano se ha subido también a la mesa.

—¿Edward? —preguntó él con incredulidad.

Ella asintió mientras escudriñaba.

—No le puedo decir quién está matando a quién... Bueno, ya da igual; Edward está muerto.

A eso se le llamaba rapidez.

—No, espere... —Olivia alargó el cuello—. Sí, está muerto. Lo siento. —Se giró y le sonrió.

A Harry le llegó la sonrisa al alma.

—Su hermano lo hace bastante bien —murmuró ella—. Creo que se parece a su primo.

Él sintió deseos de volverla a besar.

—Se ha llevado la mano al pecho —ella también lo hizo—, ha soltado un gemido y luego, cuando parecía que estaba muerto, su cuerpo ha sufrido un último espasmo, pero aún no estaba muerto del todo. —Olivia sonrió de oreja a oreja—. Luego ya sí que ha dejado de moverse.

Tenía que besarla. Ahora.

—¿Qué hay en ese cuarto de ahí? —le preguntó Harry señalando hacia una puerta.

—Es el despacho de mi padre, ¿por qué?

—¿Y en ese?

—La sala de música. Nunca la utilizamos.

Harry le agarró de la mano. Ahora la utilizarían.

18

Olivia apenas tuvo tiempo de respirar cuando de pronto se encontró en la sala de música de su propia casa con la puerta cerrada a sus espaldas. Y después de aquello quiso preguntarle a Harry qué estaba haciendo, pero solo logró balbucir la primera palabra antes de entender claramente lo que hacía.

De nuevo sus manos se enredaron en su pelo, de espaldas contra la pared, y la besó. Con desesperación, con pasión, con una entrega total.

—¡Harry! —exclamó ella jadeando cuando los labios de este se despegaron de los suyos para mordisquearle la oreja.

—No puedo evitarlo —dijo él, y el contacto de esas palabras contra su piel le produjo a Olivia escalofríos. Podía sentir la sonrisa en su voz. Parecía feliz.

Ella *estaba* feliz. Pletórica.

—Es que la he visto ahí… —dijo él mientras una de sus manos descendía por el costado de Olivia hasta su espalda—. La he visto ahí y tenía que besarla, eso es todo.

¡Quién quería el lenguaje florido de *La señorita Butterworth y el barón loco*! Esto era lo más romántico que había oído en toda su vida.

—Existe —le dijo Harry, su voz ahuecándose por el deseo—, *ergo* la necesito.

No, *esto último* era lo más romántico.

Y entonces le susurró algo al oído. Algo acerca de sus labios y sus manos, y el calor que emanaba de su cuerpo, y ella no tuvo más remedio que preguntarse si tal vez era *eso* lo más romántico de todo.

Hasta el momento eran muchos los hombres que la habían deseado. Algunos incluso habían asegurado amarla. Pero esto... Esto era distinto. Había una pulsión en el cuerpo de Harry, en su respiración, en los latidos de su sangre bajo la piel. La deseaba. La *necesitaba*. Era superior a cuanto pudiera decir, a cualquier explicación que intentase darle. Pero era algo que ella entendía, algo que sentía en las entrañas.

Algo que hizo que Olivia se sintiera poderosa y al mismo tiempo impotente, porque lo que sea que estuviera apoderándose de él también se le contagiaba a ella, acelerándole el pulso en las venas y haciendo que fuera incapaz de respirar. Era como si todo su cuerpo entrara en erupción, moviéndose de dentro hacia fuera hasta que no pudo evitar tocar a Harry. Tenía que agarrarlo, estrecharlo con fuerza. Lo necesitaba cerca, y para ello alargó los brazos y le rodeó el cuello.

—Harry —susurró, y percibió el placer que había en su voz. Este momento, este beso, era lo que había estado esperando.

Era cuanto quería.

Eso y mil cosas más.

Las manos de Harry bajaron por su espalda, apartando a Olivia de la pared, y los dos fueron andando en círculos por la alfombra hasta tropezar con el brazo del sofá. Él cayó encima de ella, el cálido y macizo peso de su cuerpo hundiéndola contra los almohadones. Debería haber sido una sensación muy extraña; debería haber sido horrible tener el cuerpo aplastado, la movilidad limitada. Pero en lugar de eso Olivia sintió que era la cosa más normal y natural del mundo estar tumbada boca arriba y tener encima a este hombre ardiente y fuerte solo para ella.

—Olivia —susurró Harry, depositándole en el cuello el fuego que salía de su boca. Ella se arqueó debajo de él y se le aceleró el pulso cuando su boca dio con la piel fina y sensible que recubría la clavícula. Harry bajó más y más hasta el delicado borde de encaje de su corpiño, y al mismo tiempo sus manos no paraban de subir, deslizándose por los costados de Olivia, que presionó entre el pulgar y el índice hasta llegar al pecho.

Sobresaltada, ella ahogó un grito. La mano de Harry se había deslizado hasta la parte delantera de su cuerpo, y ahora le rodeaba un seno cubierto por la delgada muselina de su vestido. Olivia gimió su nombre y luego dijo algo más con otro gemido, algo ininteligible y carente de toda reflexión o sentido.

—Es usted tan... buena... —susurró él. Ejerció una suave presión con las manos, cerrando los ojos mientras todo su cuerpo se estremecía de deseo—. Tan buena...

Ella sonrió. Ahí mismo, en plena seducción, sonrió abiertamente. Le encantaba que no le hubiese dicho que era hermosa, guapa o que estaba radiante. Le encantaba que Harry estuviese tan fuera de sí como para que «buena» fuese la palabra más compleja que había logrado decir.

—Quiero tocarla —susurró él con los labios enganchados a su mejilla—. Quiero sentirla... en mi piel... en mi mano. —Subió lentamente los dedos hasta llegar al borde superior de su vestido y tiró de este con suavidad, y luego menos suavemente hasta que la tela se deslizó por su hombro y entonces fue bajando hasta que Olivia quedó desnuda frente a Harry.

No se sentía lasciva ni sensual. Se sentía bien, era ella misma.

El único sonido que se escuchaba era la respiración, fuerte y agitada, de Harry. El aire que los rodeaba parecía crepitar por el deseo y entonces Olivia no solo oyó su respiración, sino que la sintió en la piel, al principio fría y después caliente a medida que él acercó su boca.

Y entonces la besó. Ella ahogó un grito por el susto y luego por la pasión del beso y por la espiral de placer que provocó en sus entrañas.

—Harry... —dijo jadeante, y ahora sí que se sintió lasciva. Se sintió total y absolutamente sensual. Harry tenía la cabeza en sus pechos y lo único que al parecer ella fue capaz de hacer fue hundir los dedos en el pelo de él, sin saber con seguridad si intentaba apartarlo o unirlo a ella para siempre.

La mano de Harry se desplazó hasta su pierna, que apretó y acarició, y la fue subiendo hacia arriba, y de repente...

—¿Qué ha sido eso? —Olivia se incorporó de golpe, sacándose de encima a Harry. Se había oído un tremendo estrépito, un sonido parecido al de la madera al astillarse y el cristal cuando se rompe, y sin duda alguna un chillido.

Harry cayó al suelo sentado y trató de recuperar el aliento. Miró a Olivia con ojos aún ardientes, y ella cayó en la cuenta de que llevaba el vestido puesto de cualquier manera. Se lo subió enseguida y se rodeó el cuerpo con los brazos en actitud protectora, cada mano sujetando con fuerza el hombro contrario. No es que temiese a Harry, pero después de aquel estrépito le daba pavor que alguien pudiera aparecer en la sala de música.

—¿Qué ha pasado? —preguntó ella.

Él sacudió la cabeza y se levantó.

—El ruido viene del salón.

—¿Seguro?

Harry asintió, y el primer pensamiento de ella fue de alivio, aunque ignoraba el porqué. El segundo fue en sentido totalmente opuesto. Si Olivia había oído el estruendo, también lo habrían oído otras personas de la casa. Y si daba la casualidad de que una de esas personas estaba en el piso de arriba, como su madre, quizá bajase corriendo para ver qué había pasado. Y si lo hacía, era posible que entrase en la habitación equivocada.

Y hallase a su hija en un estado considerablemente *déshabillé*.

Pero, en realidad, lo más probable es que su madre se dirigiera en primer lugar al salón. La puerta estaba abierta y era la primera habitación que uno encontraba al llegar al pie de las escaleras. Pero si hacía eso, descubriría en su interior a tres caballeros, un guardaespaldas corpulento, al mayordomo y a tres criadas...

Pero no a su hija.

Olivia se levantó de un salto, aterrorizada de pronto.

—¡Mi pelo!

—Está intacto por increíble que parezca —terminó él la frase por ella.

Olivia lo miró con patente incredulidad.

—No, en serio —dijo Harry, él mismo con aspecto un tanto sorprendido—. La verdad es que está casi... —movió las manos cerca de su cabeza como indicando... *algo*— igual.

Ella corrió hasta el espejo que había encima de la chimenea y se puso de puntillas.

—¡Oh, Dios mío! —exclamó. Sally se había superado. Apenas se le había soltado un mechón, y eso que habría jurado que Harry le había deshecho el peinado entero.

Olivia se sacó dos horquillas, se recolocó el pelo y se las volvió a poner, luego retrocedió para examinar su reflejo. Aparte de sus mejillas sonrojadas, su aspecto era de lo más decente. Y lo cierto es que ese rubor podría haber sido provocado por un sinfín de cosas, hasta la peste, aunque ya fuese hora de que se le ocurriera una excusa mejor.

Desvió la mirada hacia Harry.

—¿Estoy presentable?

Él asintió, pero a continuación dijo:

—Sebastian se dará cuenta.

Olivia se quedó boquiabierta.

—¿Qué? ¿Cómo?

Harry encogió un hombro. Hubo algo masculino en ese gesto, como si dijera: «Puede que una mujer contestase a su pregunta con todo detalle, pero a mí me basta con esto».

—¿Cómo va a darse cuenta? —repitió Olivia.

Él le lanzó otra de esas miradas.

—Simplemente lo sabrá. Pero descuide, que no dirá nada.

Olivia echó un vistazo a su aspecto.

—¿Cree que el príncipe se dará cuenta?

—¿Qué más da que lo sepa el príncipe? —repuso Harry con cierta brusquedad.

—Tengo una... —Olivia había estado a punto de decir que tenía una reputación por la que velar—. ¿Está celoso?

Él la miró como si considerase que estaba trastornada.

—Por supuesto que estoy celoso.

A Olivia empezaron a fallarle las piernas, y entonces soltó un suspiro.

—¿De veras?

Harry sacudió la cabeza, inquieto por la ingenuidad de Olivia.

—Dígale a todo el mundo que me he ido a casa.

Ella parpadeó varias veces sin saber con seguridad de qué hablaba Harry.

—No quiere que todos sepan lo que hemos estado haciendo aquí, ¿verdad? —preguntó él.

—Mmm... No —dijo Olivia titubeando un poco tal vez, ya que tampoco se avergonzaba de ello, porque no se avergonzaba. Pero sí deseaba que sus actividades quedaran en la intimidad.

Harry anduvo hacia la ventana.

—Dígales que se ha despedido de mí hace diez minutos. Puede decirles que tenía asuntos que atender en casa.

—¿Va a salir por la ventana?

Él ya había pasado una pierna por encima del alféizar.

—¿Se le ocurre alguna idea mejor?

Tal vez, si él le diese unos instantes para pensar en ello.

—Hay una altura de... —Olivia señaló hacia el exterior—. Está...

—No olvide cerrar la ventana cuando haya saltado. —Y Harry saltó y desapareció de su vista. Olivia corrió a asomarse. En realidad, el suelo no estaba a mucha distancia. Desde luego no era superior al salto que Priscilla Butterworth había tenido que dar por la ventana del primer piso, y sabe Dios que Olivia se había burlado de ella por su estupidez.

Quiso preguntarle a Harry si estaba bien, pero él ya estaba trepando y escalando la tapia que separaba sus casas, visiblemente ileso tras el salto.

Y, además, no tenía tiempo para seguir hablando. Oyó que alguien bajaba las escaleras, así que se apresuró a salir de la sala de música y llegó al recibidor justo a la vez que su madre.

—¿Ha gritado alguien? —preguntó lady Rudland—. ¿Qué pasa?

—No tengo ni idea —contestó Olivia—. Yo estaba en el lavabo. Hay una especie de representación...

—¿Una representación?

—En el salón.

—¿De qué demonios hablas? ¿Y qué haces con una pluma en el pelo? —Su madre alargó el brazo y le sacó algo del pelo.

—No me lo explico —dijo Olivia mientras tomaba la pluma con la mano para tirarla más tarde. Habría salido de uno de los almohadones del sofá. Todos estaban rellenos de plumas, aunque ella siempre había pensado que antes se les extraía el cálamo.

Con aspecto avergonzado, Huntley apareció en el recibidor, ahorrándole a Olivia cualquier otro comentario relativo a la pluma en cuestión.

—Milady —dijo este haciéndole una reverencia a la madre de Olivia—, se ha producido un accidente.

Olivia bordeó a Huntley y se apresuró hasta el salón. Sebastian estaba tendido en el suelo con un brazo dislocado. Detrás de él había un jarrón volcado, que había dejado fragmentos de cristal, flores partidas y agua esparcida por el suelo.

—¡Oh, cielos! —exclamó—. ¿Qué ha pasado?

—Creo que se ha roto un brazo —le explicó Edward Valentine.

—¿Dónde está Harry? —preguntó Sebastian con dificultad. Tenía la mandíbula tensa y sudaba de dolor.

—Se ha ido a casa —le dijo Olivia—. ¿Qué ha pasado?

—Era parte de la actuación —explicó Edward—. La señorita Butterworth estaba en el borde de un acantilado y...

—¿Quién es la señorita Butterworth? —preguntó la madre de Olivia desde la puerta.

—Luego te lo explico —le prometió Olivia. Esa estúpida novela acabaría matando a alguien. Se dirigió a Sebastian—: Señor Grey, creo que deberíamos avisar a un médico.

—Vladimir se ocupará —anunció el príncipe Alexei.

Sebastian levantó la vista hacia Olivia, con los ojos fuera de las órbitas.

—Mamá —dijo Olivia en voz alta, haciéndole señas para que se acercase—, creo que necesitamos un médico.

—¡Vladimir! —gritó el príncipe, que soltó una parrafada en ruso.

—No deje que él me toque —susurró Sebastian.

—No te vayas a pensar que esta noche te irás a la cama sin explicarme hasta el más mínimo detalle —murmuró lady Rudland al oído de Olivia.

Esta asintió agradecida porque tendría cierto tiempo para dar con una explicación convincente. Sin embargo, tuvo la sensación de que nada podría superar la verdad o, por lo menos, la verdad con unas cuantas omisiones bien seleccionadas. Estaba muy agradecida de que Huntley hubiese presenciado la actuación de aquella tarde; eso explicaría al menos por qué lady Rudland no había sido informada de las numerosas visitas recibidas por su hija.

—Avisa a Harry —le dijo Sebastian a Edward—. Ahora.

El joven se retiró y se fue veloz.

—Vladimir se dedica a esto —dijo el príncipe Alexei abriéndose paso a empujones. El guardaespaldas estaba justo a su lado, mirando a Sebastian con ojos entornados y críticos.

—¿Arregla brazos rotos? —preguntó Olivia, mirándolo con mucha suspicacia.

—Sabe hacer muchas cosas —contestó Alexei.

—Vuestra Alteza —murmuró lady Rudland al tiempo que le hacía una escueta reverencia; al fin y al cabo, era un miembro de la realeza y, al margen de cualquier extremidad dislocada, había que seguir el protocolo.

—*Pereloma ruki u nevo nyet* —dijo Vladimir.

—Dice que no tiene el brazo roto —tradujo Alexei mientras presionaba el hombro de Sebastian. Este pegó tal chillido que Olivia dio un respingo.

Vladimir dijo algo más, a lo que Alexei murmuró una respuesta en forma de pregunta. Vladimir asintió con la cabeza y entonces, antes de que nadie tuviese ocasión de reaccionar, ambos hombres sujetaron a Sebastian, Alexei por el tronco y Vladimir por el brazo, un poco más arriba del codo. Vladimir tiró y giró, o tal vez giró y tiró. Se oyó un crujido horrible. ¡Señor! Olivia ignoraba de qué hueso se trataba, pero debió de ser algo espantoso, porque Sebastian soltó un grito aterrador.

Olivia creyó que ella misma vomitaría.

—¿Mejor? —preguntó el príncipe Alexei, mirando a su tembloroso paciente.

Sebastian parecía demasiado aturdido para hablar.

—Está mejor —comentó Alexei confiado. Acto seguido le dijo a Sebastian—: Le dolerá varios días, semanas tal vez. Se había... Eh... ¿Cómo lo llaman ustedes?

—Dislocado —gimoteó Sebastian mientras movía tímidamente los dedos.

—*Da.* El hombro.

Olivia desplazó el peso sobre el otro lado del cuerpo para ver mejor la escena, cuya vista le bloqueaba Vladimir. Sebastian tenía un aspecto horrible. Le temblaba todo el cuerpo, daba la impresión de que respiraba demasiado rápido y tenía la piel...

—¿No está un poco pálido? —preguntó Olivia en general.

Junto a ella, Alexei asintió. Su madre también se acercó diciendo:

—Tal vez deberíamos... ¡Ohhh!

Sebastian había puesto los ojos en blanco y el siguiente *golpe* que oyeron fue el de su cabeza al caer contra la alfombra.

Harry estaba al pie de los escalones de la entrada a la casa de los Rudland cuando oyó el chillido. Era un grito de dolor, eso lo supo al instante, y le pareció que era de mujer.

Olivia.

El corazón le dio un vuelco y, sin decirle nada a Edward, subió de nuevo los escalones y entró en el recibidor. No llamó a la puerta, ni siquiera dejó de correr hasta que entró derrapando en el salón, apenas capaz de respirar.

—¿Qué demonios pasa aquí? —preguntó jadeando. Olivia parecía estar estupendamente; en perfecta forma, de hecho. Estaba de pie al lado del príncipe, quien le hablaba en ruso a Vladimir, que a su vez estaba de rodillas atendiendo a... ¿Sebastian?

Harry miró a su primo con cierta inquietud. Estaba recostado contra la pata de un sillón, pálido y se sujetaba con fuerza el brazo.

El mayordomo lo abanicaba con el ejemplar abierto de *La señorita Butterworth y el barón loco.*

—¿Sebastian? —lo llamó Harry.

Sebastian alzó una mano sacudiendo la cabeza, lo que Harry interpretó como un «No te preocupes por mí».

De modo que no se preocupó.

—¿Está usted bien? —le preguntó a Olivia. El corazón aún le latía con fuerza por el susto de que ella hubiese podido hacerse daño—. He oído a una mujer gritar.

—¡Ah! Habré sido yo —repuso Sebastian.

Harry bajó la mirada hacia su primo, el rostro congelado por la incredulidad.

—¿Tú has gritado así?

—Me ha *dolido* —le espetó este.

Harry contuvo la risa.

—Gritas como una niña *pekenia.*

Sebastian lo fulminó con la mirada.

—¿Lo dices con acento alemán por alguna razón?

—Ninguna —contestó Harry entre tímidos resoplidos, casi incontenibles, que se le escapaban de la boca.

—Ejem… Sir Harry. —Se oyó la voz de Olivia a sus espaldas.

Él se giró, y fue mirarla y romper a reír. Sin motivo alguno, salvo que se había estado aguantando y al verla no había podido resistirse más. Al parecer, últimamente ese era el efecto que ella obraba en muchas de sus emociones. Y Harry estaba empezando a darse cuenta de que no era nada malo en absoluto.

Sin embargo, Olivia no se reía.

—Permítame que le presente a mi madre —dijo con timidez mientras señalaba a la mujer de edad que estaba a su lado.

Harry recuperó en el acto la compostura.

—Lo siento muchísimo, lady Rudland. No había visto que estaba ahí.

—La verdad es que el grito ha sido fuerte —dijo ella en tono seco. Hasta el momento Harry solo la había visto de lejos, pero de cerca pudo apreciar que, en efecto, guardaba un gran parecido con su hija. Tenía el pelo cano y ligeras arrugas en el rostro, pero las facciones eran muy similares. A juzgar por la belleza de lady Rudland, la de Olivia tampoco se marchitaría.

—Mamá —dijo Olivia—, este es sir Harry Valentine. Ha alquilado la casa que da al sur.

—Sí, eso me habían dicho —repuso lady Rudland—. Es un placer conocerlo al fin.

Harry no pudo apreciar si hubo un tono de advertencia en su voz. Un «Sé que ha estado usted tonteando con mi hija». O tal vez un «No crea que le dejaremos volver a acercarse a ella nunca más».

O quizá todo fuesen imaginaciones suyas.

—¿Qué le ha pasado a Sebastian? —preguntó Harry.

—Se ha dislocado un hombro —explicó Olivia—. Vladimir se lo ha recolocado.

Harry no sabía si preocuparse o asombrarse.

—¿Vladimir?

—*Da* —afirmó Vladimir con orgullo.

—La verdad... es que ha sido... absolutamente... —titubeó Olivia mientras buscaba la palabra adecuada—. Extraordinario —decidió por fin.

—Yo lo habría descrito de otra manera —intervino Sebastian.

—Ha sido usted muy valiente —dijo ella asintiendo con gesto maternal.

—Ha hecho esto muchas veces —comentó Alexei, señalando a Vladimir. Bajó los ojos hacia Sebastian, que seguía sentado en el suelo, y dijo—: Necesitará... —hizo un gesto con la mano, luego miró a Olivia— eso que es para el dolor.

—¿Láudano?

—Sí, eso es.

—Yo tengo un poco en casa —confirmó Harry. Puso una mano sobre el hombro de Sebastian.

—¡Ay!

—¡Oh, perdona! Quería tocarte el otro hombro. —Harry levantó la mirada hacia el resto de los presentes en la sala, la mayoría de los cuales lo miró como si fuese un criminal—. Intentaba animarlo, ya saben, darle una palmadita en el hombro y tal...

—Quizá deberíamos llevarnos a Sebastian —sugirió Edward.

Harry asintió y ayudó a su primo a levantarse.

—¿Querrás quedarte unos días en casa?

Sebastian asintió agradecido. Mientras se dirigía hacia la puerta, se volvió a Vladimir y le dijo:

—*Spasibo.*

Vladimir sonrió ufano y dijo que había sido un honor ayudar a un hombre tan fenomenal.

El príncipe tradujo sus palabras y acto seguido añadió:

—Estoy de acuerdo. Su actuación ha sido soberbia.

Harry no pudo evitar lanzarle a Olivia una mirada risueña.

Pero Alexei no dejó las cosas ahí.

—Sería un honor que fuese usted mi invitado en la fiesta que daré la semana que viene. Será en casa de mi primo, el embajador. Celebraremos la cultura rusa. —Desvió la mirada hacia el resto de los presentes—. Están todos invitados, naturalmente. —Se giró hacia Harry y sus miradas se encontraron. El príncipe se encogió de hombros, como diciendo: «Usted también».

Harry respondió asintiendo con la cabeza. Al parecer no se desharía aún del príncipe ruso. Si Olivia iba a esa fiesta, él también. Así de claro.

Lady Rudland le dio las gracias al príncipe por su amable invitación, luego se volvió a Harry y le dijo:

—Creo que el señor Grey necesita tumbarse.

—Por supuesto —murmuró Harry. Se despidió de todos y ayudó a Sebastian a llegar hasta la puerta del salón.

Olivia caminó junto a ellos y, cuando llegaron a la puerta principal, dijo:

—¿Me irá informando de su evolución?

Harry le dedicó una sonrisa enigmática y casi imperceptible.

—Acuda a su ventana a las seis de la tarde.

Él debería haberse marchado justo entonces. Había demasiada gente merodeando por ahí, y saltaba a la vista que Sebastian estaba padeciendo, pero no pudo evitar mirar a Olivia a la cara por última vez. Y en ese instante entendió al fin a qué se refería la gente cuando decían que a una persona le brillaban los ojos.

Porque al decirle a Olivia que acudiese a su ventana a las seis, ella sonrió. Y cuando la miró a los ojos, fue como si el mundo entero quedase bañado por un resplandor suave y radiante, y todo él, toda su bondad, su alegría y felicidad, fuese obra de Olivia. De esta sola mujer, que estaba a su lado junto a la puerta principal de su casa de Mayfair.

Y fue entonces cuando lo supo. Había ocurrido. Había ocurrido allí mismo, en Londres.

Harry Valentine se había enamorado.

19

Aquella tarde, a las seis en punto, Olivia abrió su ventana, se apoyó en el alféizar y asomó la cabeza.

Y ahí estaba Harry, apoyado en el antepecho de su ventana, mirando hacia arriba. Su aspecto era delicioso, los labios curvados en una sonrisa perfecta, un tanto juvenil, un tanto pícara. A Olivia le gustaba así, feliz y relajado. Ya no llevaba ese pelo suyo, moreno, cuidadosamente peinado, y se apoderó de Olivia el repentino impulso de tocarlo, de deslizar los dedos por él, de revolverlo aún más.

¡Cielo santo! Debía de estar enamorada.

Eso tendría que haber sido una revelación. Olivia debería haberse quedado perpleja por el impacto, pero en lugar de eso se sintió de maravilla. Absoluta y fabulosamente maravillosa.

Amor. *Amor.* AMOR. Pronunció mentalmente la palabra en distintos tonos. Todos sonaban magníficos.

La verdad era que sus sentimientos tenían mucho que ver en ello.

—Buenas tardes —saludó ella con una estúpida sonrisa en la cara.

—Buenas tardes tenga usted.

—¿Lleva mucho rato esperando?

—Unos minutos nada más. Es usted muy puntual.

—No me gusta hacer esperar a los demás —dijo Olivia. Se inclinó hacia delante y *casi* se atrevió a relamerse de gusto—. A menos que merezcan un castigo.

Eso pareció llamar la atención de Harry, quien también asomó un poco más el cuerpo por su ventana; ambos se habían asomado demasiado. Pareció que iba a hablar, pero algún diablillo debió de apoderarse de él, porque estalló de risa.

Y a continuación ella también.

Y ambos se pusieron a reír como tontos, en realidad, hasta que se les llenaron los ojos de lágrimas.

—¡Señor! —exclamó Olivia con la respiración entrecortada—. ¿No le parece que... alguna vez... deberíamos tener una cita como Dios manda?

Harry se enjugó los ojos.

—¿Como Dios manda?

—En un baile, por ejemplo.

—Pero ¡si ya hemos bailado! —repuso él.

—Solo en una ocasión y por aquel entonces yo no le caía bien.

—Yo a usted tampoco —le recordó Harry a Olivia.

—Pero no me caía *peor* que yo a usted.

Harry pensó en ello, luego asintió.

—Eso es verdad.

Olivia hizo una mueca de disgusto.

—Fui bastante antipática, ¿verdad?

—Así es —admitió él con rapidez.

—No debería estar de acuerdo conmigo.

Harry esbozó una amplia sonrisa.

—Es bueno poder ser antipático cuando es necesario. Es una habilidad muy práctica.

Ella se apoyó en un codo y acomodó la mandíbula en la mano.

—¡Qué curioso! Creo que mis hermanos nunca han pensado de esa forma.

—Los hermanos son así.

—¿Lo era usted?

—¿Yo? Jamás. De hecho era algo que fomentaba. Cuanto más antipática era mi hermana, más posibilidades tenía de verla metida en un buen lío.

—Es usted muy astuto —murmuró Olivia.

Él contestó encogiéndose de hombros.

—Me sigue llamando la atención —dijo ella, negándose a permitir un cambio de tercio—. ¿En qué sentido es práctico saber ser antipático?

—Muy buena pregunta —contestó él con solemnidad.

—No tiene una respuesta, ¿verdad?

—No la tengo —confesó él.

—Podría ser actriz —sugirió Olivia.

—¿Y perder su respetabilidad?

—Entonces una espía.

—Aún peor —dijo Harry rotundo.

—¿No me ve como espía? —Estaba coqueteando descaradamente, pero era demasiado divertido como para contenerse—. Estoy segura de que Inglaterra se habría beneficiado con alguien como yo. Habría puesto orden en la guerra en un abrir y cerrar de ojos.

—De eso no me cabe duda —repuso él, y lo curioso fue que parecía haberlo dicho en serio.

Entonces algo detuvo a Olivia. Había hablado con demasiada ligereza sobre un tema que no tenía ninguna gracia.

—No debería bromear sobre estas cosas —dijo.

—No pasa nada —la tranquilizó Harry—. A veces es necesario hacerlo.

Olivia se preguntó qué habría visto Harry, qué habría hecho. Había pasado muchos años en el ejército. No todo habrían sido desfiles con el regimiento y muchachas que perdían la cabeza al ver un uniforme. Habría luchado. Marchado. Matado.

Resultaba casi imposible imaginárselo. Montaba estupendamente a caballo y, después de esta tarde, había comprobado en persona lo fuerte que era y la energía que tenía, pero en cierto modo seguía considerándolo más cerebral que atlético. Tal vez fuera por todas las tardes que lo había visto inclinado sobre los papeles de su escritorio, su pluma moviéndose con rapidez por las páginas.

—¿Qué hace ahí dentro? —preguntó ella.

—¿Qué?

Olivia señaló hacia él.

—En su despacho. Pasa muchísimo rato sentado frente al escritorio.

Harry titubeó y luego dijo:

—Un poco de todo, pero sobre todo traducir.

—¿Traducir? —Olivia se quedó boquiabierta por la sorpresa—. ¿En serio?

Harry cambió de postura, por primera vez aquella tarde parecía sentirse un poco violento.

—Ya le he dicho que sé francés.

—Pero no tenía ni idea de que sabía tanto.

Harry se encogió de hombros con humildad.

—He pasado muchos años en Europa.

Harry era traductor. ¡Cielos! Era incluso más inteligente de lo que ella se había imaginado. Esperaba poder estar a su altura; creía que podría. Le gustaba pensar que era mucho más inteligente de lo que la gente consideraba, porque no fingía interés en cualquier tema que surgiera y porque no se molestaba en invertir su tiempo en temas o actividades para los que carecía de talento.

Así era como debería comportarse cualquier persona sensata.

En su opinión.

—¿Cómo es eso de traducir? —preguntó ella.

Él ladeó la cabeza.

—¿Es distinto a hablar? —aclaró Olivia—. Yo solo domino el inglés, así que en realidad no sé cómo va.

—Es bastante diferente —confirmó él—. La verdad es que no sé cómo explicarlo. Hablar es… inconsciente. La traducción es casi matemática.

—¿Matemática?

Harry parecía avergonzado.

—Ya le he dicho que no sabía cómo explicarlo.

—No —dijo ella pensativa—. Creo que tiene sentido. Es un poco como encajar las piezas de un puzle.

—Sí, en cierto modo sí.

—Me gustan los puzles. —Olivia se calló un instante y luego añadió—: Pero detesto las matemáticas. ¡Vaya!

—Es lo mismo —le dijo él.

—No, no lo es.

—Sí, si se atreve a decir que tuvo unos profesores pésimos.

—*Eso* por descontado. Recuerde que me deshice de cinco institutrices.

Los labios de Harry se curvaron en una cálida sonrisa, y ella sintió un hormigueo por dentro. Si alguien le hubiera dicho esa misma mañana que hablar de matemáticas y puzles le haría estremecer de placer, no habría dudado en tomárselo a risa. Pero ahora, mirando a Harry, lo único que quería era alargar los brazos, cruzar por aire el espacio que los separaba y refugiarse en los suyos.

Esto era una locura.

Y una bendición.

—Debería dejar que se marchara —dijo él.

—¿Adónde? —Olivia suspiró.

Harry se rio entre dientes.

—Adonde necesite ir.

«Junto a usted», tuvo ella ganas de decir; por el contrario, puso la mano en la ventana disponiéndose a cerrarla.

—¿Le parece que quedemos mañana por la tarde a la misma hora?

Él asintió con la cabeza y ella contuvo la respiración. Había algo muy elegante en sus movimientos, casi como si él fuese un cortesano medieval y ella su princesa subida a una torre.

—Será un honor —dijo Harry.

Aquella noche, cuando Olivia se metió en la cama, aún sonreía.

Sí, el amor tenía mucho que ver en ello.

Una semana después Harry estaba sentado frente a su escritorio, mirando fijamente un papel en blanco.

No es que tuviera intención alguna de anotar nada, pero como mejor solía pensar era sentado frente a su mesa, con un papel colocado justamente en el centro del cartapacio. Así pues, tras haberse acostado en la cama y haber realizado un minucioso análisis del techo mientras trataba en vano de averiguar cuál era la mejor manera de pedir en matrimonio a Olivia, había venido aquí esperando inspirarse.

Pero no le estaba funcionando.

—¿Harry?

Entonces levantó la vista, agradeciendo la interrupción. Era Edward, de pie en el umbral de la puerta.

—Me pediste que te avisara cuando hubiera que empezar a vestirse —dijo Edward.

Harry asintió y le dio las gracias. Había pasado una semana desde aquella extraña y maravillosa tarde en casa de los Rudland. Sebastian se había quedado casi a vivir con ellos, tras declarar que la casa de Harry era mucho más cómoda que la suya y que en ella se comía muchísimo mejor. Edward también pasaba más tiempo en casa y no había llegado borracho ni siquiera una sola vez. Y Harry no había tenido que dedicar ni un minuto a pensar en el príncipe Alexei Ivanovich Gomarovsky.

Bueno, hasta ahora. Aquella noche tenía la celebración esa de la cultura rusa a la que se había comprometido a asistir. Aunque, en realidad, estaba deseando ir. Le gustaba la cultura rusa. Y la comida. No había tomado comida rusa decente desde que, en vida de su abuela, esta gritaba a los cocineros en la cocina de los Valentine. Suponía que era poco probable que hubiera caviar, pero aun así tenía esa esperanza.

Y, por supuesto, Olivia estaría allí.

Pensaba pedirle que se casara con él. Mañana. Todavía no tenía claros los detalles, pero se negaba a seguir esperando. La semana anterior había sido un suplicio a la vez que la gloria, ambos encarnados en una mujer de cabellos dorados como el sol y ojos azules.

Seguro que ella habría adivinado sus intenciones. Harry la había cortejado con absoluto descaro durante toda la semana, haciendo todo lo que estaba bien visto (como los paseos por el parque y las charlas con la familia de Olivia), y también muchas cosas indecorosas (como besos robados y conversaciones a media noche de ventana a ventana).

Estaba enamorado. Eso lo había admitido hacía tiempo; lo único que le faltaba era pedirle a Olivia que se casase con él.

Y que ella aceptara, pero Harry creía que aceptaría. Olivia no le había dicho que le quería, pero no tenía por qué hacerlo, ¿verdad? Les correspondía a los caballeros declararse primero y él todavía no lo había hecho.

Tan solo estaba esperando el momento oportuno. Tenían que estar solos. Debería ser de día; quería poder ver bien el rostro de Olivia, grabar en su memoria cualquier exteriorización de emociones. Le confesaría su amor y le pediría que se casase con él. Y entonces la besaría hasta que perdiese el sentido. Quizá también se besaría a sí mismo hasta perder el sentido.

¿Desde cuándo era tan romántico?

Harry se rio entre dientes al tiempo que se levantaba y paseaba hasta la ventana. Las cortinas de Olivia estaban descorridas y su ventana abierta. ¡Qué extraño! Subió su ventana de guillotina y asomó la cabeza para recibir el cálido aire primaveral. Esperó unos instantes, por si acaso ella le había oído, y luego silbó.

En cuestión de segundos apareció Olivia, alegre y con el brillo en la mirada.

—¡Buenas tardes! —gritó.

—¿Me estaba esperando? —preguntó él.

—Por supuesto que no. Pero como iba a estar en mi cuarto, no me ha parecido que hubiese motivo alguno para no dejar la ventana abierta. —Se apoyó en el alféizar y le dedicó una sonrisa—. Tendríamos que empezar a arreglarnos para la fiesta.

—¿Qué se pondrá? —¡Dios! Estaba hablando como una de las amigas chismosas de Olivia, pero no le importaba. Tenerla ante sí era demasiado agradable como para preocuparse de esas cosas.

—Mi madre ha insistido en que me ponga el vestido de terciopelo rojo, pero yo quiero algo de un color que usted pueda apreciar.

A Harry le hizo mucha ilusión que Olivia evitara los colores rojo y verde por él.

—¿El azul, quizá? —pensó ella en voz alta.

—El azul le sienta de maravilla.

—Está usted muy halagador esta tarde.

Él se encogió de hombros, seguro de lucir todavía una sonrisa bobalicona en los labios.

—Estoy de un humor excelente.

—¿Aunque deba pasar la velada con el príncipe Alexei?

—Tendrá trescientos invitados, *ergo* ni un minuto para mí.

Ella se rio entre dientes.

—Creía que estaba empezando a caerle mejor.

Harry supuso que así era. Seguía pensando que el príncipe era un poco idiota, pero le había recolocado el hombro a Sebastian. O, para ser más exactos, había dejado que lo hiciera su criado. Aun así el resultado era el mismo.

Y, lo que era más importante, finalmente había aceptado su derrota y había dejado de hacerle visitas a Olivia.

Por desgracia para Harry, la obsesión del príncipe con Olivia había sido reemplazada por una amistosa devoción por Sebastian. El príncipe Alexei había decidido que Sebastian tenía que ser su nuevo mejor amigo y había ido a verlo a diario para comprobar su proceso de recuperación. Harry se propuso encerrarse en su despacho durante dichas visitas y había estado haciendo reír a Olivia con los detalles, tal como Sebastian le había pedido. En conjunto, había sido divertidísimo y la demostración definitiva de que el príncipe Alexei era inofensivo.

—¡Oh, es mi madre! —exclamó Olivia girándose para mirar a sus espaldas—. Me está llamando desde el otro lado del pasillo. Tengo que irme.

—La veré esta noche —dijo Harry.

Ella sonrió.

—Lo estoy deseando.

20

Para cuando Harry llegó a la residencia del embajador, el baile estaba en pleno apogeo. No pudo determinar qué aspectos de la cultura rusa se celebraban, porque la música era alemana y la comida francesa. Pero a nadie parecía importarle. El vodka circulaba a tutiplén y las carcajadas resonaban por la sala.

Harry buscó a Olivia nada más llegar, pero no la vio por ningún sitio. Estaba casi seguro de que había llegado ya; el carruaje de los Rudland había salido de su casa más de una hora antes de que lo hiciera el suyo. Pero la sala estaba abarrotada. Pronto daría con ella.

El hombro de Sebastian estaba casi curado, pero había insistido en llevar el brazo en cabestrillo y la chaqueta por encima; lo mejor para atraer a las mujeres, le había dicho a Harry. Y, en efecto, había funcionado. Se abalanzaron sobre ellos nada más verlos y Harry se mantuvo encantado en segundo plano, observando divertido cómo Sebastian se deleitaba con la preocupación y el interés de las bellas damas londinenses.

Harry reparó en que Sebastian no estaba ofreciéndoles una descripción exacta del accidente. De hecho, todos los detalles eran bastante imprecisos. Desde luego no dijo nada acerca de que se había subido a una mesa para interpretar una escena en un acantilado de una novela gótica. Resultaba difícil saber exactamente qué había contado Sebastian, pero Harry oyó que una dama le decía a otra al oído que había sido atacado por unos salteadores, el pobre... ¡Pobrecito!

Al término de la velada Harry ya se imaginaba oyendo que Sebastian se había enfrentado con un regimiento francés entero.

Se acercó a Edward mientras Sebastian atendía con gentileza a una viuda especialmente pechugona cuyo interés por él resultaba desgarrador.

—Hagas lo que hagas, no le digas a nadie cómo pasó el accidente en realidad. Sebastian no te lo perdonaría nunca.

Edward asintió de forma imperceptible. Estaba demasiado ocupado observando y aprendiendo de Sebastian como para prestar atención a Harry.

—Que disfrutes las migajas —le dijo Harry a su hermano, sonriendo al darse cuenta de que se había acabado lo de quedarse con las mujeres que Sebastian desechaba.

La vida era estupenda. Fenomenal. De hecho, era tan perfecta y fabulosa como siempre.

Mañana le pediría a Olivia que se casara con él, y mañana ella le daría el sí.

Se lo daría, ¿verdad? Era imposible que se equivocara tanto acerca de lo que ella sentía.

—¿Has visto a Olivia? —le preguntó a Edward.

Este sacudió la cabeza.

—Voy a ver si la encuentro.

Edward asintió.

Harry decidió que era inútil intentar mantener una conversación con su hermano con tantas jovencitas revoloteando alrededor, así que se alejó en dirección al extremo opuesto del salón de baile mientras trataba de divisar a Olivia entre la multitud. Había un grupito de gente cerca de la ponchera, en cuyo centro estaba el príncipe Alexei, pero no vio a Olivia. Le había dicho que iría de azul, lo cual haría que fuese más fácil localizarla, pero de noche a Harry siempre le costaba más distinguir los colores.

En cuanto a su pelo…, bueno, eso era otra historia. El pelo de Olivia brillaría como un faro.

Siguió moviéndose entre la muchedumbre, mirando a un lado y a otro y, finalmente, justo cuando empezaba a desesperarse, oyó a sus espaldas:

—¿Está buscando a alguien?

Harry se giró y fue como si la sonrisa de Olivia iluminara su existencia.

—Sí, a una mujer —contestó él con fingida perplejidad—, pero no logro encontrarla...

—¡Oh, vamos! —repuso Olivia, golpeándole con suavidad en el brazo—. ¿Por qué ha tardado tanto en venir? Hace horas que estoy aquí.

Al oír eso Harry arqueó una ceja.

—De eso nada, llevará aquí entre hora y hora y media.

Harry alargó la vista hacia su primo y su hermano, quienes seguían rodeados de mujeres al otro lado de la sala.

—Hemos tenido problemas para ponerle a Sebastian la chaqueta encima del brazo en cabestrillo.

—Y dicen que las mujeres estamos cargadas de historias.

—Si bien debería llevarle la contraria en defensa del género masculino, siempre estoy encantado de meterme con mi primo.

Olivia se rio al oír eso, fue un sonido alegre y musical, y luego le tomó de la mano.

—Venga conmigo.

Él la siguió entre el gentío, impresionado por su firme decisión para ir adondequiera que estuviese yendo. Olivia fue zigzagueando, sin dejar de reírse todo el rato, hasta que llegó a una puerta arqueada que había al otro lado del salón.

—¿Adónde vamos? —susurró él.

—¡Chis! —ordenó ella. Harry salió tras ella al recibidor. No estaba vacío, sino que había varios grupos reducidos de gente aquí y allí, pero se veía mucho menos abarrotado que la sala principal.

—He estado explorando —anunció Olivia.

—Ya lo veo.

Ella bordeó otra esquina y otra, y cada vez había menos gente hasta que finalmente se detuvo en una tranquila galería. A un lado había puertas intercaladas con grandes retratos; todo perfectamente simétrico, una puerta cada dos cuadros. Al otro lado, una ordenada hilera de ventanas.

Olivia se detuvo justo delante de una de las ventanas.

—Mire por el cristal —instó a Harry.

Harry miró, pero no vio nada fuera de lo habitual.

—¿La abro? —preguntó al pensar que eso quizá le daría más pistas.

—Por favor.

Él localizó el cerrojo, lo descorrió y a continuación subió la ventana de guillotina. Esta se deslizó sin chirriar y Harry asomó la cabeza.

Vio árboles.

Y a ella, que había asomado la cabeza a su lado.

—Le confieso que estoy confuso —le dijo él—. ¿Qué es lo que tengo que ver?

—A mí —se limitó a decir ella—. A nosotros. Juntos. En la misma ventana.

Harry se giró. La miró fijamente. Y entonces... Tenía que hacerlo. No pudo evitarlo. Alargó un brazo hacia Olivia, la atrajo hacia sí y ella se acercó encantada, con una sonrisa que auguraba la vida que tenían juntos por delante.

Él agachó la cabeza y la besó con labios ansiosos y deseosos, y se dio cuenta de que ella temblaba, porque esto era más que un beso. Había algo sagrado en este momento, algo honroso y auténtico.

—Te amo —le susurró Harry. No había sido su intención decirlo aún. Había planeado decírselo cuando le pidiera en matrimonio. Pero tuvo que hacerlo. El sentimiento había crecido y se había esparcido por su ser, rebosando de calor e intensidad, y no pudo reprimirlo—. Te amo —volvió a decir—. Te amo.

Ella le acarició la mejilla.

—Yo también te amo.

Durante unos segundos él no pudo hacer otra cosa que mirarla fijamente, prolongando el momento con veneración, dejando que cada partícula del mismo lo invadiera. Y entonces se apoderó de él algo distinto, algo primario y feroz, y la estrechó contra sí besándola con la pasión de un hombre que defiende lo que le pertenece.

No se cansaba de ella; de sus caricias, de su tacto, de su aroma. La tensión y la necesidad aumentaban en su interior de forma vertiginosa, y sintió que perdía el control de sí mismo, del decoro y de todo menos de *ella*.

Sus dedos se hundieron con fuerza en la ropa de Olivia, desesperados por sentir su piel, caliente y suave.

—Te necesito —gimió desplazando la boca por encima de su mejilla, su mandíbula y su cuello.

Se alejaron de la ventana dibujando círculos y Harry se encontró a sí mismo apoyado en una puerta. Rodeó el pomo con la mano, lo giró y entraron a trompicones, pero logrando mantener el equilibrio.

—¿Dónde estamos? —preguntó Olivia con el cuerpo tembloroso por los jadeos.

Harry cerró la puerta. Echó el pestillo.

—Me da igual dónde estemos.

Entonces la agarró con fuerza, estrechándola contra su cuerpo. Debería haber sido delicado, haber sido tierno, pero ahora era imposible. Por primera vez en su vida le impulsaba algo que escapaba a su control, se sentía atraído por algo a lo que no podía resistirse. Su mundo se redujo a sus cuerpos, a esta mujer y a demostrarle de la forma más pura posible lo mucho que la amaba.

—Harry —dijo ella con voz entrecortada y arqueando el cuerpo contra el suyo. A través de la ropa él percibió cada una de sus curvas y tenía que... No podía parar...

Tenía que sentirla. Tenía que *explorarla*.

Pronunció su nombre, sin reconocer apenas su propia voz, enronquecida por la necesidad.

—Te deseo —le dijo a Olivia. Y cuando ella gimió una respuesta incoherente mientras con los labios daba con el lóbulo de su oreja, tal como él había hecho con el suyo, lo volvió a decir.

—Quiero poseerte *ahora*.

—Sí —dijo ella—. Sí.

Con la respiración entrecortada, Harry se echó hacia atrás y rodeó la cara de Olivia con las manos.

—¿Entiendes lo que digo?

Ella asintió, pero eso no era suficiente.

—¿Lo entiendes? —preguntó casi con voz chillona por la desesperación—. Necesito que me lo digas.

—Lo entiendo —susurró Olivia—. Yo también te deseo.

Aun así Harry esperó, incapaz de perder ese último resquicio de cordura y decoro. Sabía que estaba preparado para entregarse a Olivia en cuerpo y alma, pero no lo había jurado en una iglesia, ante la familia de ella. Pero si pretendía detenerlo ahora, ¡más le valía hacerlo ya!

Olivia se quedó helada; por un instante hasta su respiración pareció detenerse, y entonces rodeó el rostro de Harry con las manos, exactamente igual que él estaba haciendo con ella. Sus miradas se encontraron y Harry vio en su cara una entrega y un amor tan grandes y tan profundos que el miedo por poco lo paralizó.

¿Cómo era posible que mereciese esto? ¿Cómo podría cuidar de ella, hacerle feliz y asegurarse cada minuto de su vida de que sabía lo mucho que la amaba?

Olivia sonrió. Al principio con dulzura, luego con astucia y quizá con un poco de malicia.

—Vas a pedirme que me case contigo —murmuró—, ¿verdad?

Él se quedó boquiabierto.

—Yo...

Pero ella le acercó una mano a la boca.

—No digas nada. Solo mueve la cabeza si es que sí.

Él asintió.

—No me lo pidas ahora —dijo ella, y parecía casi serena, como si fuese una diosa y los mortales que la rodeaban estuvieran haciendo exactamente lo que ella les pedía—. No es el momento ni el lugar adecuado. Quiero una proposición formal.

Harry asintió de nuevo.

—Pero *sabiendo* que pretendes pedírmelo, quizá podrías convencerme de que actuase de un modo...

Fue toda la autorización que necesitó. Volvió a estrechar a Olivia contra su cuerpo para darle otro beso ardiente, y con los dedos palpó en su espalda los botones forrados de su vestido. Estos pasaron con facilidad por los ojales y, en cuestión de segundos, el vestido de seda cayó hasta sus pies con un frufrú.

Estaba de pie ante él, en corsé y camisa, cuya tela blanca resplandecía bajo la luz de la luna que se filtraba por el arco acristalado y sin cortinas que había encima de la única ventana de la habitación. Estaba tan hermosa, tan etérea y pura que Harry se dio cuenta de que quería parar y llenarse viendo ese paisaje, aunque su cuerpo ardía en deseos de un contacto más íntimo.

Se sacó la chaqueta y luego se aflojó el nudo de la corbata. Entretanto ella permaneció ahí, observándolo en silencio, sus ojos bien abiertos por el asombro y la excitación. Se desabrochó los botones superiores de la camisa, lo justo para sacársela por la cabeza y, con el poco raciocinio que le quedaba, la dejó con cuidado en una silla para que no se arrugara. A Olivia se le escapó la risa y se tapó la boca con la mano.

—¿Qué pasa?

—¡Qué ordenado eres! —exclamó ella, que parecía avergonzada de decirlo.

Él lanzó una mirada hacia la puerta.

—Hay cuatrocientas personas al otro lado de esa puerta.

—Pues yo haré el ridículo.

—¿Te molesta que sea ordenado?

Olivia soltó otra risotada. Se agachó, recogió su vestido y se lo dio a Harry.

—¿Te importaría dejarlo también ahí?

Él apretó los labios para contener la risa. Sin decir palabra, alargó el brazo y tomó el vestido.

—Si alguna vez andas escaso de fondos —dijo ella observándolo mientras doblaba el vestido en el respaldo de una silla—, siempre estás a tiempo de ser una concienzuda doncella.

Harry se giró y las comisuras de un lado de la boca subieron hacia arriba en una mueca irónica. Se dio unos golpecitos en la sien izquierda, cerca del ojo, mientras musitaba:

—Recuerda que soy daltónico.

—¡Vaya! —Olivia juntó las manos en un gesto de lo más recatado—. Pues eso sería un problema.

Él dio un paso hacia delante, comiéndosela con los ojos.

—Tal vez pudiera compensar mi defecto con una lealtad exagerada hacia mi señora.

—La lealtad y la fidelidad siempre se han valorado en los criados.

Harry se acercó muchísimo, hasta que su boca casi tocó las comisuras de los labios de Olivia.

—¿Y en los maridos?

—Se valoran mucho más entre los maridos —susurró ella. Su respiración era cada vez más agitada y el mero roce de su aliento sobre la piel de Harry hizo que a este se le acelerase el pulso.

La mano de Harry se desplazó hasta las cintas de su corsé.

—Soy muy leal.

Ella asintió con brusquedad.

—Eso está bien.

Él tiró primero de una de las puntas y deshizo el lazo, y luego deslizó el dedo bajo el nudo.

—Sé decir «fidelidad» en tres idiomas.

—¿En serio?

En serio, y a Harry le daba igual si ella sabía decirlo o no, porque pretendía hacer el amor con ella en cada uno de los tres, aunque por primera vez pensó que sería mejor ceñirse al inglés. Bueno, para casi todo.

—Fidelidad —susurró él—. *Fidelité* y *Vyernost.*

Entonces besó a Olivia, antes de que esta pudiera preguntarle nada más. Le contestaría a todo, pero no ahora. No estando él descamisado y mientras el corsé desabrochado de Olivia se despegaba de su cuerpo. No cuando con los dedos le desabrochaba los dos botones de la camisa y soltaba las bandas de tela que la fijaban sobre los hombros.

—Te quiero —dijo él, inclinándose para depositarle un beso en el hueco de encima de la clavícula—. Te quiero —volvió a decir mientras subía por el elegante contorno de su cuello—. Te quiero—. Y esta vez fue un susurro que ardió en la oreja de Olivia al tiempo que él soltaba las bandas de tela, liberando la última prenda de ropa.

Olivia se rodeó la parte superior del cuerpo con los brazos, y él le dio un tierno beso en la boca mientras acercaba los dedos hasta el cierre de sus propios pantalones. La deseaba ardientemente, con una pasión intensa, e ignoraba cómo se había sacado las botas tan deprisa, pero antes de que pudiera volver a tomar aire la había tomado en brazos y la estaba llevando hacia el diván.

—Deberías tener una cama como Dios manda —le susurró—, con unas sábanas y unas almohadas decentes...

Pero ella se limitó a cabecear y rodeó el cuello de Harry con los dedos para atraerlo hacia sí y darle un beso.

—Ahora mismo no quiero comportarme con decencia —le susurró Olivia al oído—. Solo te quiero a ti.

Harry no lo pudo evitar. Hacía ya un rato que lo sabía, desde el instante en que ella le había preguntado con astucia si tenía la intención de pedirle en matrimonio, pero aun así algo pareció desencadenarse en ese momento; algo que desinhibió a Harry y convirtió el proceso de seducción en una auténtica locura.

La tumbó boca arriba y acto seguido le cubrió el cuerpo con el suyo. El roce fue electrizante. Estaban piel contra piel, pegados con una intimidad vertiginosa. Y Harry deseaba penetrarla con todas sus fuerzas, poseerla, *explorarla*, pero no podía permitirse ir deprisa. No sabía si podría llevarla hasta el orgasmo; nunca había hecho el amor con una virgen e ignoraba si era posible siquiera. Pero tenía claro que le haría disfrutar, así cuando terminaran ella sabría que él la había adorado como a una diosa.

Que la amaba.

—Dime qué es lo que te gusta —murmuró él, y le besó en los labios antes de bajar hasta su cuello.

Oía su respiración, áspera y agitada, y tal vez un tanto inquieta.

—¿A qué te refieres?

Él le rodeó un pecho con la mano.

—¿Te gusta esto?

Notó que Olivia contenía al instante el aliento.

—¿Te gusta? —volvió a preguntarle en voz baja mientras arrastraba los labios por su cuello hasta la base del mismo.

Ella asintió; sus movimientos eran rápidos y desesperados.

—Sí.

—Dime lo que te gusta —volvió a decir Harry, y su boca encontró el pezón de Olivia. Soltó un poco de aire sobre este, luego resiguió el borde con la lengua antes de apresarlo finalmente con los labios.

—Eso me ha gustado —dijo ella con voz entrecortada.

«A mí también», pensó Harry, y cambió al otro pecho diciéndose a sí mismo que lo hacía para compensar, pero en realidad lo hacía por él, y por ella, y porque no podía soportar dejar un solo centímetro de su cuerpo sin tocar.

Olivia se arqueó debajo de él, ejerciendo más presión contra su boca, y Harry fue bajando las manos hasta rodearle las nalgas. Las apretó y luego movió los dedos hasta encontrar la piel suave de la cara interna de su muslo. Y cuando apretó de nuevo, sus dedos estaban cerca, tan cerca de su mismísimo centro, que Harry pudo sentir el calor que emanaba de ella.

Sus bocas volvieron a unirse justo en el momento en que los dedos de Harry daban con su centro, lo acariciaban y lo penetraban.

—¡Harry! —gritó Olivia sorprendida, aunque no ofendida, pensó él.

—Dime qué te gusta —le repitió.

—Eso —logró decir ella—, pero no...

Harry fue introduciendo y sacando los dedos. Estaba tan húmeda que la necesitaba con desesperación.

—No, ¿qué? —preguntó.

—No lo sé.

Harry sonrió.

—¿Qué es lo que no sabes?

—No sé qué es lo que no sé —casi le espetó ella.

Él contuvo la risa, y detuvo los dedos un instante.

—¡No pares! —gritó Olivia.

Y él obedeció. No paró cuando ella gimió su nombre ni paró cuando le agarró con tanta fuerza por los hombros que estaba seguro de que le dejaría marca. Y desde luego tampoco paró cuando ella llegó al clímax con unos espasmos tan rápidos y tan fuertes que casi le expulsa los dedos del cuerpo.

Un caballero habría parado. Olivia había tenido un orgasmo y aún era virgen, y quizá fuese una animalada querer penetrarla, pero sencillamente no pudo... evitarlo.

Olivia le pertenecía.

Aunque Harry empezaba a darse cuenta de que no tanto como él a ella.

Antes de que el orgasmo de Olivia finalizara, antes de que su intensidad pudiera dejarla exhausta, Harry sacó los dedos de su vagina y colocó el pene en su entrada.

—Te quiero —le dijo con la voz ronca por la emoción—. Tengo que decírtelo. Necesito que lo sepas. Necesito que lo sepas *ahora.*

Entonces la penetró esperando cierta resistencia. Pero Olivia estaba tan excitada, había recibido tanto amor, que él se deslizó con facilidad en su interior. Se estremeció de placer, por la delicia de unir sus cuerpos. Era como si nunca antes hubiese hecho esto; el deseo se apoderó de él y perdió el control. Y entonces, con una velocidad que lo habría dejado en muy mal lugar, de no haberla satisfecho antes a ella, soltó un grito y se puso rígido, y acto seguido, al fin, se desplomó encima de Olivia.

21

Olivia fue la primera en irse.

No estaba segura del tiempo que habían pasado allí tumbados en el diván, procurando recuperar la cordura, y luego, en cuanto fueron capaces de respirar con normalidad, les había llevado un rato recomponerse. Harry no consiguió anudarse la corbata con la rotunda precisión de su ayuda de cámara, y ella descubrió que un pañuelo no bastaba para...

¡Cielos! Ni siquiera podía *pensar* las palabras. No se arrepentía de lo que había hecho. Eso jamás; había sido la experiencia más maravillosa, increíble y espectacular de su vida. Pero ahora estaba... pringosa.

Además su salida de la habitación se había visto retrasada por varios besos robados, al menos dos miradas lujuriosas que habían amenazado con enviarlos de nuevo al diván y un pellizco lleno de picardía en el trasero.

Olivia aún se alegraba por lo último.

Pero al final lograron un aspecto lo bastante decente para volver a la fiesta y decidieron que ella fuese la primera en salir.

Harry lo haría cinco minutos después.

—¿Estás seguro de que estoy presentable con estos pelos? —preguntó ella mientras rodeaba el pomo de la puerta con la mano.

—No —confesó él.

Ella notó que abría mucho los ojos, alarmada.

—No está mal —dijo con esa típica incapacidad masculina para describir con exactitud un peinado—, pero no creo que esté igual que cuando llegaste a la fiesta. —Esbozó una sonrisa, consciente de su falta de conocimiento de la materia.

Ella se apresuró hasta el único espejo de la habitación, pero estaba encima de la chimenea y ni siquiera de puntillas pudo verse la cara entera.

—No veo nada —se quejó—. Voy a tener que buscar un cuarto de baño.

Así que hubo un cambio de planes. Olivia se iría, encontraría un lavabo y se quedaría al menos diez minutos dentro para que Harry pudiese irse a los cinco minutos de haberlo hecho ella y llegar al salón de baile cinco minutos antes que ella.

A Olivia el plan le pareció agotador. ¿Cómo hacían los espías para moverse a hurtadillas como los ladrones? Sería una espía terrible.

La frustración debió de reflejarse en su rostro, porque Harry se acercó y le besó con ternura en la mejilla.

—Pronto estaremos casados —le aseguró— y no tendremos que volver a hacer esto nunca más.

Ella abrió la boca para decir que su madre insistiría en un noviazgo de tres meses como mínimo, pero él alzó una mano y dijo:

—No te preocupes, esto *no* es una petición formal. Cuando te pida que te cases conmigo, lo sabrás. Te lo prometo.

Olivia sonrió y murmuró un adiós, sacó la cabeza por la puerta primero para asegurarse de que no venía nadie y, a continuación, salió sigilosamente a la silenciosa galería iluminada por la luna.

Sabía dónde estaba el cuarto de baño; aquella noche ya había ido en una ocasión. Procuró andar a la velocidad adecuada; ni demasiado rápido (no quería que pareciese que tenía prisa) ni tampoco demasiado despacio; lo mejor era siempre aparentar un objetivo.

No se encontró con nadie de camino al cuarto de baño, cosa que agradeció. Al abrir la puerta, sin embargo, y entrar en el tocador donde las mujeres podían lavarse las manos y mirarse en el espejo, fue recibida con un:

—¡Olivia!

Olivia casi se muere del susto. Mary Cadogan estaba frente al espejo, pellizcándose las mejillas.

—¡Por Dios, Mary! —dijo Olivia intentando recobrar el aliento—. ¡Qué susto!

Lo último que quería era entablar conversación con Mary Cadogan, pero por otra parte, de tener que toparse con alguien, agradecía que fuera con una cara conocida. Puede que a Mary le extrañase su desaliño, pero jamás sospecharía la verdad.

—¿Llevo el pelo muy mal? —preguntó Olivia mientras levantaba el brazo y se daba unos toquecitos con la mano—. He resbalado. A alguien se le ha caído champán por el suelo.

—¡Oh, qué rabia da eso!

—¿Qué te parece? —preguntó Olivia, esperando haber desviado la atención de Mary para que no le hiciese más preguntas.

—No está tan mal —la consoló Mary—. Te ayudaré. He peinado a mi hermana un montón de veces. —Obligó a Olivia a sentarse en una silla y empezó a recolocarle las horquillas—. El vestido parece intacto.

—Seguro que el bajo se ha manchado —dijo Olivia.

—¿A quién se le ha derramado el champán? —preguntó Mary.

—No lo sé.

—Apuesto a que ha sido al señor Grey. Es que lleva un brazo en cabestrillo.

—Ya lo he visto —murmuró Olivia.

—Tengo entendido que su tío lo empujó por las escaleras.

Olivia apenas logró reprimir su espanto ante ese rumor.

—No puede ser verdad.

—¿Por qué no?

—Bueno... —Olivia parpadeó varias veces mientras trataba de pensar en una respuesta aceptable. No quería decir que Sebastian se había caído de una mesa en su casa, porque seguro que Mary la *acribillaría* a preguntas si se enteraba de que ella tenía información concreta del incidente. Finalmente optó por decir—: Si se hubiese caído por las escaleras, ¿no crees que se habría hecho mucho más daño?

Mary pareció pensar en ello.

—Quizá se cayera por un tramo corto de escaleras. Por los escalones de la entrada de su casa, tal vez.

—Tal vez —dijo Olivia esperando que la cosa quedase ahí.

—Aunque... —continuó Mary, truncando las esperanzas de Olivia— si sucedió al aire libre, lo lógico es que hubiera habido testigos.

Olivia decidió no hacer comentarios.

—Me imagino que podría haber ocurrido de noche —reflexionó Mary en voz alta.

Olivia estaba empezando a pensar que Mary debería plantearse la posibilidad de escribir ella misma una novela del estilo de *La señorita Butterworth.* Desde luego, imaginación no le faltaba.

—Ya está —anunció Mary—. Como nuevo, o casi. No he sabido dejarte ese pequeño bucle suelto junto a la oreja.

Olivia estaba impresionada (y tal vez un tanto asustada) de que Mary se hubiese fijado en ese bucle; porque ella desde luego ni se había acordado.

—Gracias —le dijo—. Te lo agradezco mucho.

Mary sonrió con cariño.

—Estoy encantada de poderte ayudar. ¿Regresamos a la fiesta?

—Ve tú —contestó Olivia. Señaló hacia la otra parte, más privada, del cuarto de baño—. Necesito unos minutos.

—¿Quieres que te espere?

—¡Oh, no, no, no! —exclamó Olivia con la esperanza de que su sucesión de noes sonara más enfática que desesperada. Lo cierto es que necesitaba estar un rato sola; únicamente unos minutos para pensar, respirar hondo y tratar de centrarse de nuevo.

—Vale, de acuerdo. Te veo enseguida, pues. —Mary asintió y salió del tocador, dejando a Olivia sola.

Esta cerró los ojos unos instantes y realizó esa inspiración profunda que había estado esperando hacer. Todavía sentía un hormigueo por todo el cuerpo y estaba aturdida, impresionada por su propio comportamiento y, al mismo tiempo, eufórica.

No sabía con seguridad qué le chocaba más: haber perdido la virginidad en casa del embajador ruso o disponerse a volver a la fiesta como si nada hubiera pasado.

¿Lo detectaría la gente en su rostro? ¿La expresión de su cara habría sufrido un cambio radical? Porque ella sí se *sentía* radicalmente distinta.

Se acercó unos centímetros más al espejo para intentar analizar su imagen con minuciosidad. Tenía las mejillas sonrosadas, eso no había cómo ocultarlo. Y quizá le brillaba un poco más la mirada, casi deslumbrante.

Eran imaginaciones suyas. Nadie se daría cuenta.

Salvo Harry.

El corazón le dio un brinco. Literalmente.

Harry se daría cuenta. Recordaría hasta el último detalle y cuando la mirara, con sus ojos ardientes de deseo, ella volvería a derretirse.

Y de repente ya no estuvo segura de ser capaz de salir airosa de la situación. Nadie sabría lo que había estado haciendo solo con mirarla. Pero si daba la casualidad de que alguien la miraba mientras ella tenía los ojos clavados en Harry...

Se enderezó e intentó actuar con resolución. Podía hacerlo. Era lady Olivia Bevelstoke y sabía desenvolverse en cualquier situación social, ¿verdad? Era lady Olivia Bevelstoke, pronto lady...

Se le escapó un pequeño grito al pensarlo. Pronto lady Valentine. Le gustaba cómo sonaba, lady Valentine. ¡Era tan romántico! La verdad es que no había mejor apellido que ese.

Se dirigió hacia la puerta y alargó el brazo hacia el pomo. Pero alguien la abrió primero, de modo que retrocedió para evitar que le golpeara.

Aunque no pudo evitar...

—¡Ay!

¿Dónde demonios estaba Olivia?

Harry hacía más de media hora que había vuelto a la fiesta y aún no la había vislumbrado siquiera. Había desempeñado su papel a la perfección charlando con un sinfín de radiantes jovencitas, incluso bailando con una de las Smyhte-Smith, y había ido a comprobar cómo estaba Sebastian, aunque no es que este lo necesitara, porque hacía varios días que no le molestaba el hombro.

Olivia había dicho que quería ir al cuarto de baño a echar un vistazo a su aspecto, por lo que Harry no había contado con que apareciese enseguida en la fiesta, pero aun así, ¿no debería haber acabado ya? La última vez que la había visto le había parecido que estaba bastante aceptable. ¿Qué más podía haber tenido que hacer?

—¡Oh, sir Harry!

Al oír una voz femenina se giró. Era esa joven con la que Olivia había estado sentada en el parque. ¡Maldita sea! ¿Cómo se llamaba?

—¿Ha visto a Olivia? —preguntó ella.

—No —contestó él—. Aunque no llevo mucho tiempo en el salón de baile.

La joven frunció el ceño.

—No sé dónde se ha metido. Estaba con ella hace un rato.

Harry la miró con creciente interés.

—¿Ah, sí?

Ella asintió señalando hacia un lado, se supone que para indicar otro sitio.

—La he ayudado a arreglarse el pelo. Es que alguien le ha salpicado el vestido de champán.

Harry no sabía muy bien qué tenía eso que ver con el pelo, pero sabía que era mejor no preguntar. Fuera cual fuese la historia que Olivia se había inventado, había convencido a su amiga y él no pensaba discutirle nada.

La joven frunció el ceño de nuevo y giró la cabeza a un lado y al otro mirando hacia la multitud.

—Es que tengo que contarle algo.

—¿Cuándo la ha visto por última vez? —preguntó Harry en un tono serio, casi paternal.

—¡Dios mío! No estoy segura. ¿Hace una hora quizá? No, no hace tanto rato, imposible. —Continuó con su búsqueda visual por la pista de baile, pero Harry no supo adivinar si buscaba a Olivia o simplemente repasaba la lista de invitados.

—¿La ve? —murmuró Harry, porque era muy violento estar ahí junto a ella mientras se dedicaba a mirar a todos los presentes en la sala menos a él.

Ella negó con la cabeza y entonces pareció localizar a alguien más importante que él, porque dijo:

—Si la encuentra, dígale que la estoy buscando. —Y con un pequeño gesto de la mano volvió a perderse entre la muchedumbre.

¡Qué conversación tan inútil!, pensó Harry mientras se dirigía hacia las puertas que daban al jardín. No creía que Olivia hubiese salido, pero la sala de baile estaba en un desnivel del terreno y había que subir tres escalones para llegar a las puertas. Desde ahí tendría muchas más posibilidades de poder verla.

Pero cuando llegó a su ventajosa posición, de nuevo se llevó un chasco. Por lo visto toda la gente que conocía estaba en la fiesta, pero ni rastro de Olivia. Estaba Sebastian, que seguía embelesando a las damas con sus inventados relatos épicos. Edward se encontraba a su lado, intentando parecer mayor de lo que era en realidad. La amiga de Olivia (cuyo nombre seguía sin recordar) bebía a sorbos un vaso de limonada mientras fingía escuchar al caballero de cierta edad que le decía algo con voz potente. Y estaba el hermano gemelo de Olivia, apoyado en la pared del fondo de la sala con expresión de aburrimiento.

Hasta Vladimir estaba ahí, cruzando el salón de baile con gran determinación sin molestarse en pedir disculpas por empujar a varios lores y ladies. Parecía bastante serio, pensó Harry, y al darse cuenta de que el gigante ruso se dirigía hacia él, se preguntó si convendría investigarlo.

—Venga conmigo —le ordenó a Harry.

Harry dio un respingo.

—¿Habla usted inglés?

—*Nyeh tak khorosho, kak tiy govorish po-russki.* (No tan bien como usted ruso.)

—¿Qué pasa? —preguntó Harry en inglés, solo por prudencia.

Los ojos de Vladimir lo miraron con dureza.

—Conozco a Winthrop —anunció el ruso.

Bastó para convencer a Harry de que confiase en él. Y entonces Vladimir añadió:

—Lady Olivia ha desaparecido.

De repente ya no importaba si confiaba o no en él.

Olivia no tenía ni idea de dónde estaba.

Ni de cómo había llegado allí.

Ni de por qué tenía las manos atadas a la espalda y los pies firmemente sujetos, y la habían amordazado.

Ni de por qué no le *habían* vendado los ojos, pensó mientras parpadeaba desesperadamente para acostumbrarse a la tenue luz.

Estaba tumbada de costado, en una cama, de cara a la pared. A lo mejor quienquiera que le hubiese hecho esto se había imaginado que, si no podía moverse ni hacer ruido alguno, daría igual lo que viera.

Pero ¿quién podía ser? ¿Por qué? ¿Qué había pasado?

Trató de pensar, trató de apaciguar las ideas que se le agolpaban en la cabeza. Había ido al cuarto de baño. Mary Cadogan había estado allí, y luego se había ido y ella se había quedado sola... ¿durante cuánto tiempo? Por lo menos unos minutos; tal vez cinco.

Finalmente se había armado de valor para volver a la fiesta, pero habían abierto la puerta y entonces...

¿Qué había pasado? ¿Qué?

«Piensa, Olivia, piensa.»

¿Por qué no lo recordaba? Era como si una gran mancha gris se hubiera esparcido por su memoria.

Empezó a respirar con más dificultad. Deprisa y agitadamente. Horrorizada. No podía pensar con claridad.

Intentó soltarse, aunque sabía que era inútil. Consiguió volverse sobre el otro lado, de espaldas a la pared. No lograba calmarse, centrarse...

—Veo que está despierta.

Olivia se quedó helada, inmóvil. Su único movimiento era el del pecho, que subía y bajaba deprisa.

No reconoció la voz. El dueño de esta se acercó, pero tampoco reconoció al hombre.

«¿Quién es usted?»

Pero no pudo hablar. Sin embargo, el hombre leyó la pregunta en su mirada; la vio en sus ojos aterrados.

—Da igual quién soy —dijo con cierto acento en la voz, aunque ella no supo identificar su procedencia. Al igual que se le habían dado siempre fatal los idiomas, tampoco era capaz de identificar los acentos.

El hombre se aproximó más y se sentó en una silla cercana. Era mayor que ella, aunque no tanto como sus padres, y llevaba el pelo canoso muy corto. Sus ojos..., a oscuras no pudo adivinar de qué color eran. No eran marrones, sino un poco más claros.

—El príncipe Alexei se ha quedado prendado de usted —dijo.

Olivia abrió mucho los ojos. ¿El príncipe Alexei le había hecho esto?

Su captor se rio entre dientes.

—No disimula usted bien sus emociones, lady Olivia. No ha sido el príncipe quien la ha traído aquí, pero sí será él... —se inclinó de forma amenazadora hasta que ella pudo olerle el aliento— quien pague su rescate.

Olivia sacudió la cabeza con un gruñido, intentando decirle que el príncipe no se había quedado prendado de ella y que, de ser así, ya era agua pasada.

—Si es usted lista, no forcejeará —dijo el hombre—. No conseguirá soltarse, conque no malgaste sus fuerzas.

Sin embargo, no podía parar de forcejear. Un miedo espantoso se estaba apoderando de ella y no sabía cómo controlarlo.

El hombre de pelo gris se levantó mientras la miraba esbozando una tenue sonrisa.

—Luego le traeré comida y agua. —Se marchó de la habitación y Olivia creyó morir de miedo al oír el clic de la puerta al cerrarse, seguido del giro de dos cerrojos.

No podría salir de ahí. No sin ayuda.

Pero ¿sabía alguien que había desaparecido?

22

—¡¿Dónde está?!

Eso fue cuanto Harry logró articular antes de abalanzarse sobre el príncipe. Había seguido a Vladimir hasta una habitación de la parte posterior de la casa mientras el pánico crecía a cada paso que daba. Sabía que estaba siendo un idiota; podría tratarse de una encerrona. Era evidente que alguien se había enterado de que trabajaba para el Ministerio de Guerra, si no ¿cómo iba a saber Vladimir que hablaba ruso?

Podría estar yendo a su propia ejecución.

Pero era un riesgo que tenía que correr.

Aun así, cuando vio al príncipe ahí de pie, iluminado por una sola vela que había encima de una mesa desnuda, Harry se le tiró encima. El miedo le dio más energía incluso, y cuando ambos cayeron al suelo, lo hicieron con asombrosa fuerza.

—¡¿Dónde está?! —gritó de nuevo Harry—. ¿Qué le ha hecho?

—¡Basta! —Vladimir se interpuso entre los dos hombres y los separó. Fue solo cuando Harry volvió a levantarse, y estaba a un brazo de distancia del príncipe, que se dio cuenta de que Alexei no había contraatacado.

El pánico creció en la boca de su estómago. El príncipe parecía pálido, serio, asustado.

—¿Qué está pasando? —susurró Harry.

Alexei le dio un papel. Harry lo acercó a la vela y lo examinó. Estaba escrito en cirílico; no protestó. Este no era el momento de fingir que no podía leerlo.

La muchacha vivirá si coopera. Le costará caro. No se lo diga a nadie.

Harry alzó la vista.

—¿Cómo sabemos que es ella? No mencionan su nombre.

Sin decir palabra, Alexei alargó la mano. Harry bajó los ojos. En la mano había un mechón de pelo. Harry tuvo ganas de decir que tal vez no fuese de Olivia, que podía haber otra mujer con ese color de pelo, ese increíble tono dorado, con el mismo tipo de rizo, a medio camino entre tirabuzón y onda.

Pero supo que era suyo.

—¿Quién ha escrito esto? —preguntó en ruso.

Vladimir habló primero.

—Creemos...

—¿Creen? —rugió Harry—. *¿Creen?* Más les vale empezar a saberlo, y pronto. Si le pasa algo...

—Si a ella le pasa algo —interrumpió el príncipe con gélida precisión—, yo mismo les cortaré el cuello. Habrá justicia.

Harry se giró lentamente hacia él, tratando de reprimir el remolino de ácido de su estómago.

—No quiero justicia —anunció con voz grave y apagada por la ira—. La quiero a ella.

—Y la rescataremos —se apresuró a decir Vladimir. Le lanzó al príncipe una mirada de advertencia—. No sufrirá daño alguno.

—¿Quién es usted? —exigió saber Harry.

—Eso no importa.

—Yo creo que sí.

—También trabajo para el Ministerio de Guerra —dijo Vladimir. Se encogió un poco de hombros—. Algunas veces.

—Discúlpeme si no ha logrado ganarse mi confianza.

Vladimir lo miró de nuevo con esa mirada fija, dura y directa que había desconcertado a Harry en el salón de baile. Saltaba a la vista que era mucho más que el criado amenazante que fingía ser.

—Conozco a Fitzwilliam —dijo Vladimir en voz baja.

Harry se quedó helado. Nadie conocía a Fitzwilliam; no a menos que así lo quisiera él. La cabeza le dio vueltas. ¿Por qué iba Winthrop a ordenarle que observara al príncipe Alexei si ya tenían a Vladimir para ese cometido?

—Winthrop, su contacto, no me conoce —dijo Vladimir anticipándose a la siguiente pregunta de Harry—. No tiene un cargo lo bastante alto para conocerme.

Que Harry supiera, la única persona que había por encima de Winthrop era el propio Fitzwilliam.

—¿De qué va todo esto? —preguntó esforzándose por mantener la voz serena.

—No soy un simpatizante de Napoleón —dijo el príncipe Alexei—. Mi padre lo era, pero yo... —escupió en el suelo— no.

Harry miró a Vladimir.

—Él no trabaja conmigo —dijo Vladimir, moviendo la cabeza hacia el príncipe—. Pero... nos da su apoyo. Ha dado dinero. Y el uso de sus tierras.

Harry sacudió la cabeza.

—¿Qué tiene esto que ver con...?

—Hay quienes intentarían aprovecharse de él —interrumpió Vladimir—. Es muy útil, vivo o muerto. Yo lo protejo.

Era asombroso. Vladimir era realmente el guardaespaldas de Alexei. Una minúscula verdad en una red de mentiras.

—Tal como ha asegurado, está aquí para ver a su primo —continuó Vladimir—. Y así yo también puedo reunirme tranquilamente con mis compañeros de Londres. Por desgracia, el interés del príncipe por lady Olivia no ha pasado desapercibido.

—¿Quién la ha secuestrado?

Vladimir apartó la vista un instante y Harry supo que eso no era nada bueno. Si Vladimir no podía mirarlo a los ojos, es que Olivia corría grave peligro.

—No estoy seguro —contestó Vladimir al fin—. Aún no sé si hay motivaciones políticas o es solo por dinero. El príncipe tiene una fortuna considerable.

—A mí me habían dicho que su fortuna había disminuido —dijo Harry en tono seco.

—Así es —confirmó Vladimir mientras alzaba una mano para impedir que Alexei se defendiera—, pero sigue teniendo mucho. Tierras, joyas..., más que suficiente para que un criminal quiera exigirle un rescate por la liberación de alguien de su entorno.

—Pero ella no es...

—Alguien cree que pretendía pedirle a lady Olivia que se casara conmigo —interrumpió Alexei.

Harry se encendió.

—¿Es eso cierto?

—No. Puede que en su momento me lo plantease, pero ella... —El príncipe agitó una mano en el aire con desdén—. Ella está enamorada de usted. No necesito una mujer que me quiera, pero no soportaría que amase a otro hombre.

Harry cruzó los brazos.

—Pues al parecer sus enemigos no tienen lo bastante claras cuáles son sus intenciones.

—Ahí sí que debo pedirle disculpas. —Alexei tragó saliva y, por primera vez desde que Harry lo conocía, le pareció que se sentía violento—. No puedo controlar lo que los demás piensan de mí.

Harry se dirigió a Vladimir.

—¿Y ahora qué hacemos?

La mirada que le lanzó Vladimir le indicó que no le gustaría lo que venía a continuación.

—Esperar —le dijo—. Volverán a ponerse en contacto con nosotros.

—No pienso quedarme aquí a...

—¿Y qué sugiere que hagamos entonces? ¿Interrogar a todos y cada uno de los invitados? La nota decía que no se lo dijéramos a nadie. Ya hemos desobedecido diciéndoselo a usted. Si estos hombres son como creo que son, no conviene que los hagamos enfadar.

—Pero...

—¿Quiere darles un motivo para que hagan daño a lady Olivia? —preguntó Vladimir.

Harry creyó que se ahogaba. Era como si un tentáculo interno lo estuviera estrangulando desde dentro. Sabía que Vladimir tenía razón, o por lo menos sabía que *él mismo* no tenía ninguna idea mejor.

El miedo y la impotencia lo estaban matando.

—Alguien tiene que haber visto algo —comentó.

—Iré a investigar —dijo Vladimir.

Acto seguido Harry se dirigió hacia la puerta.

—Voy con usted.

—No —ordenó Vladimir, levantando una mano para detenerlo—. Está demasiado implicado. No tomará buenas decisiones.

—No puedo quedarme con los brazos cruzados —confesó Harry. Volvió a sentirse pequeño, joven e impotente ante un problema para el que no había ninguna solución adecuada.

—Y no lo hará —le aseguró Vladimir—. Tendrá mucho que hacer, pero más adelante.

Harry observó a Vladimir yendo hacia la puerta, pero antes de que este pudiera irse, le gritó:

—¡Espere!

Vladimir se giró.

—Lady Olivia fue al cuarto de baño —dijo Harry—. Se fue al lavabo después... —Carraspeó—. Sé que fue al lavabo.

Vladimir asintió despacio.

—Es bueno saberlo. —Salió rápidamente por la puerta y desapareció.

Harry miró a Alexei.

—Habla usted ruso —dijo el príncipe.

—Es por mi abuela —repuso Harry—. Se negaba a hablarnos en inglés.

Alexei asintió.

—Mi abuela era finlandesa y hacía lo mismo.

Harry lo miró fijamente durante varios segundos, luego se desplomó en una silla y hundió la cabeza entre las manos.

—Es bueno que hable usted nuestro idioma —dijo Alexei—. Muy pocos compatriotas suyos lo hablan.

Harry intentó ignorarlo. Tenía que pensar. No sabía por dónde empezar, qué información tenía que pudiese ayudar a localizar el paradero de Olivia, sin embargo, sí sabía que tenía que devanarse los sesos.

Pero Alexei no paraba de hablar.

—Siempre me sorprende que...

—¡Cállese! —le espetó Harry—. Cállese, por lo que más quiera. No hable. No diga una maldita palabra a menos que sea para encontrar a Olivia. ¿Me entiende?

Alexei se quedó unos segundos inmóvil. Luego, en silencio, cruzó la habitación hasta una librería y tomó una botella y dos vasos. Sirvió el líquido (probablemente vodka) en ambos vasos y, sin hablar, dejó uno delante de Harry.

—No bebo —dijo este sin molestarse en levantar la mirada.

—Le sentará bien.

—No.

—¿Y dice que es ruso? ¿Y no bebe vodka?

—No bebo alcohol —contestó Harry en tono seco.

Alexei lo observó con cierta curiosidad, luego se sentó en el extremo opuesto de la habitación.

El vaso permaneció intacto durante casi una hora hasta que Alexei, aceptando al fin que Harry decía la verdad, lo tomó y se lo bebió él mismo.

Al cabo de unos diez minutos, Olivia consiguió por fin relajar lo suficiente el cuerpo como para que su mente funcionara debidamente. No tenía la menor idea de lo que podía hacer para contribuir a su rescate, pero le pareció sensato reunir toda la información que pudiera.

Era imposible averiguar dónde estaba encerrada, ¿o no? Logró sentarse y examinó la habitación lo mejor que supo. Era casi imposible ver nada bajo la tenue luz; el hombre se había llevado la vela.

La habitación era pequeña y el mobiliario escaso, pero no parecía desvencijado. Olivia se arrimó a la pared y escudriñó el yeso. A continuación frotó la mejilla contra este. Estaba en buen estado, no desconchado ni descascarillado.

Al mirar hacia arriba vio una moldura de corona en la unión de las paredes con el techo. Y la puerta... resultaba difícil apreciarlo desde la cama, pero el pomo parecía de buena calidad.

¿Estaba aún en la residencia del embajador? Parecía posible. Se aovilló y apoyó la mejilla contra la piel desnuda de sus brazos. Tenía la piel caliente. Si la hubiesen sacado a la calle, ¿no tendría frío? Naturalmente no sabía cuánto rato había estado inconsciente, a lo mejor llevaba horas allí. Aun así, no tenía la *sensación* de haber estado fuera.

Fruto del pánico, amenazaron con borbotar de su garganta unas carcajadas. ¿En qué estaba pensando? ¿Qué quería decir que no tenía la *sensación* de haber estado fuera? ¿Iba a empezar a tomar decisiones instintivas acerca de lo que podía o no haber pasado estando inconsciente?

Se obligó a hacer una pausa; necesitaba calmarse. No sería capaz de conseguir nada si cada cinco minutos le daba un ataque de histeria. Era más lista que eso. Podía mantener la cabeza fría.

Tenía que mantener la cabeza fría.

¿Qué sabía de la residencia del embajador? Había estado dos veces en ella; la primera de día, cuando fue convocada por el príncipe Alexei, y luego esta noche para el baile.

Era un edificio enorme, una auténtica mansión en pleno corazón de Londres. Debían de haber un sinfín de habitaciones en las que ocultar a una persona. Tal vez estuviese en las dependencias del servicio. Arrugó el entrecejo intentando recordar las habitaciones de los criados de la casa Rudland. ¿Tenían también molduras? ¿Y los pomos de las puertas eran de tan buena calidad como los del resto de la casa?

No tenía ni idea.

¡Maldita sea! ¿Por qué no lo sabía? ¿No debería saberlo?

Se giró hacia la pared del fondo. Había una ventana, pero la tapaban unas gruesas cortinas de terciopelo. ¿De color vino quizás? ¿Azul oscuro? Imposible saberlo. La noche estaba engullendo todo el color que la rodeaba. La única luz que entraba era la de la luna, que se filtraba por la ventana semicircular que había encima del rectángulo tapado por las cortinas.

Se paró a pensar. Algo estaba llamando a la puerta de su memoria.

Se preguntó si podría mirar por la ventana, si sería capaz de bajarse de la cama. Sería complicado. Le habían atado los tobillos tan juntos que difícilmente podría dar unos pasos diminutos. Y no había caído en la cuenta de la sensación de desequilibrio que tendría con las manos atadas a la espalda.

Por no mencionar que tendría que hacerlo todo en absoluto silencio. Sería desastroso que su captor volviera y se la encontrara en cualquier otro sitio menos en la cama, que era justo donde la había dejado. Muy lenta y cuidadosamente alzó las piernas de la cama y fue desplazándose hacia el borde hasta que tocó el suelo con los pies. Con idéntico control de movimientos, pudo ponerse de pie y luego, apoyándose en diversos muebles, se dirigió hacia la ventana.

La ventana. ¿Por qué le resultaba tan familiar?

Tal vez porque era una ventana, se dijo con impaciencia. No es que las ventanas estuvieran precisamente repletas de detalles arquitectónicos únicos.

Cuando llegó a su destino, se inclinó con cuidado hacia delante intentando abrir las cortinas con la cara. Empezó con la mejilla y, a continuación, una vez que las hubo separado un poco, pegó el rostro a la ventana tratando de empujar el borde de estas con la nariz. Fueron necesarios cuatro intentos, pero finalmente lo consiguió, rotando incluso el hombro hacia delante para impedir que las cortinas se volvieran a cerrar.

Apoyó la cabeza en el cristal y vio... No vio nada. Tan solo el vaho de su respiración. Volvió a girar la cabeza, usando la mejilla para borrar el vaho. Cuando miró de nuevo hacia delante, contuvo el aliento.

Aun así no pudo ver gran cosa. Lo único que supo con seguridad era que estaba a bastante altura, tal vez en un quinto o sexto piso. Veía los tejados de otros edificios, pero poca cosa más.

La luna, veía la luna.

Había visto la luna en la otra habitación, donde había hecho el amor con Harry. La había visto a través del montante de abanico.

¡La ventana semicircular!

Retrocedió un poco, con mucho cuidado para no perder el equilibrio. Esta ventana tenía también otra semicircular en su parte superior. Lo cual no es que fuese muy significativo, solo que la estructura era la misma: diversos listones de madera que dividían la ventana desde su base haciendo que se pareciera bastante a un abanico desplegado.

Exactamente igual que la de la planta baja.

De modo que seguía en la residencia del embajador. Cabía la posibilidad de que la hubieran trasladado a otro edificio cuyas ventanas tuviesen la misma estructura, pero era poco probable, ¿verdad? Y la residencia del embajador era enorme; prácticamente un palacio. No estaba en el centro de Londres, sino bastante alejada de Kensington, donde había mucho más espacio para edificaciones tan grandes.

Se acercó de nuevo a la ventana y volvió a apartar el borde de las cortinas con la cabeza, esta vez lo consiguió al primer intento. Pegó la oreja al cristal, tratando de escuchar... cualquier cosa. ¿Música? ¿A la gente? ¿No tendría que haber algún indicio de que en el mismo edificio se estaba celebrando una gran fiesta?

Quizá no estuviera en la residencia del embajador. No, no, era un edificio gigantesco. Sin duda podía estar lo bastante lejos del salón de baile como para no oír nada.

Pero oyó unos pasos. Le dio un vuelco el corazón, fue hasta la cama medio arrastrando los pies a saltos y consiguió tumbarse en ella justo cuando oyó el clic de los dos cerrojos al abrirse.

Cuando abrieron la puerta empezó a forcejear; fue lo único que se le ocurrió para explicar que estaba sin aliento.

—Le he dicho que no haga eso —la reprendió su captor. Cargaba una bandeja con una tetera y dos tazas. Olivia olió a hierbas de té desde el otro lado de la habitación. El aroma era celestial.

—Soy muy considerado, ¿verdad? —le preguntó mientras levantaba un poco la bandeja antes de dejarla encima de una mesa—. He llevado esa mordaza con anterioridad. —Señaló la cinta que la amordazaba—. Hace que uno tenga la boca muy seca.

Olivia se limitó a mirarlo a los ojos. No sabía muy bien cómo contestarle. *Cómo*, en sentido literal, porque seguro que él sabía que no podía hablar.

—Le quitaré eso para que pueda tomar un té —le dijo él—, pero tiene que permanecer callada. Si hace algún sonido, cualquier sonido que supere un susurro de agradecimiento, tendré que volverla a dejar inconsciente.

Ella abrió mucho los ojos.

Él se encogió de hombros.

—Es bastante fácil de hacer. Lo he hecho una vez, y debo decir que bastante bien. Apuesto a que ni siquiera le duele la cabeza.

Olivia parpadeó varias veces. No le dolía la cabeza. ¿Cómo lo había hecho?

—¿Estará calladita?

Olivia asintió. Necesitaba que le sacaran la mordaza. Tal vez hablando con él podría convencerle de que todo esto era un error.

—No intente ninguna heroicidad —le advirtió, aunque con mirada burlona, como si le fuese imposible imaginársela dándole susto alguno.

Ella sacudió la cabeza tratando de mantener la mirada seria. Cabeza y ojos eran sus únicos sistemas de comunicación en tanto él no le quitara la mordaza.

Su captor se inclinó hacia delante, alargando los brazos, pero entonces se detuvo y los retiró.

—Creo que el té está listo —anunció—. No es conveniente que se... ¿Cómo se dice?

Era ruso. Con ese «¿Cómo se dice?», Olivia pudo reconocer su acento y determinar su nacionalidad. Hablaba exactamente igual que el príncipe Alexei.

—¡Qué tonto soy! —exclamó el hombre mientras servía dos tazas de té—. No puede hablar. —Al cabo de un rato se acercó a Olivia y le quitó la mordaza.

Olivia tosió y necesitó unos segundos hasta tener la boca lo bastante húmeda para hablar, pero al hacerlo miró directamente a su captor y le dijo:

—Recocer.

—¿Cómo dice?

—El té. No es conveniente que se recueza.

—Recocer. —Repitió la palabra, pronunciándola al parecer con la boca y en su mente. Tras una expresión de aprobación le dio una taza.

Ella hizo una mueca de disgusto y se encogió un poco de hombros. ¿Cómo pretendía él que sujetara la taza? Aún tenía las manos atadas a la espalda.

Él sonrió, pero no fue una sonrisa cruel. Fue incluso compasiva, casi... de tristeza.

Lo que a Olivia le dio esperanzas, no muchas, pero sí algunas.

—Me temo que no me fío de usted lo bastante para desatarle las manos —dijo él.

—Le prometo no...

—No prometa nada que no pueda cumplir, lady Olivia.

Ella abrió la boca para protestar, pero él le interrumpió.

—No creo que prometa usted en falso de forma consciente, pero le parecerá ver una oportunidad, será incapaz de dejarla escapar y entonces cometerá alguna estupidez, y yo tendré que hacerle daño.

Fue un modo eficaz de zanjar la discusión.

—Sabía que lo entendería —le dijo a Olivia—. Veamos, ¿confía en mí lo bastante como para dejar que le sostenga la taza?

Ella sacudió lentamente la cabeza.

Él se rio.

—Muchacha lista. Así me gusta, porque no soporto la estupidez.

—Alguien que merece todos mis respetos me aconsejó que no confiara nunca en un hombre que me dijera que confiara en él —comentó Olivia en voz baja.

Su captor volvió a reírse entre dientes.

—Ese alguien... ¿es un hombre?

Olivia asintió.

—Pues es un buen amigo.

—Lo sé.

—Tenga. —El hombre le acercó la taza a los labios—. En esta ocasión no tiene más remedio que confiar en mí.

Ella tomó un sorbo. La verdad es que no había otra opción y tenía la garganta seca.

Él dejó la taza y tomó la suya.

—Las he servido de la misma tetera —comentó antes de tomar un sorbo. Al tragar añadió—: Aunque eso no significa que deba confiar en mí.

Olivia levantó la mirada para encontrarse con la suya y dijo:

—No tengo ninguna relación con el príncipe Alexei.

Él esbozó una media sonrisa.

—¿Me toma por idiota, lady Olivia?

Ella sacudió la cabeza.

—Empezó a cortejarme, es cierto, pero dejó de hacerlo.

Su captor se inclinó varios centímetros hacia delante.

—Esta noche ha desaparecido durante casi una hora, lady Olivia.

Ella abrió la boca. Notó que se sonrojaba y rezó para que él no pudiese verlo en la oscuridad.

—Y el príncipe Alexei también.

—Pues conmigo no ha estado —se apresuró a decir Olivia.

El hombre de pelo canoso tomó tranquilamente un sorbo de té.

—No sé cómo decir esto sin ofenderla —murmuró—, pero huele a... ¿Cómo se dice?

Olivia intuyó que sabía *perfectamente* cómo se decía y por humillante que fuera no tuvo más remedio que confesar:

—He estado con un hombre. Con otro hombre, no con el príncipe Alexei.

Lo que acaparó el interés de su captor.

—¿En serio?

Ella asintió una sola vez, con contundencia, como dándole a entender que no tenía intención alguna de entrar en detalles.

—¿Lo sabe el príncipe?

—No es asunto suyo.

Él tomó otro sorbo de té.

—¿Discreparía él de usted al respecto?

—¿Cómo dice?

—¿Consideraría el príncipe Alexei que sí es asunto suyo? ¿Se enfadaría?

—No lo sé —contestó Olivia intentando ser honesta—. Hace más de una semana que no viene a verme.

—Una semana no es mucho tiempo.

—Conoce al otro caballero y creo que está al tanto de lo que siento por él.

Su captor se dedicó unos instantes a analizar esta nueva información.

—¿Puedo tomar un poco más de té? —preguntó Olivia. Porque estaba bueno y tenía sed.

—Por supuesto —dijo él en voz baja volviéndole a acercar la taza.

—¿Me cree? —quiso saber Olivia cuando acabó de beber.

Él habló despacio.

—No lo sé.

Ella esperaba que él le preguntase por la identidad de Harry, pero no lo hizo, lo que le pareció curioso.

—¿Qué va a hacer conmigo? —dijo Olivia en voz baja, rezando para no parecer estúpida por preguntarlo.

Él había estado mirando fijamente a un punto de la pared que ella tenía a su espalda, pero enseguida volvió a mirarla a la cara.

—Eso depende.

—¿De qué?

—Veremos si el príncipe Alexei sigue apreciándola. Será mejor que no le hablemos de su falta de discreción por si todavía ansía que se convierta usted en su esposa.

—No creo que...

—No me interrumpa, lady Olivia —le dijo con voz lo bastante amenazadora como para recordarle que no era su amigo ni estaban en una merienda cualquiera.

—Lo siento —susurró ella.

—Si aún la desea, le conviene que crea que es usted virgen, ¿no le parece?

Olivia se quedó inmóvil hasta que se hizo evidente que no se trataba de una pregunta retórica. Finalmente, asintió una vez con la cabeza.

—Cuando él haya pagado su rescate —dijo su captor encogiendo los hombros con fatalismo—, ya lo arreglará usted como mejor le parezca. A mí me dará igual. —La escudriñó en silencio unos instantes y luego dijo—: Tenga, tome otro sorbo de té antes de que vuelva a amordazarla.

—¿Es necesario que lo haga?

—Me temo que sí. Es usted más lista de lo que me había imaginado. No puedo dejar que disponga de arma alguna, ni siquiera de su voz.

Olivia tomó el último sorbo de té y, a continuación, cerró los ojos mientras su captor volvía a ajustarle la mordaza. Cuando este acabó, ella volvió a tumbarse mirando impasible hacia el techo.

—Le sugiero que descanse, lady Olivia —le dijo él desde la puerta—. Es la mejor manera de pasar el tiempo aquí.

Olivia no se molestó en mirarlo. Seguro que él no esperaba respuesta alguna, ni siquiera la que pudiera dar solo con los ojos.

Su captor cerró la puerta sin hacer más comentarios. Olivia escuchó los clics de los dos cerrojos y entonces, por primera vez desde que empezara este suplicio, tuvo ganas de llorar. No de forcejear, ni de enfurecerse, simplemente de llorar.

Notó las lágrimas, silenciosas y punzantes, resbalando por las sienes hasta caer en la almohada bajo su cabeza. No podía enjugarse el rostro y de algún modo aquello le pareció la mayor de las humillaciones.

¿Qué se suponía que tenía que hacer ahora? ¿Quedarse ahí tumbada esperando? ¿Descansar, tal como le había sugerido su captor? Imposible; la inacción la estaba matando.

A estas alturas Harry se habría dado cuenta de su desaparición. Aunque nada más hubiera permanecido unos minutos inconsciente, él tenía que haberse dado cuenta. Llevaba por lo menos una hora encerrada en ese cuarto.

Pero ¿sabría qué hacer? Había sido soldado, cierto, pero esto no era un campo de batalla con unos enemigos claramente identificados y visibles. Y si ella aún estaba en la residencia del embajador, ¿cómo iba él a interrogar a nadie? Más de la mitad de los criados hablaba únicamente en ruso. Harry sabía decir «Por favor» y «Gracias» en portugués, pero con eso no llegaría muy lejos.

Tendría que escapar por sus propios medios o, como mínimo, hacer lo posible para facilitarle las cosas a la persona que fuera a rescatarla.

Sacó las piernas de la cama y se sentó, abandonando con resolución su actitud autocompasiva. No podía quedarse con los brazos cruzados.

A lo mejor podía hacer algo con las cintas que le inmovilizaban pies y manos. Estaban muy bien atadas, pero no tanto como para apretarle la piel. Quizá pudiese llegar con las manos a los tobillos. Sería difícil, porque tendría que doblarse hacia atrás, pero valía la pena intentarlo.

Se tumbó de lado y llevó las piernas hacia atrás, más y más...

Ya estaba. Lo tenía. Lo que sujetaba sus tobillos no era cuerda, sino más bien una tira de tela atada con un nudo muy fuerte. Soltó un gemido. Seguramente sería más fácil cortarlo que tratar de deshacerlo.

Nunca había tenido paciencia para esta clase de cosas. Igual que para el bordado, que detestaba, y las lecciones que se había saltado...

Si lograba deshacer este nudo, aprendería francés. ¡No, aprendería ruso! Eso sería más difícil aún.

Si lograba deshacerlo, acabaría de leer *La señorita Butterworth y el barón loco.* Incluso encontraría el libro aquel que trataba de un misterioso coronel y también lo leería.

Escribiría más cartas, y no solo a Miranda. Repartiría personalmente las cajas destinadas a beneficencia, no se encargaría solo de prepararlas. Y acabaría *todo* lo que empezara.

Todo.

Y de ninguna manera se enamoraría de sir Harry Valentine y renunciaría a casarse con él.

De ninguna manera.

23

Harry permaneció sentado en silencio mientras Alexei se bebía el segundo trago de vodka. No dijo nada cuando se bebió el tercero e incluso el cuarto, que en realidad era el que le había servido a él. Pero cuando el príncipe alargó el brazo para agarrar la botella y tomarse el quinto trago...

—No lo haga —le espetó.

Alexei lo miró sorprendido.

—¿Cómo dice?

—No beba otra copa.

Ahora el príncipe parecía confuso.

—¿Me está diciendo que no beba?

Una de las manos de Harry se cerró en un puño firme y tenso.

—Lo que digo es que si necesitamos que nos ayude a encontrar a Olivia, no quiero que vaya tambaleándose y devolviendo por los pasillos.

—Le aseguro que nunca me tambaleo ni... ¿Qué es eso de «devolver»?

—Deje la botella.

Alexei no obedeció.

—Dé-je-la.

—Creo que ha olvidado quién soy.

—Nunca me olvido de nada. Haría bien en recordar eso.

Alexei se limitó a mirarlo fijamente.

—Dice usted tonterías.

Harry se levantó.

—¿Me está provocando?

Alexei lo observó unos instantes, luego devolvió la atención al vaso y la botella que sostenía en las manos. Empezó a servirse.

Harry se sulfuró.

Era la primera maldita vez en su vida que se sulfuraba, pero habría jurado que cuanto lo rodeaba adquiría un color distinto, más intenso. Se le habían taponado los oídos, como si hubiese escalado una montaña. Ya no era dueño de sí mismo. No controlaba nada. Su cuerpo saltó hacia delante por voluntad propia y desde luego su mente no hizo nada para detenerlo. Cayó encima del príncipe como una bala de cañón humana y los dos chocaron contra una mesa, y luego fueron a parar al suelo, el vodka derramándose sobre ambos.

A Harry por poco le entraron arcadas por el fuerte olor del alcohol, que le empapó la ropa, y estaba frío, muy frío en contacto con la piel.

Pero eso no lo detuvo. Nada podría haberlo detenido. No podía articular palabra, no se le ocurría nada que decir. Por una vez en su vida se había quedado sin palabras. Lo único que sentía era ira. Una ira que le inundó por dentro, que palpitaba furiosamente, y cuando levantó el puño para estamparlo en la cara del príncipe, lo único que salió por su boca fue un grito lleno de rabia. Y...

—¡Basta!

Era Vladimir, que se interpuso con agilidad en la pelea y separó a Harry de Alexei, empujándolo contra la pared del otro lado.

—¿Qué demonios hace?

—Está loco —dijo Alexei entre dientes mientras se frotaba el cuello.

Harry se limitó a respirar, pero era un resuello áspero y agitado.

—¡Cállense! —exclamó Vladimir, mirando con ferocidad a Harry como anticipándose a una interrupción—. Los dos. Y ahora escúchenme. —Dio un paso al frente y le dio con un pie a la botella del suelo, que salió volando hasta el otro lado de la habitación, vertiendo el resto del vodka. Vladimir gruñó asqueado, pero no hizo comentario alguno. Tras escudriñar a ambos hombres con la mirada, continuó hablando—: He recorrido el edificio y creo que lady Olivia sigue dentro.

—¿Qué le hace pensar eso? —preguntó Harry.

—Que hay guardas en todas las puertas.

—¿Para una fiesta?

Vladimir se encogió de hombros.

—Hay muchos motivos por los que proteger el contenido de esta casa.

Harry esperó a que Vladimir siguiese hablando, pero este no le dio más detalles. ¡Cielos! Era como hablar con Winthrop. Hasta este preciso instante no se había dado cuenta de lo mucho que odiaba todas esas frases ambiguas como la de «Tenemos nuestros métodos».

—Ninguno de los guardas la ha visto salir —continuó Vladimir—. La única puerta por la que podría haber salido sin ser vista es la principal, por donde se accede a la fiesta.

—Olivia no ha vuelto a la fiesta —afirmó Harry, y luego aclaró—: Ha ido al cuarto de baño, pero a la fiesta no ha vuelto.

—¿Está seguro?

Harry asintió bruscamente con la cabeza.

—Sí.

—Entonces daremos por hecho que no ha salido del edificio. No sabemos si llegó al cuarto de baño...

—Sí que llegó —interrumpió Harry. Se sintió como un idiota por no haber mencionado eso antes—. Estuvo ahí dentro un rato. Su amiga me ha dicho que la vio en el baño.

—¿Qué amiga es esa? —preguntó Vladimir.

Harry sacudió la cabeza.

—No recuerdo cómo se llama, pero no tendrá ninguna información de utilidad. Me dijo que salió del lavabo antes que Olivia.

—Puede que haya visto algo. Encuéntrela —ordenó Vladimir— y tráigamela. La interrogaré.

—No es una buena idea —le dijo Harry—, a menos que esté dispuesto a *retenerla* como rehén. Sería incapaz de guardar un secreto aunque le fuese la vida en ello, así que imagínese si se trata de la vida de otra persona.

—Entonces interróguela usted. Volveremos a encontrarnos aquí. —Vladimir se dirigió a Alexei—. Usted quédese aquí por si envían otra nota.

Alexei respondió algo, pero Harry no lo oyó. Ya estaba caminando por el pasillo, en busca de esa muchacha, se llamara como se llamase.

—¡Alto! —gritó Vladimir.

Harry frenó en seco y se volvió impaciente. No tenían tiempo que perder.

—No hace falta que vaya a buscarla —soltó Vladimir—. Ha sido un pretexto para que saliera de la habitación y dejase al príncipe... —movió bruscamente la cabeza hacia el saloncito donde Alexei esperaba— dentro.

Harry pensó a toda prisa, pero habló con voz serena cuando preguntó:

—¿Sospecha que esté implicado en el secuestro?

—*Nyet*, pero será un incordio. Y usted, ahora que ha tenido tiempo para calmarse, creo que...

—No confunda mi estado de ánimo con la calma... —repuso Harry entre dientes.

Vladimir arqueó las cejas; a pesar de ello se metió la mano en el abrigo y extrajo un revólver por la empuñadura. Se lo ofreció a Harry.

—Confío en que no cometerá ninguna estupidez.

Harry rodeó la empuñadura del arma con la mano, pero Vladimir no la soltó.

—¿Verdad? —preguntó.

«¿Cometeré alguna estupidez?»

—Verdad —contestó Harry. Y rezó para que así fuera.

Vladimir dejó la mano en el revólver durante varios segundos más y luego lo soltó de golpe, esperando mientras Harry examinaba el arma.

—Venga conmigo —le ordenó, y los dos recorrieron rápidamente el pasillo y doblaron una esquina. Vladimir se detuvo delante de una puerta, miró a ambos lados, luego se metió en una habitación vacía y le hizo señas a Harry para que lo siguiera. Vladimir se llevó un dedo a los labios para indicarle que no hiciera ruido, entonces inspeccionó la habitación para asegurarse de que no había nadie.

—La ha retenido el embajador —comentó—. O sus hombres, más bien, porque él sigue en la fiesta.

—¿Qué? —Al margen del protocolario saludo de aquella tarde, Harry no conocía al embajador, pero aun así le costaba creerlo.

—Necesita dinero. Pronto tendrá que volver a Rusia y tiene pocos recursos económicos. —Vladimir se encogió de hombros y a continuación hizo un amplio movimiento con los brazos, señalando la opulencia del entorno—. Se ha acostumbrado a vivir en este palacio y siempre ha estado celoso de su primo.

—¿Qué le hace pensar que ha secuestrado a Olivia?

—Tengo topos infiltrados —contestó Vladimir de forma enigmática.

—¿Eso es cuanto va a decirme? —repuso Harry indignado, harto ya de que nunca le contaran toda la historia.

—Eso es cuanto voy a decirle, amigo mío —dijo Vladimir. Volvió a encogerse de hombros—. Es más seguro así.

Harry no habló. Prefirió no hacerlo.

—Los padres de lady Olivia se han dado cuenta de que su hija ha desaparecido —dijo Vladimir.

A Harry no le sorprendió. Había pasado más de una hora.

—Que yo sepa, nadie más se ha dado cuenta —continuó Vladimir—. Hay mucho vodka en la sala. No creo que nadie haya detectado que hasta en la limonada hay un poco.

Harry lo miró con dureza.

—¿Qué?

—¿No lo sabía?

Sacudió la cabeza. ¿Cuántos vasos se habría tomado? ¡Maldita sea! Creía que tenía la mente despejada, claro que ¿acaso notaría la diferencia? Nunca había estado borracho, ni siquiera achispado.

—También se han dado cuenta de que el príncipe se ha ausentado —prosiguió Vladimir—. A sus padres les preocupa que puedan estar juntos.

Harry apretó con fuerza los labios formando una línea recta. La insinuación hizo que le ardiera el pecho, pero este no era momento para estar celoso.

—Quieren mantener esto en secreto. Ahora mismo están con el embajador.

—¿Están con él? ¿Ha...?

—Está desempeñando a la perfección el papel de anfitrión preocupado. —Vladimir escupió en el suelo—. Nunca me he fiado de él.

Harry se quedó mirando la saliva del suelo con cierta sorpresa. Era la mayor manifestación de emociones que le había visto exteriorizar. Cuando volvió a levantar la vista, fue evidente que Vladimir había reparado en su perplejidad.

El corpulento ruso lo miró con ojos penetrantes.

—Aborrezco a los hombres que se aprovechan de las mujeres.

Había un gran trasfondo en ese comentario, pero Harry tuvo la prudencia de no preguntar. Asintió una vez en señal de respeto y entonces preguntó:

—¿Y ahora qué?

—Saben dónde está el príncipe. Ahí es donde entregarán una nota. Tiene instrucciones precisas de no hacer nada y creo que es lo bastante sensato como para hacer lo que le he dicho.

Harry esperaba que fuese cierto. Creía que lo era, pero también que el príncipe Alexei había estado bebiendo.

—Mientras él espera nosotros buscamos.

—¿Qué tamaño tiene este maldito mausoleo?

Vladimir negó con la cabeza.

—No lo sé con exactitud, pero seguro que tiene más de cuarenta habitaciones, tal vez más. Aunque si yo tuviera que retener a alguien lo llevaría al ala norte.

—¿Qué hay en el ala norte?

—Está más apartada y las habitaciones son más pequeñas.

—Pero ¿no habrá pensado el embajador que ese es el primer sitio donde buscaremos?

Vladimir fue hasta la puerta.

—Él ni se imagina que alguien pueda estar buscando. Me considera un criado estúpido. —Miró hacia Harry con ojos entornados—. Y no sabe nada de usted. —Puso la mano en el pomo—. ¿Preparado?

Harry sujetó el revólver con más fuerza.

—Usted primero.

Tardó casi media hora y Olivia estaba segura de que se le habían dislocado ambos hombros, pero por fin deslizó los dedos bajo una sección del nudo y pudo deshacerlo en parte. Se detuvo a escuchar con atención… ¿Eran pasos eso que oía?

Se acostó adoptando la misma posición en la que estaba al irse su captor.

Pero no, nada. No se descorrieron los cerrojos ni la puerta se abrió. Volvió a culebrear hasta que notó de nuevo el nudo en la parte posterior de los tobillos. Sin duda era más pequeño, pero aún le quedaba una ardua tarea por delante. No estaba segura, pero le pareció que era un doble nudo. Bueno, ahora era un nudo y medio. Pero si conseguía deshacer la siguiente sección, estaría…

Seguiría estando atada.

Soltó un largo suspiro. Su cuerpo y sus ánimos se desinflaron. Si había tardado tanto solo para deshacer una pequeña parte del nudo…

No, se reprochó. Tenía que seguir. Si lograba deshacer las dos secciones siguientes, el resto debería soltarse sacudiendo un poco el cuerpo.

Podía hacerlo. Sí que podía.

Apretó los dientes reanudando la tarea. Tal vez iría más deprisa ahora que sabía lo que tenía que hacer. Sabía cómo mover los dedos, metiendo uno en el enlazamiento del nudo y luego sacudiendo las piernas a un lado y al otro, una y otra vez, intentando aflojarlo.

O tal vez iría más deprisa porque ya no notaba los hombros. La ausencia de dolor seguramente la beneficiaría.

Tiró con el dedo… y movió las piernas… Tiró… y movió… y arqueó la espalda… y la estiró… y rodó sobre un lado… y sobre el otro…

Y se cayó de la cama.

Y aterrizó en el suelo con fuerza. Se dio un golpe realmente fuerte. Hizo una mueca de dolor y, cuando oyó los clics de los cerrojos al abrirse, rezó para que su captor no reparara en que los nudos de los tobillos estaban más flojos.

Pero no hubo ningún clic.

¿Podía no haberla oído? Parecía imposible. Olivia nunca había sido habilidosa; atada de pies y manos se volvía una completa inútil. Porque no hacía falta decir que no había aterrizado con suavidad.

Quizá no hubiese nadie ahí fuera. Había dado por sentado que su captor estaba sentado en una silla al otro lado de la puerta, pero a decir verdad ignoraba por qué había pensado eso. Él no debía de creer que ella pudiera escapar, y Olivia estaba casi convencida de que esta sección del edificio estaba desierta. Los únicos pasos que había oído habían estado seguidos de la aparición del hombre de pelo gris.

Esperó en el suelo junto a la cama durante un minuto más por si alguien entraba y luego se arrastró por la madera hasta la puerta para mirar por debajo de esta. La rendija era de apenas unos milímetros y no pudo ver gran cosa. El pasillo estaba un poco más iluminado que la habitación, pero pensó que vería sombras, de haber alguna.

Y no le pareció que hubiera.

De modo que nadie la vigilaba. Era un dato útil, aunque estando maniatada como estaba, no sabía muy bien de qué serviría. Y la verdad era que tampoco sabía muy bien cómo lograría regresar hasta la cama. Podía intentar encaramarse a ella apoyándose en una de sus patas, pero la mesa donde estaba la tetera seguía bloqueándole la de la cabecera de la cama y...

¡La tetera!

Le recorrió un estallido de excitación y energía, y rodó literalmente boca abajo en sus prisas por llegar hasta la mesa. Desde ahí tenía que clavar hombro, hombro, rodilla y...

Ya había llegado. ¿Cómo haría ahora para tirar la tetera al suelo? Si pudiera romperla, podría usar un trozo para cortar las cintas de pies y manos.

Logró acercar los pies al cuerpo con gran esfuerzo. Sirviéndose del lateral de la cama para apoyarse, se levantó despacio, los músculos quemándole, hasta que por fin se puso de pie. Se tomó unos segundos para recobrar el aliento y luego retrocedió hasta la pequeña mesa, flexionando las rodillas hasta que las manos quedaron justo a la altura adecuada para agarrar la tetera por el asa.

«Por favor, que no haya nadie ahí fuera. Por favor, que no haya nadie ahí fuera.»

Necesitaba tomar impulso. No podía simplemente tirarla al suelo. Repasó la habitación con la mirada en busca de inspiración. Empezó a dar vueltas.

«Por favor, por favor, por favor.»

Giró más y más deprisa, y entonces...

Soltó la tetera, que chocó contra la pared con un fuerte estampido, y Olivia, aterrada al pensar que alguien pudiera abrir de pronto la puerta, regresó a la cama dando saltos y se tumbó boca arriba, aunque ignoraba cómo explicaría el hecho de que la tetera se hubiese hecho añicos al chocar contra la pared.

Pero no entró nadie.

Contuvo el aliento. Empezó a incorporarse. Tocó el suelo con los pies y acto seguido...

Unos pasos, que se dirigían apresurados hacia la habitación en la que estaba.

«¡Oh, Dios!»

Se oían voces también. En ruso. Hablaban en tono apremiante, irritado.

No le harían daño, ¿verdad? Era demasiado valiosa. El príncipe Alexei tenía que pagar su rescate y...

¿Y si el príncipe se había desentendido del asunto? Había dejado de cortejarla y sabía que ella estaba locamente enamorada de Harry. ¿Y si se había sentido rechazado? ¿Y si sentía deseos de venganza?

Reculó de nuevo sobre la cama y se encogió temerosa en un extremo. Sería fantástico ser valiente, arrostrar lo que sea que viniera con sonrisa indiferente y sacudiendo la melena con descaro, pero ella no era María Antonieta, vestida de blanco para su decapitación, pidiéndole perdón con solemnidad a su verdugo tras pisarle sin querer el pie.

No, ella era Olivia Bevelstoke y no quería morir con dignidad. No quería estar ahí, no quería este espantoso temor atenazándole las entrañas.

Alguien empezó a aporrear la puerta con fuerza, de forma rítmica y brutal.

Olivia empezó a temblar. Se aovilló todo lo que pudo, hundiendo la cabeza entre las rodillas. «Por favor, por favor, por favor», salmodiaba para sus adentros una y otra vez. Pensó en Harry, en su familia, en...

La puerta de madera empezó a astillarse.

Olivia rezó para no perder el control.

Y entonces echaron la puerta abajo.

Ella gritó, el sonido salió de las profundidades de su garganta. Era como si la mordaza estuviese desgarrándole la lengua, como si una ráfaga de aire seco y abrasador emergiese por su tráquea.

Y entonces alguien pronunció su nombre.

El polvo y la falta de luz oscurecían el aire y lo único que Olivia pudo ver fue la enorme sombra de un hombre que avanzaba hacia ella.

—Lady Olivia. —Su voz era ronca y grave. Y tenía acento—. ¿Está usted herida?

Era Vladimir, el criado corpulento y normalmente callado del príncipe Alexei. De repente solo pudo pensar en la forma en que había estirado y girado el brazo dislocado de Sebastian Grey, y si podía hacer eso, bien podía partirla a ella en dos y... ¡Oh, Señor!

—Deje que le ayude —le dijo.

¿Hablaba inglés? ¿Desde cuándo sabía hablar inglés?

—¿Lady Olivia? —repitió, su voz grave era un mero gruñido. Sacó un cuchillo y ella se encogió de miedo, pero él se limitó a acercarlo a la parte posterior de la mordaza y la cortó.

Olivia tosió y se atragantó, apenas lo oyó cuando volvió a gritar algo en ruso.

Alguien contestó también en ruso, y oyó unos pasos... corriendo, acercándose, y entonces...

¿Harry?

—¡Olivia! —gritó él corriendo hacia ella.

Vladimir le dijo algo (en ruso) y Harry contestó en tono seco.

En ruso también.

Ella los miró a los dos atónita. ¿Qué estaba pasando? ¿Por qué Vladimir hablaba en inglés?

«¿Por qué Harry habla en ruso?»

—¡Olivia! ¡Gracias a Dios! —dijo Harry rodeándole el rostro con las manos—. Dime que no te han hecho daño. Cuéntame qué ha pasado, por favor.

Pero ella no podía moverse, apenas podía pensar. Al oír hablar en ruso a Harry..., era como si fuese una persona distinta. Su voz había sido distinta y también su rostro, boca y músculos moviéndose de un modo completamente distinto.

Dio un respingo cuando él la tocó. ¿Conocía a Harry? ¿De verdad lo conocía? Le había dicho que su padre era un borracho y que lo había criado su abuela... ¿Había algo de cierto en eso?

Pero ¿qué es lo que había hecho? ¡Oh, Dios! Había entregado su cuerpo a alguien que no conocía, en quien no podía confiar.

Vladimir le dio algo a Harry, quien asintió y dijo algo más en ruso.

Olivia intentó recular, pero ya estaba junto a la pared. Respiraba con agitación y estaba acorralada; no quería estar aquí con este hombre que no era Harry, y...

—No te muevas —le dijo él, y acto seguido levantó un cuchillo.

Olivia alzó la vista y, al ver los destellos del metal acercándose a ella, gritó.

Harry no quería volver a oír nunca ese sonido.

—No voy a hacerte daño —le dijo a Olivia procurando parecer lo más calmado y tranquilizador posible. Cortó las cintas anudadas con pulso firme, pero por dentro aún temblaba.

Sabía que la amaba. Sabía que la necesitaba, que sin ella no podría ser feliz. Pero hasta ese momento no había comprendido la amplitud y la profundidad de ese amor, la absoluta certeza de que sin ella no era nada.

Y ese grito, que ella le tuviese miedo... a *él*. Eso le produjo una angustia que por poco lo ahogó.

Primero le soltó los tobillos y después las muñecas, pero cuando fue a consolarla, ella emitió un sonido casi animal y saltó de la cama. Se movió tan deprisa que él no pudo pararla y debía de tener los pies dormidos, porque cuando los apoyó en el suelo se le doblaron las rodillas y se cayó.

¡Qué horror! Tenía miedo de él. De *él*. ¿Qué le habían dicho a Olivia? ¿Qué le habían hecho?

—Olivia —dijo entonces con tiento, y alargó el brazo hacia ella con un movimiento lento y suave.

—No me toques —gimoteó ella. Intentó alejarse arrastrando esos pies que no la sostenían.

—Olivia, déjame ayudarte.

Pero era como si ella no le oyese.

—Tenemos que irnos —anunció Vladimir, diciendo las palabras en un ruso ronco.

Harry no se molestó siquiera en mirarlo para insistirle en que le diera un minuto más, las palabras salieron de su boca en ruso sin pensar.

Olivia abrió mucho los ojos y miró con desesperación hacia la puerta con la clara intención de escapar.

—Tenía que habértelo contado —dijo Harry al comprender de pronto la causa de su pánico—. Mi abuela era rusa. De pequeño solo me hablaba en ruso. Por eso...

—No hay tiempo para explicaciones —interrumpió Vladimir con voz áspera—. Lady Olivia, debemos irnos ya.

Olivia debió de reaccionar a la autoridad de su voz, porque asintió y con aspecto todavía tembloroso y asustado dejó que Harry le ayudase a ponerse de pie.

—Pronto te lo explicaré todo —le aseguró—. Te lo prometo.

—¿Cómo me habéis encontrado? —susurró ella.

Salieron deprisa de la habitación y Harry miró a Olivia. Sus ojos habían cambiado; se la veía aún conmocionada, pero reconoció en ellos a la Olivia de siempre. Ya no había terror en su mirada.

—Ha hecho usted mucho ruido —contestó Vladimir con el revólver preparado para disparar mientras doblaba una esquina—. Puede que haya sido una estupidez, pero ha tenido usted suerte. Le ha salido bien la jugada.

Olivia asintió y, a continuación, le dijo a Harry:

—¿Por qué habla en inglés?

—Es algo más que un guardaespaldas —contestó él con la esperanza de que eso bastase por ahora. No era el momento adecuado de desentrañar la historia entera.

—Vengan —dijo Vladimir haciéndoles señas para que lo siguieran.

—¿Quién es? —susurró Olivia.

—Pues la verdad es que no lo sé —contestó Harry.

—Nunca más volverán a verme —soltó Vladimir casi indolente.

Pese a que Harry empezaba a sentir simpatía y respeto hacia él, esperaba fervientemente que fuera verdad. Así de simple. Cuando salieran de aquí, informaría al Ministerio de Guerra, se casaría con Olivia, se irían a vivir a Hampshire y tendrían un montón de hijos políglotas, y se sentaría cada día frente a su escritorio sin otra cosa más emocionante que hacer que actualizar su libro de cuentas.

Le gustaba aburrirse. *Ansiaba* aburrirse.

Aunque, por desgracia, el aburrimiento no sería la tónica del resto de la velada...

24

Para cuando llegaron a la planta baja, Olivia había recuperado la sensación en los pies y no tuvo que apoyarse tanto en Harry.

Pero no le soltó la mano.

Seguía muy asustada, el corazón le latía con fuerza, le palpitaba la sangre en las venas y no entendía por qué él hablaba en ruso ni esgrimía un revólver, ni estaba segura de si debía confiar en él y, peor aún, no sabía si podía confiar en *sí misma*, porque temía haberse enamorado de un espejismo, de un hombre que ni siquiera existía.

Pero, aun así, no le soltó la mano. En aquel terrible instante era lo único auténtico que había en su vida.

—Por aquí —dijo Vladimir en tono seco, abriendo camino. Se dirigían al despacho del embajador, donde esperaban los padres de Olivia. Todavía les quedaba un buen trecho o eso supuso ella a juzgar por el silencio reinante en los pasillos. Cuando oyese el murmullo de voces de la fiesta, sabría que estaba cerca.

Pero no caminaban deprisa. En cada esquina, y en lo alto y al pie de cada escalera, Vladimir se detenía, llevándose un dedo a los labios mientras se pegaba contra la pared y asomaba con cuidado la cabeza por la esquina. Y cada vez Harry hacía lo mismo, tirando de ella, protegiéndola con su cuerpo.

Olivia comprendía la necesidad de ser cautos, pero tenía la sensación de que en su interior iba a estallar algo y lo único que quería era soltarse y echar a correr, y notar el silbido del aire acariciándole la cara mientras volaba por los pasillos.

Quería irse a casa.

Quería estar con su madre.

Quería quitarse ese vestido y quemarlo, lavarse, beber algo dulce, ácido o mentolado; lo que sea que eliminara más deprisa el sabor a miedo de su boca.

Quería acurrucarse en la cama y cubrirse la cabeza con la almohada; no quería pensar en nada de esto. Por una vez en la vida quería ser indiferente a todo. Tal vez mañana le interesarían todos los detalles, pero de momento lo único que quería era cerrar los ojos.

Y agarrar la mano de Harry.

—Olivia.

Ella levantó la vista hacia él y solo entonces se dio cuenta de que realmente había cerrado los ojos, casi perdiendo el equilibrio.

—¿Te encuentras bien? —le susurró.

Olivia asintió. No se encontraba bien del todo, pero pensó que a lo mejor sí lo bastante. Lo bastante como para aguantar esa noche, para hacer lo que sea que tuviera que hacer.

—¿Podrás hacerlo? —preguntó Harry.

—Debo hacerlo. —Porque a decir verdad, ¿qué otras opciones tenía?

Él le apretó la mano.

Ella tragó saliva y bajó la mirada hacia sus manos, la unión de piel contra piel. La mano fuerte de Harry era cálida, casi desprendía calor, y Olivia se preguntó si en su palma él sentía los dedos de ella como carámbanos pequeños y afilados.

—Falta poco —le aseguró Harry.

«¿Por qué has hablado en ruso?»

Las palabras revolotearon en los labios de Olivia, casi las pronunció, pero las controló y retuvo en su interior. Este no era el momento de hacer preguntas. Tenía que concentrarse en lo que estaba haciendo, en lo que *él* hacía por ella. La residencia del embajador era enorme y ella estaba inconsciente cuando la habían llevado al cuartito de arriba. No habría sabido regresar sola a la sala de baile, ¿a que no? Al menos no sin perderse por el camino.

Debía confiar en que él la llevaría a un lugar seguro. No tenía alternativa.

Debía confiar en él.

Tenía que hacerlo.

Entonces miró a Harry, lo miró de verdad por primera vez desde que Vladimir y él la habían rescatado. La extraña y tenue niebla que había bañado su ser empezaba a disiparse, y comprendió que por fin tenía la mente despejada, o mejor dicho bastante despejada, pensó con un brusco y gracioso movimiento de labios.

Lo bastante despejada como para saber que confiaba en él.

No porque tuviera que hacerlo, sino simplemente porque sí. Porque lo amaba. Y quizá no supiese por qué Harry no le había dicho que hablaba ruso, pero le conocía. Al mirarlo a la cara volvió a verlo leyéndole *La señorita Butterworth,* regañándola por interrumpirle. Lo vio sentado en el salón de su casa insistiendo en que necesitaba que la protegiera del príncipe.

Lo vio sonriendo.

Lo vio riéndose.

Y vio su mirada sincera al decirle que la amaba.

—Confío en ti —susurró Olivia. Él no lo oyó, pero no importaba. Las palabras no iban dirigidas a él, sino a sí misma.

Harry había olvidado lo mucho que llegaba a detestar esto. Había luchado en bastantes batallas para saber que algunos hombres se crecían en el peligro, y en batallas más que suficientes para saber que él no era uno de ellos.

Era capaz de mantener la concentración, de actuar con calma y sensatez, pero después, envuelto en un velo de seguridad, empezaba a temblar. Respiraba cada vez más agitadamente y en más de una ocasión se había quedado sin aliento.

No le gustaba el miedo.

Y en la vida había estado tan asustado.

Los hombres que habían secuestrado a Olivia eran despiadados, o eso le había dicho Vladimir mientras la buscaban. Llevaban años trabajando para el embajador y habían sido recompensados generosamente por sus maldades. Eran leales y violentos; una terrible combinación. El único consuelo era que, si creían que el príncipe Alexei la tenía en alta estima, no era probable que le hicieran daño. Pero ahora que había escapado, ¿quién sabe qué pensarían de ella? Quizá la considerasen un bien defectuoso, completamente prescindible.

—Ya falta poco —dijo Vladimir en ruso cuando llegaron al pie de las escaleras. No tenían más que recorrer la larga galería y acceder a la zona pública de la casa. Una vez allí estarían a salvo. La fiesta estaba aún en su apogeo y nadie se atrevería a agredirles ante la mirada de varios centenares de los más insignes ciudadanos de Inglaterra.

—Falta poco —le susurró Harry a Olivia. Tenía las manos heladas, pero parecía haber recuperado casi toda su energía.

Vladimir avanzó poco a poco. Habían ido por la escalera de servicio, que por desgracia desembocaba en una puerta cerrada. Pegó la oreja a la madera para escuchar.

Harry atrajo a Olivia hacia sí.

—Ahora —anunció Vladimir en voz baja. Abrió muy lentamente la puerta, salió y a continuación les hizo una señal para que lo siguieran.

Harry dio un paso al frente, luego otro. Olivia estaba un paso por detrás.

—Deprisa, vamos —susurró Vladimir.

Se movieron con rapidez, en silencio, sin despegarse de la pared y entonces...

¡Bang!

Harry le dio un fuerte tirón de mano a Olivia. Su primer instinto fue ponerla a cubierto, pero no había dónde protegerse ni refugiarse. Lo único que había era un amplio pasillo y alguien con un revólver en algún lugar.

—¡Corran! —gritó Vladimir.

Harry soltó la mano de Olivia (podría correr más deprisa con los dos brazos libres) y exclamó:

—¡Corre!

Y corrieron. Se precipitaron por el pasillo, derrapando al volver la esquina tras Vladimir. Tras de sí una voz les gritó en ruso, ordenándoles que se detuvieran.

—¡Sigue! —le gritó Harry a Olivia. Hubo otro disparo y este lo oyeron más cerca, cortando el aire junto al hombro de Harry.

O quizá le perforase el hombro. Harry no alcanzó a saberlo.

—¡Por aquí! —ordenó Vladimir, y dieron la vuelta a otra esquina tras él y luego recorrieron un pasillo. Los disparos habían cesado y no se oían más pasos apresurados a sus espaldas, y entonces de algún modo desembocaron todos en el despacho del embajador.

—¡Olivia! —gritó su madre, y Harry las observó mientras se abrazaban, mientras Olivia, que no había derramado una sola lágrima, por lo menos delante de él, se derrumbaba en brazos de su madre, llorando.

Harry se apoyó en la pared. Estaba mareado.

—¿Está usted bien?

Harry parpadeó con dificultad. Era el príncipe Alexei, que lo miraba con preocupación.

—Está sangrando.

Harry miró hacia abajo. Se estaba sujetando el hombro; no había sido consciente de hacerlo. Levantó la mano y contempló la sangre. Era curioso, porque no le dolía. Tal vez se tratase del hombro de otra persona.

Le fallaron las rodillas.

—¡Harry!

Y entonces... En realidad no lo vio todo negro. ¿Por qué decían que cuando uno se desmayaba lo veía todo negro? Porque él lo veía rojo o quizá verde.

O quizás...

Dos días después:

Experiencias que espero no volver a vivir nunca.
Por Olivia Bevelstoke.

Olivia hizo un alto en sus reflexiones para tomar un sorbo del té que sus padres, preocupados, le habían hecho subir a la habitación junto con un enorme plato de galletas. A ver, ¿por dónde podía empezar semejante lista? Por ejemplo, la habían dejado inconsciente (al parecer tapándole la nariz y la boca con un trapo empapado en alguna droga). Y no había que olvidar la mordaza ni que la habían atado de pies y manos.

¡Ah! Y no podía omitir el té humeante que le había dado a beber precisamente el hombre responsable de todo lo anterior. Eso más bien había sido un ataque contra su dignidad, pero ocupaba uno de los primeros puntos de la lista.

Olivia daba mucha importancia a su dignidad.

Veamos, ¿qué más...? Ver y oír cómo echaban una puerta abajo. Eso no había sido agradable. La expresión del rostro de sus padres al recuperarla por fin; había sido de alivio, cierto, pero esa clase de alivio requería un terror proporcional, y Olivia no quería que ninguno de sus seres queridos volviera a sentirse así nunca más.

Y luego, ¡Dios!, esto había sido lo peor: ver cómo Harry se desplomaba en el suelo del despacho del embajador. Olivia no se había fijado en que había recibido un disparo. ¿Cómo era eso posible? Tan ocupada había estado sollozando en brazos de su madre que no lo vio ponerse cadavérico ni agarrarse el hombro con fuerza.

Hasta ese momento creía que era miedo lo que había sentido, pero nada, nada comparado con el terror de esos treinta segundos transcurridos desde que Harry se desplomó hasta que Vladimir le aseguró que no tenía más que una herida superficial.

Y, en efecto, no fue más que eso. Tal como Vladimir aseguró, al día siguiente Harry estaba de nuevo en pie. Había aparecido en casa de Olivia durante el desayuno, y entonces se lo explicó todo: por qué no le había contado que sabía ruso, qué había estado haciendo realmente frente a su escritorio cuando ella lo espiaba, incluso por qué había ido a verla con *La señorita Butterworth y el barón loco* aquella primera tarde descabellada y maravillosa. No fue por amabilidad ni porque sintiera hacia ella otra cosa que no fuera desprecio. Le habían *ordenado* que lo hiciera; nada menos que el prestigioso Ministerio de Guerra.

Era mucha información a asimilar mientras se tomaba unos huevos pasados por agua y un té.

Pero Olivia le había escuchado, y lo había entendido. Y ahora estaba todo aclarado, no quedaban cabos sueltos. El embajador había sido detenido, igual que los hombres que trabajaban para él, incluido su captor de pelo gris. El príncipe Alexei había mandado una solemne carta de disculpa en nombre de toda la nación rusa, y Vladimir, fiel a su palabra, había desaparecido.

Sin embargo, no había visto a Harry en más de veinticuatro horas. Se había marchado tras el desayuno y ella había dado por sentado que volvería a visitarla, pero...

Nada.

No es que le inquietara, ni siquiera le preocupaba. Pero era extraño. Muy extraño.

Tomó otro sorbo de té y dejó la taza en su platillo. A continuación lo levantó, junto con el plato de galletas, y los dejó encima de *La señorita Butterworth.* Porque seguía teniendo el libro a mano. Aunque no quería leerlo, no sin Harry.

En cualquier caso, aún no había acabado de leer el periódico. Había leído la segunda mitad y tenía bastantes ganas de pasar a las noticias más importantes de la primera parte. Circulaba el rumor de que *monsieur* Bonaparte estaba gravemente enfermo. Se imaginaba que no había muerto todavía; eso lo habrían anunciado en primera plana con un titular lo bastante destacado como para que no le pasara desapercibido.

Aun así habría algo digno de mención, de modo que tomó de nuevo el periódico y acababa de localizar un artículo para leer cuando oyó que llamaban a la puerta.

Era Huntley, que llevaba un trozo de papel. Cuando se acercó, Olivia se dio cuenta de que en realidad era un tarjetón doblado en tercios y lacrado en el centro con cera azul oscura. Murmuró su agradecimiento, examinando el lacre mientras el mayordomo salía de la habitación. Era muy sencillo: una simple «uve» de letra bastante elegante, que empezaba acaracolada y acababa en un floreo.

Deslizó el dedo por debajo y despegó la cera, desdoblando el tarjetón con cuidado.

Acércate a la ventana.

Eso era todo. Una única frase. Olivia sonrió y se quedó unos segundos más contemplando las palabras antes de deslizarse hasta el borde de la cama. Bajó apoyando los pies suavemente en el suelo, pero esperó unos instantes antes de atravesar la habitación. Tenía que esperar; quería quedarse ahí saboreando ese momento porque...

Porque *él* lo había creado. Harry era el artífice del momento. Y Olivia lo amaba.

«Acércate a la ventana.»

Se dio cuenta de que estaba sonriendo, casi riéndose como una tonta. En general no le gustaba que le diesen órdenes, pero en este caso era un placer.

Caminó hasta la ventana y descorrió las cortinas. Antes de abrirla vio a Harry a través del cristal, de pie frente a su propia ventana, esperándola.

—Buenos días —saludó Harry. Estaba muy serio o, mejor dicho, era su boca la que tenía un aspecto serio, porque a juzgar por su mirada algo se traía entre manos.

Ella notó que le empezaban a brillar los ojos. ¿No era extraño que pudiese notarlo?

—Buenos días —dijo Olivia.

—¿Cómo te encuentras?

—Mucho mejor, gracias. Creo que me hacía falta descansar.

Él asintió.

—Una conmoción requiere su tiempo.

—¿Hablas por experiencia? —preguntó ella. Pero no hubiera hecho falta; supo que sí por la expresión de Harry.

—De mi época en el ejército.

¡Qué curioso! Su conversación era sencilla, pero no sosa. Tampoco es que ellos fuesen torpes, tan solo estaban practicando.

Y Olivia ya sentía ese cosquilleo en el estómago.

—Me he comprado otro ejemplar de *La señorita Butterworth* —dijo él.

—¿De veras? —Olivia se apoyó en el alféizar—. ¿Lo has acabado de leer?

—¡Ya lo creo que sí!

—¿Y mejora conforme avanzas?

—Bueno, la protagonista se dedica a dar unos detalles sorprendentes sobre las palomas.

—¡No! —¡Cielos! Tendría que acabar la espantosa novela. Si era cierto que la autora describía el ataque mortal de las palomas... entonces valía la pena leerla.

—No, ahora en serio —repuso Harry—. Resulta que la señorita Butterworth presenció el lamentable suceso y lo revive en un sueño.

A Olivia le recorrió un escalofrío.

—Al príncipe Alexei le encantará.

—De hecho, me ha contratado para que traduzca el libro al ruso.

—¡Me tomas el pelo!

—No. —Le dedicó una mirada pícara pero, a la vez, de orgullo—. Voy por el primer capítulo.

—¡Vaya, qué emocionante! Bueno, también es horrible, porque tendrás que leerlo a fondo, aunque me imagino que cuando te pagan por ello la cosa cambia.

Harry se rio entre dientes.

—Debo decir que, en comparación con los documentos del Ministerio de Guerra, es un buen cambio.

—Pues yo creo que preferiría traducir documentos. —Le gustaban mucho más los datos fríos y anodinos.

—Seguramente —convino él— porque eres una mujer singular.

—Usted siempre tan adulador, sir Harry.

—Soy un erudito de la lengua, es lógico.

Olivia se dio cuenta de que estaba sonriendo. Tenía medio cuerpo asomado a la ventana, y sonreía. Estaba muy a gusto.

—El príncipe Alexei me pagará generosamente —añadió Harry—. Cree que *La señorita Butterworth* será todo un éxito en Rusia.

—Desde luego Vladimir y él disfrutaron con la representación de Sebastian.

Harry asintió.

—Eso significa que podré dejar el Ministerio de Guerra.

—¿Es lo que deseas? —preguntó Olivia. Acababa de averiguar a qué se dedicaba y no sabía si le gustaba o no.

—Sí —contestó Harry—, aunque hasta hace unas semanas no he sido consciente de cuánto lo deseo. Estoy harto de tanto secreto. Me gusta traducir, pero si puedo ceñirme a las novelas góticas...

—Novelas góticas y *escabrosas* —puntualizó Olivia.

—Eso es —convino Harry—. Me... ¡Oh! Discúlpame, nuestro invitado acaba de llegar.

—Nuestro invitado... —Olivia miró a un lado y al otro, parpadeando confusa—. ¿Hay alguien más aquí?

—Lord Rudland —dijo Harry, saludando con un respetuoso movimiento de cabeza hacia la ventana que estaba debajo y a la izquierda de la de Olivia.

—¿Papá? —Olivia miró hacia abajo, sorprendida. Y quizá también un poco abochornada.

—¿Olivia? —Su padre se asomó a la ventana, girando torpemente la parte superior del cuerpo para verla—. ¿Qué haces?

—Eso mismo iba a preguntarte yo —confesó ella; el desconcierto de su voz suavizó su tono impertinente.

—He recibido una nota de sir Harry solicitando mi presencia en esta ventana. —Lord Rudland volvió a girar el cuerpo para mirar a Harry—. ¿De qué va todo esto, joven? ¿Y por qué está mi hija asomada a su ventana como una verdulera?

—¿Está aquí mamá? —preguntó Olivia.

—¿Tu madre también está aquí? —preguntó su padre.

—No, solo me lo preguntaba, porque como *tú* sí que estás y...

—Lord Rudland —intervino Harry en voz lo bastante alta como para interrumpirlos a ambos—, me gustaría tener el honor de pedirle la mano de su hija.

Olivia ahogó un grito, luego gritó y luego se puso a dar saltos, cosa que resultó ser una mala idea.

—¡Ay! —exclamó al darse un golpe en la cabeza con la ventana. Volvió a asomar la cabeza y miró a Harry sonriente y con lágrimas en los ojos—. ¡Oh, Harry! —suspiró. Le había prometido una proposición formal y aquí la tenía. No podría haber sido más maravillosa.

—¿Olivia? —preguntó su padre.

Ella miró hacia abajo mientras se enjugaba los ojos.

—¿Por qué me pregunta esto por la ventana?

Olivia pensó en la pregunta, analizó las posibles respuestas y decidió que la honestidad era la mejor de las opciones.

—Estoy casi segura de que preferirás no saber la respuesta —le dijo.

Su padre cerró los ojos y sacudió la cabeza. Olivia había visto antes ese gesto; quería decir que se desesperaba con ella. Por suerte para él, su hija pasaría pronto a ser responsabilidad de otro hombre.

—Amo a su hija —dijo Harry—. Y, además, me gusta mucho.

Olivia se llevó una mano al corazón y soltó un grito sin saber por qué; sencillamente le salió, como una burbuja de pura alegría. Las palabras de Harry eran la declaración de amor más perfecta que se pueda imaginar.

—Es preciosa —prosiguió Harry—, tan hermosa que me duelen hasta las muelas, pero no es por eso que la amo.

No, lo de las *muelas* superaba a lo anterior en perfección.

—Me encanta que lea el periódico a diario.

Olivia bajó los ojos hacia su padre, que miraba fijamente a Harry sin dar crédito.

—Me encanta que no soporte la estupidez.

Cierto, pensó Olivia con una sonrisa bobalicona. Harry la conocía muy bien.

—Me encanta bailar mejor que ella.

Se le borró la sonrisa de la cara, pero tenía que reconocer que eso también era cierto.

—Me encanta lo cariñosa que es con los niños pequeños y los perros grandes.

«¿Qué?» Lo miró recelosa.

—Eso lo he deducido —confesó Harry—. Pero podría ser perfectamente.

Olivia apretó los labios para no reírse.

—Pero por encima de todo *la amo* —dijo Harry, y aunque tenía los ojos clavados en su padre, Olivia tuvo la sensación de que la miraba a ella—. La adoro. Y nada me gustaría más que ser su marido y pasar el resto de mi vida a su lado.

Olivia miró de nuevo hacia su padre. Seguía mirando fijamente a Harry con cara de absoluto asombro.

—¿Papá? —preguntó ella vacilante.

—Esto es muy inusual —dijo su padre. Pero no parecía enfadado, solo aturdido.

—Daría mi vida por ella —declaró Harry.

—¿De veras? —preguntó Olivia con un hilo de voz esperanzada e ilusionada—. ¡Oh, Harry! Yo...

—¡Chis! —ordenó él—. Estoy hablando con tu padre.

—Tenéis mi aprobación —dijo de pronto lord Rudland.

Olivia se quedó boquiabierta, indignada.

—¿Porque me ha dicho que me calle?

Su padre alzó la vista.

—Denota un sentido común extraordinario.

—¿Cómo?

—Y una buena dosis de amor propio —añadió Harry.

—Me gusta este hombre —anunció su padre.

Y entonces, de repente, Olivia oyó que se abría otra ventana.

—¿Qué pasa? —Era su madre, desde el salón, a tres ventanas de distancia de su padre—. ¿Con quién hablas?

—Olivia se casa, querida —contestó su padre.

—Buenos días, mamá —intervino Olivia.

Su madre alzó la vista, parpadeando sorprendida.

—¿Qué haces?

—Por lo visto me caso —dijo Olivia con una sonrisa más bien simplona.

—Conmigo —añadió Harry, únicamente para aclarar las cosas.

—¡Vaya, sir Harry! Mmm... Me alegro de volver a verlo. —Lady Rudland desvió la vista hacia él y parpadeó varias veces—. No había visto que estaba usted ahí.

Él saludó cortésmente a su futura suegra con un movimiento de cabeza.

Lady Rudland se dirigió a su marido:

—¿Olivia se casa con él?

Lord Rudland asintió.

—Cuenta con mi más sincera aprobación.

Lady Rudland reflexionó unos instantes en ello, luego se volvió a Harry:

—Será toda suya dentro de cuatro meses. —Alzó la mirada hacia su hija—. Tú y yo tenemos que organizar muchas cosas.

—Yo había pensado más bien en cuatro semanas —repuso Harry.

Lady Rudland se volvió bruscamente hacia él, con el dedo índice de su mano derecha bien erguido. También era ese un gesto que Olivia conocía a la perfección. Significaba que el receptor estaba jugando con fuego.

—Tiene usted mucho que aprender, joven —dijo lord Rudland.

—¡Oh! —exclamó Harry. Le hizo señas a Olivia—. No te muevas.

Ella esperó e, instantes después, Harry apareció con un pequeño estuche.

—El anillo —dijo él, aunque era bastante obvio. Abrió el estuche, pero Olivia estaba demasiado lejos para ver nada más que un fugaz centelleo—. ¿Alcanzas a verlo? —le preguntó.

Ella negó con la cabeza.

—Estoy segura de que es precioso.

Harry sacó más la cabeza por la ventana y calculó la distancia que los separaba.

—¿Podrás alcanzarlo? —preguntó.

Olivia oyó que su madre ahogaba un grito de sorpresa, pero supo que solo había una respuesta apropiada. Miró a su futuro marido con una expresión en extremo arrogante y dijo:

—Si te atreves a tirarlo, lo alcanzaré.

Harry se echó a reír y tiró el estuche.

Y ella no lo agarró a propósito.

Mejor, pensó Olivia, así se encontrarían a medio camino para recoger el anillo. Una proposición formal merecía un beso decente.

O, como le susurró Harry delante de sus padres, tal vez uno indecente...

Indecente, pensó Olivia, mientras sus labios entraban en contacto. Sin duda *indecente.*